NOTE DE L'ÉDITEUR

Parce que l'œuvre de Charlaine Harris est plus que jamais à l'honneur ; parce que nous avons à cœur de satisfaire les fans de Sookie, Bill et Eric, les mordus des vampires, des loups-garous ou des ménades, les amoureux de Bon Temps, du *Merlotte* et de La Nouvelle-Orléans, nous avons décidé de traduire ce onzième tome de *La communauté du Sud* au plus près de l'original, conformément à la nouvelle édition révisée des tomes précédents.

La narration a été strictement respectée, et chaque nom a été restitué fidèlement au texte original – *Fangtasia*, le fameux bar à vampires, a ainsi retrouvé son nom, comme Alcide, le chef des lycanthropes de Shreveport, Tara, la grande amie de Sookie et le peuple des Faé.

Nos lecteurs auront donc le plaisir de découvrir cette aventure de Sookie Stackhouse dans un style au plus près de celui de Charlaine Harris et de la série télévisée.

Nous vous remercions d'être aussi fidèles et vous souhaitons une bonne lecture.

DANS LE TOME PRÉCÉDENT...

Très intimement, et même plus qu'elle ne le souhaite, liée à Eric, Sookie s'est retrouvée avec la lourde tâche de gérer les problèmes de famille du shérif de la Cinquième Zone. Elle a fait la connaissance de son créateur, un authentique Romain nommé Appius Livius Ocella, et du jeune protégé de ce dernier, le sanguinaire tsarévitch Alexeï Romanov... À force de fréquenter des vampires et des loups-garous, la gentille Sookie n'hésite plus à montrer les crocs qu'elle n'a pas pour défendre ses amis. Elle a ainsi définitivement libéré Eric et Pam de cette parenté indésirable. Mais elle n'a pas su refuser l'hospitalité à son cousin Claude et son grand-oncle Dermot, les derniers survivants de sa famille faé dans le monde humain.

Du même auteur

Série Sookie Stackhouse
La communauté du sud

Les mystères de Harper Connelly

Lily Bard
(à paraître en 2012-2013)

Mort de peur

Catalogage avant publication de Bibliothèque et Archives nationales du Québec et Bibliothèque et Archives Canada

Harris, Charlaine
       Mort de peur
       (La communauté du Sud ; 11)
       Traduction de : Dead reckoning.
       « Série Sookie Stackhouse ».
       ISBN 978-2-89077-427-8
       I. Muller, Anne. II. Titre.
       III. Collection: Harris, Charlaine. Communauté du Sud ; 11.
PS3558.A77D41714 2012   813'.54   C2011-942601-3

COUVERTURE
Photo : © Maude Chauvin, 2009
Conception graphique : Annick Désormeaux

INTÉRIEUR
Composition : Facompo

Titre original : DEAD RECKONING
Ace Book, New York, publié par The Berkley Publishing Group,
une filiale de Penguin Group (USA) Inc.
© Charlaine Harris, 2011
Traduction en langue française : © Éditions J'ai lu, 2012
Édition canadienne : © Flammarion Québec, 2012

Tous droits réservés
ISBN 978-2-89077-427-8
Dépôt légal BAnQ : 1er trimestre 2012

Imprimé au Canada
www.flammarion.qc.ca

CHARLAINE HARRIS

Série Sookie Stackhouse
LA COMMUNAUTÉ DU SUD - 11

MORT DE PEUR

Traduit de l'anglais (États-Unis)
par Anne Muller

Flammarion
Québec

C'est à la mémoire de ma mère que je dédie ce livre.
Elle n'aurait pas été étonnée qu'on lui dédie
un ouvrage de fantasy urbaine.
Parmi mes fans, c'était la plus grande.
Elle était ma lectrice la plus fidèle.
Elle était admirable à tant d'égards.
Elle me manque chaque jour.

REMERCIEMENTS

Cette fois-ci, j'ai réellement peur d'oublier quelqu'un : j'ai la grande chance, dans l'écriture de ces livres, de bénéficier d'une aide considérable. Je veux avant tout remercier mon assistante et meilleure amie, Paula Woldan. C'est elle qui veille à ce que je puisse écrire en toute tranquillité, sans le moindre souci. Merci à mes amies et lectrices Toni L. P. Kelner et Dana Cameron, qui m'aident à me concentrer sur les aspects importants de ce cheminement ; à Victoria Koski, qui consacre tous ses efforts à maintenir l'ordre au sein du gigantesque univers de Sookie ; et enfin à mon agent, Joshua Bilmes, ainsi qu'à mon éditrice, Ginjer Buchanan, qui dépensent leur énergie sans compter pour maintenir le cap et mener toute mon équipe. Pour ce livre, j'ai reçu les conseils avisés d'Ellen Dugan, auteur, mère et sorcière.

1

Le grenier était resté fermé jusqu'au lendemain de la mort de ma grand-mère. En ce jour terrible, j'avais trouvé sa clé et je l'avais ouvert, pour y chercher sa robe de mariée. Complètement perdue, je m'étais dit qu'on devrait la lui mettre pour ses funérailles. J'avais à peine mis un pied dans la pièce que je me retournai pour ressortir, refermant la porte derrière moi sans la verrouiller.

Nous étions deux ans plus tard et je la poussais de nouveau. Les gonds grinçaient lugubrement. Comme s'il s'agissait d'un soir de Halloween à minuit, plutôt que d'un mercredi matin ensoleillé à la fin du mois de mai. Les larges planches du parquet protestaient sous mes pieds tandis que je franchissais le seuil. Des ombres lugubres semblaient surgir tout autour de moi et un parfum fugace de moisissure flottait dans l'air. Celui des choses anciennes et oubliées.

Lorsqu'on avait rajouté le premier étage à la demeure Stackhouse, des dizaines d'années plus tôt, on l'avait divisé pour en faire des chambres. Plus tard, au fur et à mesure que les dernières générations s'étaient clairsemées, on avait réservé à peu près un tiers de la soupente au rangement. Après la mort de nos parents, lorsque Jason et moi étions venus vivre ici avec mes grands-parents, on avait fermé la porte du grenier à clé : nous aurions pu décider de l'adopter comme salle de jeux mais Gran n'avait aucune intention d'y faire le ménage.

J'étais maintenant propriétaire de la maison, et je portais la clé attachée à un ruban autour de mon cou. Il ne restait plus que trois descendants Stackhouse : Jason, moi-même, et le fils de feu ma cousine Hadley, un petit garçon du nom de Hunter.

J'ai agité la main dans l'obscurité pour agripper la chaîne et tirer dessus : au-dessus de moi, une ampoule a illuminé des générations de vieilleries de famille.

Juste derrière moi, mon cousin Claude et mon grand-oncle Dermot ont pénétré dans la pièce. Dermot a soufflé si fort qu'on aurait presque dit un grognement. Claude avait un air morose. J'étais certaine qu'il regrettait d'avoir proposé de m'aider à vider le grenier pour le nettoyer. Mais je n'allais certainement pas le lâcher comme ça, surtout qu'il y avait un autre mâle valide avec nous pour nous assister. Pour l'instant, Dermot suivait Claude à la trace, et j'en avais donc deux pour le prix d'un. Quant à savoir si la situation allait durer, je n'en avais aucune idée.

Ce matin, j'avais brusquement réalisé qu'il ferait bientôt trop chaud pour passer du temps sous les toits. Le climatiseur que mon amie Amelia avait fait installer dans l'une des chambres rendait les autres pièces à peu près vivables, mais naturellement nous n'avions jamais gaspillé d'argent à en installer un dans le grenier.

— Bon, alors, on fait comment ? m'a interrogée Dermot.

Il était blond et Claude brun. Aussi magnifiques l'un que l'autre. Un jour, j'avais demandé son âge à Claude, mais il n'en avait qu'une très vague idée. Les faé n'ont pas la même notion du temps que nous. Mais il était mon aîné d'au moins un siècle. Un vrai gamin, comparé à Dermot. Mon grand-oncle, lui, pensait qu'il avait probablement plus de sept cents ans. Pas une ride, pas un cheveu gris, ni l'un ni l'autre. Et toujours droits comme des I.

Pour ma part, je ne comptais qu'un huitième de sang de faé. Et puisqu'ils étaient faé pure souche, nous paraissions tous avoir le même âge – bientôt la trentaine. Cela changerait toutefois d'ici quelques années. J'aurais l'air plus âgée que mes vénérables parents. Dermot ressemblait énormément à

Jason, mon frère. Mais j'avais noté la veille de petites pattes-d'oie au coin des yeux de Jason. Dermot ne subirait même pas ce signe-là de vieillissement.

Revenant sur terre, j'ai suggéré :

— Et si on portait tout ça dans le salon ? Il y a plus de lumière en bas, ce sera plus facile de voir si on peut garder les choses ou non. Quand on aura tout sorti du grenier, je pourrai le nettoyer quand vous serez partis travailler.

Claude était propriétaire d'un bar à strip-tease à Monroe et s'y rendait tous les jours. Quant à Dermot, il allait là où allait Claude. Comme toujours...

— On a encore trois heures, m'a répondu Claude.

— Alors c'est parti !

Et j'ai accroché mon éternel sourire joyeux à mes lèvres.

Une heure plus tard, je commençais à ressentir de sérieux doutes. Mais il était trop tard pour me défiler. Et d'ailleurs, le spectacle qu'offraient Claude et Dermot travaillant torse nu était tout à fait fascinant.

Ma famille vit dans cette maison depuis qu'il se trouve des Stackhouse dans le Comté de Renard, c'est-à-dire plus de cent cinquante ans. Et nous avons entassé bien des choses. Le salon se remplissait à vue d'œil : caisses de livres, valises de vêtements, meubles, vases... La famille n'avait jamais été riche et, apparemment, nous avions toujours estimé que chaque objet pourrait servir un jour, même usé ou cassé, pour peu qu'on attende assez longtemps. Après avoir manœuvré pour descendre un bureau de bois horriblement lourd dans l'escalier étroit, même les deux faé avaient besoin de se reposer un peu. Nous nous sommes tous assis sous la véranda, les garçons sur la rambarde et moi dans la balancelle.

— On pourrait tout entasser dans le jardin et y mettre le feu... a proposé Claude.

Ce n'était pas une plaisanterie. Au mieux, son sens de l'humour était fantasque. Le reste du temps, il était tout simplement microscopique.

— Mais non, me suis-je exclamée en essayant de réprimer mon agacement. Je sais que tout ce bazar n'a aucune valeur. Mais si d'autres Stackhouse ont estimé qu'il fallait garder tout ça là-haut, la moindre des politesses, c'est d'y jeter un œil, par respect pour eux.

— Ma petite-nièce adorée, est intervenu Dermot. Je suis désolé, mais Claude a raison. « Aucune valeur », c'est encore trop indulgent.

Une fois qu'on l'avait entendu parler, il était évident que sa ressemblance avec Jason n'avait rien de profond.

J'ai toisé mes faé d'un air renfrogné.

— Pour vous, bien sûr, ce ne sont que des débris. Mais pour des humains, ça peut avoir de la valeur. D'ailleurs, je vais peut-être appeler la troupe de théâtre de Shreveport, pour savoir s'ils veulent des vêtements ou des meubles.

— Oui, ça te débarrassera un peu, a répondu Claude avec un haussement d'épaules. Mais le gros du tissu ne sera même pas bon pour des chiffons.

Quand le salon était devenu impraticable, nous avions déposé des caisses dans la véranda et Claude en a désigné une du bout du pied. L'étiquette m'assurait qu'elle contenait des rideaux. Ils n'avaient toutefois visiblement plus rien de leur jeunesse.

— Tu as raison, ai-je soupiré.

J'ai repoussé la balancelle et me suis balancée pendant un instant, un peu mollement. Dermot est allé dans la maison, revenant avec un verre de thé à la pêche bourré de glaçons. Il me l'a tendu silencieusement. Je l'ai remercié, fixant tristement tout ce bric-à-brac qu'on avait autrefois chéri. Puis je me suis rendue à l'évidence :

— Bon, d'accord. On commence un tas à brûler. On met tout derrière, là où je brûle les feuilles ?

La dernière fois qu'on avait gravillonné mon allée, l'aire de parking devant ma maison, délimitée par de jolies barrières de bois, avait également reçu sa part – et j'en étais fière.

Les regards de Dermot et de Claude m'ont incitée à changer d'avis.

— OK, ici sur le gravier, ça ira très bien. Après tout, je n'ai jamais beaucoup de visites.

Quand Dermot et Claude ont débrayé pour aller se doucher et se changer avant d'aller au travail, l'aire contenait déjà un tas très respectable d'objets inutiles qui n'attendaient plus qu'une allumette. Les épouses Stackhouse avaient conservé des draps et des couvre-lits de rechange. Pour la plupart, ils étaient dans le même état que les rideaux. Pire encore, et, à mon grand regret, presque tous les livres étaient moisis ou grignotés par les souris. En soupirant, je les ai ajoutés à la pile, même si la seule idée de brûler des livres me serrait l'estomac. Ensuite ont suivi meubles cassés, parapluies au tissu effrité, sets de table tachés, et une énorme valise de cuir toute trouée... non, personne n'aurait plus jamais besoin de ce fouillis.

Nous avions découvert des photos, encadrées, en album ou tout simplement éparses, et nous les avions rangées dans une boîte dans le salon. Une autre a accueilli tous les documents. J'avais également trouvé de vieilles poupées. Je savais grâce à la télévision que certaines personnes les collectionnent. Je pourrais peut-être en tirer quelque chose. Il y avait aussi de vieux fusils ainsi qu'un sabre. J'aurais bien aimé que l'équipe d'*Antiques Roadshow* vienne m'aider.

Plus tard, au *Merlotte*, j'ai raconté ma journée à Sam. De taille moyenne, mon patron est pourtant doué d'une force exceptionnelle. Il se tenait au bar, époussetant les bouteilles. Nous n'avions pas grand monde ce soir-là – à vrai dire, les affaires étaient trop calmes, ces derniers temps. Je ne savais pas si la baisse était causée par la fermeture de l'usine d'abattage de volaille ou si certains clients reprochaient à Sam d'être un métamorphe – les hybrides avaient tenté d'imiter les vampires en annonçant publiquement leur existence, mais n'avaient pas rencontré le même succès. Pour ne rien arranger, un nouveau bar s'était installé vers la sortie de l'autoroute, une quinzaine de kilomètres à l'ouest : *Vic's Redneck Roadhouse*. J'avais entendu dire qu'on tenait toutes sortes de soirées dans ce routier : concours tee-shirt mouillé, bière-pong et même une soirée « Bring in a Bubba Night ». Complètement merdique.

Mais le public adore. Et c'est ça qui ramène les clients.

Bref, toujours est-il que Sam et moi avions tout le temps pour parler greniers et antiquités.

— À Shreveport, il y a une boutique qui s'appelle Splendide, m'a suggéré Sam. Les deux propriétaires font des expertises. Tu pourrais les appeler.

— Ah bon ? Tu t'y connais, toi ?

Bon. Le tact n'est pas mon fort.

— Euh, je ne m'en tiens pas qu'au bar, j'ai quand même d'autres centres d'intérêt, m'a répondu Sam en me regardant de côté.

Je suis allée remplir un pichet de bière pour une de mes tables. Quand je suis revenue, j'ai repris :

— Mais bien sûr, c'est évident. Je ne savais pas que tu t'y connaissais en antiquités, c'est tout.

— Ce n'est pas vraiment le cas. Mais Jannalynn, si. Splendide, c'est sa boutique préférée.

J'ai cligné des yeux en essayant de cacher à quel point je me sentais déconcertée. Jannalynn Hopper sortait avec Sam depuis quelques semaines. Elle était si féroce que les Longues Dents l'avaient nommée comme Second de la meute. Elle était pourtant minuscule et n'avait que vingt et un ans. Je trouvais difficile de l'imaginer en train de restaurer un cadre ancien ou d'envisager d'installer un buffet colonial chez elle à Shreveport. Tiens donc, d'ailleurs, je ne savais absolument pas où elle habitait... Avait-elle seulement une maison ?

— Je ne l'aurais jamais deviné, me suis-je exclamée en m'efforçant de sourire.

Jannalynn, fan de jardins d'hiver et de vieilles pierres ? Mais bien sûr. Jannalynn n'était pas assez bien pour Sam, c'était mon avis personnel. Que j'ai gardé pour moi, naturellement.

Pour ma part, je sortais avec un vampire dont la liste des meurtres à son actif dépassait certainement celle de Jannalynn : Eric était âgé de plus d'un millier d'années. Et dans un instant de prise de conscience épouvantable, comme il en arrive parfois sans prévenir, je me suis rendu compte que tous les hommes avec qui j'étais sortie – la liste était néanmoins courte, il faut bien l'admettre – étaient des tueurs.

Et moi aussi.

Il fallait que je me secoue, et vite. Sinon j'allais passer une soirée franchement déprimante.

— Tu as un nom et le numéro de la boutique ?

J'espérais bien que les antiquaires seraient d'accord pour venir à Bon Temps. Je n'avais pas envie de louer un camion pour emporter tout mon grenier à Shreveport.

— Oui, j'ai ça dans mon bureau. J'ai parlé à Brenda Hesterman – c'est l'une des associées. Je voudrais trouver quelque chose de bien, pour l'anniversaire de Jannalynn, c'est bientôt. Brenda m'a appelé ce matin. Elle a plusieurs choses à me proposer et voudrait que j'y jette un œil.

— On pourrait y aller demain, ai-je suggéré. J'ai empilé des choses partout dans le salon et même dehors. J'ai peur qu'il se mette à pleuvoir.

— Et Jason, il ne serait pas intéressé ? a demandé Sam timidement. Ce sont des objets de famille...

— Je lui ai donné un guéridon il y a à peu près un mois. Mais tu as raison, je devrais lui demander.

J'ai réfléchi un peu. Gran m'avait quand même légué la maison et son contenu. Le tout m'appartenait. Bien, les priorités d'abord.

— Demandons à Mme Hesterman si elle veut bien venir regarder. S'il y a des pièces intéressantes, je pourrai toujours prendre une décision à ce moment-là.

Sam a acquiescé :

— OK, ça me va. Je te prends demain à 10 heures ?

J'allais travailler tard. Être levée et habillée pour 10 heures, ce ne serait pas facile, mais j'ai accepté.

Sam semblait content.

— Tu pourras me dire ce que tu penses de ce que Brenda va me montrer. Ce sera bien, d'avoir un avis féminin.

Il a passé une main dans ses cheveux – hirsutes comme toujours. Il les avait fait couper très court quelques semaines plus tôt. La repousse n'était pas du meilleur effet. La chevelure de Sam est d'une jolie teinte. Une espèce de blond vénitien. Mais ses boucles naturelles semblaient ne pas savoir dans quelle direction repousser. J'ai maîtrisé mon envie de sortir ma brosse à cheveux pour tenter de les dompter. Ça ne se fait pas, pour une employée, de recoiffer son patron.

Kennedy Keyes et Danny Prideaux sont entrés à ce moment-là pour se percher sur les tabourets libres au comptoir. Ils travaillaient tous deux pour Sam à temps partiel, l'une au bar et l'autre comme videur. Kennedy est magnifique. Il y a quelques années, elle était Première Dauphine, pour le concours de Miss Louisiane. Elle a encore tout d'une reine de beauté. Sa belle chevelure châtain, toute brillante et bien épaisse, ne se laisserait jamais aller à fourcher. Son maquillage est impeccable. Elle passe régulièrement par la case manucure et pédicure. Elle n'achèterait jamais un vêtement chez Wal-Mart, même si sa vie en dépendait.

Quelques années plus tôt, son avenir, qui aurait dû la mener à un mariage au country club dans la paroisse d'à côté, avec l'héritage de papa à la clé, avait complètement déraillé : elle était partie en prison. Pour homicide.

Pour ma part, comme presque tous ceux qui la connaissaient, je trouvais que son petit ami n'avait eu que ce qu'il méritait : j'avais vu le visage tuméfié et couvert de bleus de Kennedy, sur ses photos d'identité judiciaire. Mais quand elle avait fait le 911, elle avait avoué qu'elle lui avait tiré dessus, et la famille du petit ami avait le bras long. Aucune chance pour elle de s'en tirer. On avait prononcé une sentence légère, et elle avait eu une remise de peine pour bonne conduite – elle avait donné des cours de maintien et de présentation aux autres détenues. Kennedy avait donc fini par purger sa peine. À sa sortie, elle avait loué un petit appartement à Bon Temps, près de chez une tante, Marcia Albanese. Sam lui avait proposé un job peu de temps après l'avoir rencontrée. Elle l'avait immédiatement accepté.

— Salut, toi, a dit Danny à Sam, tu nous fais deux mojitos ?

Sam a sorti la menthe du frigo et s'est mis à l'œuvre. Je lui ai tendu les tranches de citron vert avant de demander :

— Vous faites quoi, ce soir ? Hé, tu es toute belle, Kennedy.

— J'ai perdu presque cinq kilos ! s'est-elle exclamée.

Quand Sam a déposé son verre devant elle, elle l'a levé pour trinquer avec Danny.

— À ma ligne de jeune fille ! Prions pour que je la récupère au plus vite !

Danny a secoué la tête :

— Allez ! Tu es toujours belle, quoi que tu fasses.

J'ai détourné mon visage pour ne pas montrer mon attendrissement. Danny était un vrai dur. Son histoire était à l'opposé de celle de Kennedy – la seule expérience qu'ils avaient en commun, c'était la prison. Mais mince ! Il était fou d'elle. Il brûlait tellement d'amour que je sentais la chaleur qui se dégageait de lui. Pas besoin d'être télépathe pour voir qu'il lui était dévoué corps et âme.

Nous n'avions pas encore tiré les rideaux devant et en voyant qu'il commençait à faire nuit, je me suis avancée pour le faire. J'étais dans la pièce brillamment éclairée et je ne voyais pas grand-chose dans le parking assombri. Mais je distinguais néanmoins des lumières, dehors. Et quelque chose qui se déplaçait. Très vite. En direction du bar. J'ai eu une fraction de seconde pour m'interroger – *bizarre*. Puis j'ai aperçu l'éclat fugace d'une flamme et j'ai hurlé :

— À terre !

Le mot n'était pas encore sorti de ma bouche que la fenêtre explosait et que la bouteille au goulot enflammé atterrissait sur une table déserte, brisant le porte-serviettes et projetant salière et poivrière au loin. Au point d'impact, des serviettes en papier se sont enflammées pour flotter au sol, sur les chaises et sur les gens. La table s'est enflammée presque instantanément.

Je n'avais encore jamais vu un être humain bouger aussi rapidement que Danny. Il a plongé vers Kennedy, l'arrachant de son tabouret, et relevé la tablette avant de la pousser au sol derrière le bar. Au même moment, Sam bondissait aussi, causant un bref embouteillage, et attrapait au passage un extincteur pour attaquer les flammes.

J'ai senti une chaleur sur mes cuisses et baissé le regard pour constater que mon tablier était en feu, enflammé par les serviettes en papier. J'ai honte de l'avouer, mais j'ai crié. Sam s'est retourné un instant pour m'asperger, avant de se concentrer de nouveau sur les foyers. Les clients hurlaient en essayant d'esquiver les flammes et se ruaient dans le couloir qui desservait les toilettes et le bureau de Sam et qui menait au parking des employés. L'une de nos habituées, Jane Bodehouse, saignait abondamment et comprimait de sa main son cuir chevelu taillardé. Elle s'était assise à côté de la fenêtre et non au bar à sa place habituelle. Le verre propulsé par l'explosion l'avait lacérée. Jane titubait. Elle se serait effondrée si je ne l'avais pas retenue.

— Allez par là, lui ai-je crié à l'oreille en la poussant dans la bonne direction.

Sam arrosait la flamme la plus importante, visant sa base comme on le lui avait appris, mais les serviettes qui voletaient partout déclenchaient d'autres petits incendies. J'ai saisi une carafe d'eau et une autre de thé glacé sur le bar, et suis partie chasser les flammes au sol, méthodiquement. Les carafes étaient pleines et j'ai pu maîtriser beaucoup de départs.

L'un des rideaux était en feu. J'ai fait trois pas, visant avec soin, et j'ai lancé le reste du thé. La flamme ne s'est pas éteinte totalement. Je me suis précipitée sur un verre d'eau, m'approchant plus près du feu que je ne le voulais. Saisie de tressaillements, j'ai versé le liquide le long du rideau. Derrière moi, j'ai ressenti une onde de chaleur étrange accompagnée d'une odeur répugnante. Puis une bouffée puissante de produits chimiques a produit une sensation curieuse contre mon dos. Je me suis tournée pour essayer de comprendre et j'ai aperçu Sam qui s'éloignait en virevoltant avec son extincteur.

Visible de l'autre côté du passe-plat, Antoine le cuisinier était en train d'éteindre tous les appareils. Intelligent de sa part. J'entendais la sirène des pompiers au loin, mais j'étais trop concentrée sur les départs potentiels pour en ressentir un soulagement quelconque. Mon regard, brûlant des larmes causées par la fumée et les produits chimiques, rebondissait partout comme une boule de flipper tandis que j'essayais de repérer des foyers. J'étais prise de quintes de toux terribles. Sam avait couru décrocher le second extincteur dans son bureau et revenait déjà, prêt à l'actionner. Nous nous tenions tous deux debout, titubant, prêts à nous ruer pour éteindre la moindre flammèche.

Mais non, il ne restait plus rien.

Sam a décoché un dernier tir de produit sur la bouteille qui avait provoqué l'incendie, avant de reposer l'extincteur. Il s'est penché en avant, poings sur les hanches, respirant à grands coups saccadés. Il a commencé à tousser. Puis il s'est penché vers la bouteille.

— N'y touche surtout pas !

Au son de ma voix, sa main s'est arrêtée à mi-course.

— Bien sûr que non, tu as raison.

En se redressant, il m'a lancé :

— Tu as vu qui l'a lancée ?

— Eh non.

Nous étions maintenant seuls dans le bar. J'entendais le camion des pompiers se rapprocher et je savais qu'il ne nous restait que quelques instants pour se parler tranquillement. J'ai repris :

— Ce sont peut-être ceux qui manifestent ces temps-ci dans le parking. Pourtant, à mon avis, les paroissiens ne sont pas vraiment des dingues du cocktail Molotov.

Après la Grande Révélation, certains n'avaient pas été très heureux de découvrir qu'il existait des créatures telles que les loups-garous et autres hybrides. L'église du Holy

Word Tabernacle[1] de Clarice envoyait ses membres mani-
fester au *Merlotte* de temps à autre.

— Sookie, je suis vraiment désolé pour tes cheveux.

— Ah bon ? Pourquoi ?

J'ai levé la main vers ma tête. Je commençais à céder au
contrecoup. Ma main n'obéissait pas très bien à mon
cerveau.

— Le bout de ta queue de cheval a été brûlé, a expliqué
Sam, avant de s'asseoir brusquement.

Ce qui m'a semblé très approprié.

— Alors c'est ça qui sent si mauvais, ai-je remarqué
avant de m'effondrer à ses côtés.

Nous étions assis contre la base du bar, dont les tabourets avaient été éparpillés lors de la mêlée quand tout le
monde s'était précipité pour sortir par l'arrière.

Mes cheveux. Mes cheveux étaient partis en fumée ! J'ai
senti les larmes couler sur mes joues. C'était bête de ma
part, mais je ne pouvais plus les retenir.

Sam a serré ma main au creux de la sienne et nous étions
toujours assis là lorsque les pompiers se sont précipités
dans la pièce. Le bar est situé à l'extérieur des frontières de
la ville, mais on nous avait malgré tout envoyé les pompiers professionnels, pas les bénévoles.

— Je pense que vous n'aurez pas besoin de la lance, je
crois que tout est éteint, a dit Sam.

Il voulait à tout prix éviter d'autres dégâts dans son bar.

D'un air absent, les yeux occupés à fouiller les décombres,
Truman La Salle, le chef des pompiers, nous a demandé :

— Vous êtes blessés ?

— Non, moi ça va, ai-je répondu en vérifiant l'état de
Sam d'un regard. Mais Jane est derrière, avec une belle
coupure à la tête. C'est le verre de la fenêtre. Et toi, Sam ?

— Je me suis peut-être un peu brûlé la main, a-t-il fait
remarquer, comprimant ses lèvres comme s'il venait juste
de remarquer la douleur.

---

1. « Tabernacle de la parole sacrée » *(N.d.T.)*

Il a lâché ma main pour frotter sa propre main droite. Sa grimace en disait long.

— Il faut que tu t'en occupes, lui ai-je conseillé, les brûlures, ça fait super mal.

— Ouais, je m'en rends compte, a-t-il grogné en fermant les yeux.

Dès que Truman a hurlé « OK ! », Bud Dearborn a fait son entrée. Le shérif avait dû sauter du lit et s'était visiblement habillé en toute hâte. Il lui manquait même son chapeau, symbole indéfectible de son identité. Le Shérif Dearborn était probablement proche de la soixantaine et n'en paraissait pas moins. Il avait toujours eu l'air d'un chien pékinois. Et maintenant, c'était un chien pékinois tout gris. Il a passé quelques minutes à parcourir le bar, posant ses pieds avec précaution. C'était tout juste s'il ne reniflait pas parmi les décombres et le désordre. Enfin satisfait, il s'est avancé vers moi.

— Alors, qu'est-ce que tu as fait, cette fois ?

— On a lancé un cocktail Molotov par la fenêtre, je n'y suis pour rien.

J'étais trop secouée pour m'indigner.

— Sam, c'est toi qu'ils visent ? a demandé le shérif avant de s'éloigner d'un pas hésitant, sans attendre la réponse.

Sam s'est relevé lentement avant de se retourner pour me tendre la main. Je l'ai agrippée et il m'a soulevée comme une plume – il est bien plus fort qu'il n'en a l'air.

Le temps s'est arrêté un instant. Je pense que j'étais encore sous le choc.

Après avoir soigneusement refait un tour du bar, le Shérif Dearborn est revenu vers nous.

Mais nous avions maintenant un autre shérif à gérer.

Eric Northman, mon petit ami et shérif de la Cinquième Zone des vampires, qui comprenait Bon Temps, est entré par la porte si rapidement que Bud et Truman ont sursauté en remarquant sa présence. J'ai même cru que Bud allait sortir son arme. Saisissant mon épaule, Eric s'est penché pour scruter mon visage avec intensité :

— Tu es blessée ?

Comme si sa sollicitude me donnait la permission de renoncer au courage, j'ai senti une larme couler le long de ma joue. Rien qu'une.

J'ai fait un effort surhumain pour paraître calme :

— Mon tablier a pris feu, mais je pense que mes jambes sont indemnes. Je n'ai perdu que quelques cheveux. J'ai eu de la chance, finalement. Bud, Truman, je ne sais plus si vous avez rencontré mon ami, Eric Northman, de Shreveport.

De la chance, de la chance, c'était vite dit.

— Comment avez-vous appris qu'il y avait des problèmes ici, monsieur Northman ? a demandé Truman.

— Sookie m'a appelé avec son portable, a répondu Eric.

C'était faux, mais je n'avais aucune envie de faire un exposé sur notre lien de sang pour notre chef des pompiers et notre shérif. Eric, quant à lui, n'expliquait jamais rien aux humains.

Eric m'aime. Ce qui est à la fois fabuleux et terrifiant, c'est qu'il n'a pas un gramme d'empathie pour qui que ce soit d'autre. Il se moquait éperdument des dégâts causés au bar, des brûlures de Sam ainsi que des efforts de la police et des pompiers, qui inspectaient toujours le bâtiment – tout en le surveillant du coin de l'œil.

Eric a fait quelques pas autour de moi, histoire d'évaluer ma situation capillaire. Après un long silence, il s'est enfin exprimé :

— Je vais examiner tes jambes. Puis nous allons trouver un médecin et un coiffeur.

À son timbre parfaitement égal et tout aussi glacial, je savais qu'il était dans une rage noire. Elle se répandait à torrents par notre lien, tout comme ma terreur et mon état de choc l'avaient alerté du danger que j'avais encouru.

— Mon cœur, il y a d'autres priorités, lui ai-je fait remarquer avec un sourire délibéré, m'efforçant toujours de paraître tranquille.

Dans un petit coin de mon cerveau, j'imaginais une ambulance rose s'arrêtant devant dans un crissement de pneus et déversant une horde de coiffeurs urgentistes, armés de mallettes remplies de ciseaux, de peignes et de laque à cheveux.

— Ma coiffure peut attendre jusqu'à demain. Découvrir qui a fait ça et pourquoi, c'est bien plus important.

Eric a fixé Sam d'un regard accusateur, comme si l'attaque était de son fait.

— Mais oui. Forcément. Son bar est bien plus important que ta sécurité et ton bien-être.

Sam a levé les yeux, interloqué par la réprimande, son visage trahissant déjà sa colère.

Je suis intervenue immédiatement, toujours calme et souriante :

— Si Sam n'avait pas été si rapide avec l'extincteur, ça n'aurait pas été pareil. Pour le bar comme pour nous tous, il y aurait eu bien plus de dégâts.

Je commençais à manquer de sérénité artificielle, et bien évidemment, Eric l'a perçu.

— Je t'emmène chez toi, a-t-il déclaré.

— Certainement pas. Je veux lui parler d'abord, a coupé Bud.

C'était incroyablement courageux de sa part. Eric était déjà terrifiant quand il était de bonne humeur. Avec ses crocs sortis, comme maintenant, c'était encore pire – les crocs, chez les vampires, c'est une histoire d'émotions fortes.

— Chéri, ai-je commencé, tentant avec peine de rester patiente.

J'ai passé mon bras autour de la taille d'Eric avant de reprendre.

— Chéri, Bud et Truman sont responsables, dans cette situation, et ils ont des règles à suivre. Je t'assure que je vais bien.

Même si je tremblais. Ce qu'il ressentait bien évidemment.

— On t'a effrayée, a-t-il insisté.

Je sentais clairement la fureur qui l'envahissait à l'idée que quelque chose m'était arrivé et qu'il n'avait pu l'empêcher. J'ai réprimé un soupir. Comme une baby-sitter, je devais veiller à contrôler les émotions d'Eric alors que moi-même j'avais du mal à ne pas m'effondrer. Le vampire est un être un brin possessif, une fois qu'il s'est attaché à quelqu'un. Toutefois, les vampires s'efforcent générale-ment de se mêler à la population humaine et de ne pas cau-ser de vagues. Là, nous étions en présence d'une réaction excessive.

Bien sûr, Eric était en colère. Il se montrait néanmoins tout à fait terre à terre, d'habitude. Il savait que je n'étais pas gravement blessée. Perplexe, j'ai levé les yeux pour l'examiner plus attentivement. Depuis une semaine ou deux, mon grand Viking n'était pas comme d'habitude. Quelque chose le travaillait, en dehors de la mort de son créateur. Mais je n'avais pas encore eu le courage de lui demander ce qui n'allait pas. Je m'étais accordé un peu de répit. Je voulais simplement profiter des moments de calme que nous avions partagés ces dernières semaines.

C'était peut-être une erreur. Quelque chose clochait. Quelque chose d'important. Et le résultat, c'était toute cette colère.

— Vous êtes arrivé très rapidement. Comment ? a demandé Bud à Eric.

— Par les airs, a répondu Eric avec indifférence.

Bud et Truman ont échangé un regard en écarquillant les yeux. Eric volait depuis à peu près un millier d'années, et leur stupéfaction le laissait de glace. Son attention était toujours centrée sur ma personne et ses crocs n'avaient pas disparu.

Ils ne pouvaient pas savoir qu'Eric avait ressenti le flot de terreur qui m'avait submergée dès que j'avais aperçu la sil-houette qui courait vers le bar. Je n'avais pas eu besoin de l'appeler à la fin de l'incident.

Je lui ai adressé un affreux simulacre de sourire en essayant de lui faire passer le message – même s'il n'était pas particulièrement subtil.

— Plus vite on règle tout ça, plus vite on peut partir.

Finalement, il s'est calmé suffisamment pour lire entre les lignes et comprendre.

— Bien sûr, ma chérie, tu as complètement raison.

Mais sa main serrait la mienne avec trop d'intensité, et ses yeux brillaient presque violemment, comme de petites ampoules bleues.

Le soulagement de Bud et Truman était manifeste. La tension est descendue de quelques crans. L'apparition d'un vampire est souvent synonyme de drame.

Tandis qu'on soignait les mains de Sam et que Truman prenait des photos de ce qui restait de la bouteille, Bud me demandait de lui décrire ce que j'avais vu.

— J'ai aperçu dans le parking la silhouette de quelqu'un qui courait vers le bar. Puis la bouteille est passée à travers le carreau. Je ne sais pas qui l'a lancée. Après, la fenêtre s'est cassée et l'incendie s'est propagé à cause des serviettes en papier qui brûlaient. Je n'ai rien remarqué d'autre que les gens qui tentaient de s'échapper et Sam qui essayait de tout éteindre.

Bud a continué de me poser les mêmes questions de plusieurs façons différentes mais je n'ai rien pu ajouter qui lui soit utile.

— À ton avis, qu'est-ce qui a pu pousser quelqu'un à faire ça au *Merlotte*, à Sam ? m'a-t-il ensuite demandé.

— Je n'y comprends rien. Vous savez, on a eu des manifestants de cette église, dans le parking, il y a quelques semaines. Ils ne sont revenus qu'une seule fois. Je ne peux pas en imaginer un seul avec un... c'était un cocktail Molotov, c'est bien ça ?

— Tu en sais bien long, sur ce genre de dispositif, Sookie...

— Eh bien, d'une part, je lis. Et d'autre part, Terry ne parle pas beaucoup de la guerre, mais de temps à autre il parle d'armes.

Terry Bellefleur, cousin du Lieutenant Andy Bellefleur, était un vétéran du Vietnam, copieusement décoré et complètement détruit. Il s'occupait du ménage au bar une fois que tout le monde était parti et, parfois, il remplaçait Sam. De temps en temps, il venait traîner au bar et restait à regarder les allées et venues des gens. Sa vie sociale n'avait rien de palpitant.

Dès que Bud s'est montré satisfait, Eric et moi sommes allés à ma voiture. Il a retiré les clés de ma main secouée de tremblements. Je suis montée du côté passager. Il avait raison. Je ne pouvais pas conduire dans cet état.

Pendant que je parlais avec Bud, Eric avait passé tout son temps sur son portable. Je n'ai donc pas été complètement surprise de voir un véhicule à l'arrêt devant chez moi. C'était Pam, et elle était accompagnée.

Eric a dirigé la voiture vers l'arrière, là où je me gare toujours, et je me suis précipitée pour rentrer chez moi et traverser la maison afin d'ouvrir la porte d'entrée. Eric m'a suivie d'un pas plus tranquille. Nous n'avions pas échangé un seul mot de tout le trajet. Il s'était montré soucieux et semblait toujours avoir de la peine à contenir son humeur. Et moi, j'étais toujours secouée. Mais maintenant, je commençais à récupérer un peu et je suis sortie appeler Pam et son passager.

— Entrez !

Ils se sont extirpés de la voiture. Son compagnon était un humain. Très maigre, presque émacié, il devait avoir la vingtaine. Il avait teint sa chevelure en bleu, et sa coupe était parfaitement géométrique. Un peu comme s'il s'était mis une boîte sur la tête avant de la décaler sur le côté et de couper tout autour. Puis il avait rasé tout ce qui ne rentrait pas dans la boîte.

Plutôt… saisissant.

Pam a souri devant mon expression et je me suis reprise à la hâte pour afficher un sourire de bienvenue. Pam était vampire depuis l'époque où la reine Victoria s'était assise sur le trône de l'Angleterre. Elle parcourait l'Amérique du Nord lorsque Eric l'avait rappelée à lui. Depuis, elle était devenu son bras droit. C'était lui, son créateur.

J'ai adressé un bonsoir au jeune homme quand il a passé le seuil. Il semblait dévoré d'anxiété. Son regard affolé s'est fixé sur moi, puis ailleurs, puis sur Eric. Pause. Puis il a passé la pièce au crible. Une étincelle de mépris s'est allumée dans ses yeux lorsqu'il a constaté le désordre de mon séjour – déjà très simple et sans prétention, même quand le ménage est fait. Ce qui n'était pas le cas.

Pam lui a décoché un coup sur l'arrière de la tête en grognant :

— Réponds quand on te parle, Immanuel !

Elle se tenait légèrement derrière lui et il ne l'a pas vue m'adresser un clin d'œil.

— Bonsoir, madame, a-t-il aussitôt prononcé en s'avançant vers moi.

Il a froncé le nez.

— Tu sens mauvais, Sookie, a remarqué Pam.

— C'est l'incendie, ai-je expliqué.

Elle a haussé ses sourcils blonds en me répondant :

— Tu me raconteras tout ça tout à l'heure. Sookie, cet homme s'appelle Immanuel Ernest. Il fait les coupes de cheveux chez Death by Fashion[1] à Shreveport. C'est le frère de mon amante, Miriam.

Peu de phrases, mais beaucoup d'informations d'un seul coup. J'ai fait de mon mieux pour absorber le tout rapidement.

Eric toisait la coiffure d'Immanuel, qu'il semblait trouver à la fois fascinante et repoussante.

— C'est tout ce que tu as trouvé, pour rectifier les cheveux de Sookie ? a-t-il demandé à Pam.

Ses lèvres ne formaient plus qu'une ligne agacée et les vibrations de son scepticisme battaient à travers notre lien de sang.

— D'après Miriam, c'est lui le meilleur, a répondu Pam en haussant les épaules. Je ne suis pas allée chez le coiffeur depuis plus de cent cinquante ans. Comment le saurais-je ?

— Mais regarde-le !

L'anxiété commençait à me gagner. Même au vu des circonstances, Eric se montrait tout de même d'une humeur massacrante.

---

1. « Mode mortelle » *(N.d.T.)*

— Moi j'aime bien ses tatouages, ai-je dit. Les couleurs sont vraiment jolies.

En plus de sa coupe extrême, Immanuel arborait des tatouages sophistiqués sur tout le corps. Pas de femmes nues, ou de « Maman » ou de « Betty Sue ». Des motifs complexes et chatoyants qui s'étalaient de ses poignets jusqu'aux épaules. Même sans vêtements, il n'aurait pas l'air d'être nu. Le coiffeur tenait une trousse de cuir plate coincée sous son bras maigre.

— Bon. Alors vous allez couper tout ce qui n'est pas beau ? ai-je fait d'un ton délibérément insouciant.

— Sur vos cheveux, a-t-il précisé avec prudence.

Je n'étais pas certaine d'avoir besoin qu'il me rassure sur ce point.

Puis il m'a jeté un regard avant de baisser les yeux de nouveau.

— Auriez-vous un tabouret haut ?

— Oui, dans la cuisine.

Lorsque j'avais fait refaire ma cuisine dévastée par un incendie, l'habitude m'avait fait racheter un tabouret de bar semblable à celui sur lequel Gran se perchait pour bavarder avec son vieux téléphone. Le nouvel appareil était un sans-fil, et je n'étais pas obligée de rester dans la cuisine pour y répondre, mais le comptoir de la cuisine aurait semblé nu sans ce tabouret.

Mes trois invités m'ont suivie comme à contrecœur et j'ai traîné le tabouret vers le centre de la pièce. Une fois que Pam et Eric se sont assis de l'autre côté de la table, il y avait à peine assez d'espace pour nous tous. Eric fixait Immanuel d'un regard inquiétant et lourd de menaces, et Pam attendait tout simplement, s'amusant manifestement de nos perturbations affectives.

J'ai grimpé sur mon siège et m'y suis assise le dos bien droit. Mes jambes me brûlaient, mes yeux picotaient et ma gorge grattouillait. Mais je me suis forcée à sourire à mon coiffeur. Immanuel semblait toujours aussi angoissé. Ce qui n'est pas l'idéal quand on tient une paire de ciseaux bien tranchants.

30

Il a retiré l'élastique de ma queue de cheval. Puis il a contemplé les dégâts pendant un long moment. Silencieux. Il ne dégageait pas de bonnes ondes. Finalement, mon orgueil a pris le dessus :

— C'est si terrible que ça ?

Ma voix tremblotait bien malgré moi – apparemment, le contrecoup de la soirée se faisait sentir, maintenant que j'étais de retour à la maison et en sécurité.

— Je vais devoir couper une quinzaine de centimètres, m'a-t-il expliqué d'un ton sourd, comme s'il m'expliquait qu'un de mes proches était en phase terminale.

À ma grande honte, j'ai réagi comme si c'était le cas. Les larmes me sont montées aux yeux et mes lèvres tremblaient. *C'est ridicule !* me suis-je réprimandée. J'ai suivi le mouvement d'Immanuel sur ma gauche, tandis qu'il posait sa trousse de cuir sur la table. Il a défait la fermeture à glissière et sorti un peigne. J'ai vu des paires de ciseaux accrochées dans leurs boucles et une tondeuse avec son cordon bien enroulé. Toujours prêt, même en déplacement.

De son côté, Pam écrivait des textos, à une vitesse faramineuse. Elle souriait largement, comme si son message était super, mais alors super drôle. Eric, lui, me fixait, toujours en proie à ses pensées sinistres. Je ne pouvais pas les lire, mais je sentais clairement qu'il était super, mais alors super en colère.

J'ai détourné les yeux avec un grand soupir. J'adorais Eric mais, à ce moment précis, j'avais plutôt envie de lui conseiller de ranger ses états d'âme, tout au fond d'un certain endroit de sa personne. Puis j'ai senti les doigts d'Immanuel dans mes cheveux tandis qu'il commençait à les démêler. La sensation était étrange. Le peigne glissait trop vite. En bout de course, un petit coup sec et un léger bruit m'indiquaient qu'une poignée de cheveux brûlés était tombée au sol.

— Rien à faire, ils sont trop abîmés, a murmuré Immanuel. Je vais couper. Après, vous allez les laver. Et après, je recoupe.

— Laisse tomber ce job, a émis Eric brusquement.

Le peigne d'Immanuel s'est immobilisé, puis il a compris qu'Eric s'adressait à moi.

Et moi, j'avais une furieuse envie de jeter quelque chose de lourd à la tête de mon amoureux. Et j'aurais voulu que ça l'atteigne bien au milieu de sa tête magnifique et bornée.

— On en parlera plus tard, me suis-je contentée de dire, sans le regarder.

— Mais qu'arrivera-t-il la prochaine fois ? Tu es trop vulnérable !

— J'ai dit plus tard !

Du coin de l'œil, j'ai aperçu Pam se détourner pour qu'Eric ne repère pas son sourire narquois.

Eric s'est tourné vers Immanuel avec hargne :

— Ne lui faut-il pas quelque chose pour la protéger ? Sur ses vêtements ?

— Eric. Je pue, et je suis couverte de suie et de poudre d'extincteur. Je ne pense pas qu'il soit capital de préserver mes habits de petits bouts de cheveux brûlés.

Il n'a pas grogné en retour, mais presque. Malgré tout, il a soudain perçu que je le trouvais franchement enquiquinant et il s'est tu pour se reprendre.

Quel apaisement.

Immanuel, dont les mains demeuraient étonnamment stables, pour quelqu'un qui se retrouve enfermé dans une cuisine avec deux vampires (dont un très énervé) et une barmaid quelque peu calcinée, a peigné ma chevelure jusqu'à ce qu'elle soit parfaitement lissée. Puis il a saisi sa paire de ciseaux. Le coiffeur était maintenant totalement concentré sur sa tâche. Immanuel était un champion de la concentration d'ailleurs, ce que j'ai pu constater en jetant un œil dans son esprit.

Ça n'a vraiment pas pris longtemps. Les extrémités brûlées flottaient pour atterrir au sol, comme de tristes flocons de neige.

— Allez vous doucher, maintenant, et revenez avec des cheveux propres et mouillés. Après ça, j'égaliserai le tout. Où sont le balai et la pelle ?

Je lui ai indiqué où les trouver puis je suis allée dans ma chambre pour passer à la salle de bains. Je me suis demandé si Eric viendrait me rejoindre – je savais d'expérience qu'il appréciait particulièrement ma douche. Cependant, vu mon humeur, il était nettement préférable qu'il reste dans la cuisine.

J'ai retiré mes vêtements puants et fait couler l'eau jusqu'à ce qu'elle devienne brûlante. Puis je me suis douchée avec un soulagement intense, laissant la chaleur et l'eau couler à flots sur mon corps. L'eau chaude piquait la peau de mes jambes. Soudain, pendant quelques instants, je n'ai plus rien ressenti, ni bonheur, ni plus rien, paralysée par le souvenir de ma terreur.

Passé ce moment, mon esprit s'est arrêté à un certain détail.

La silhouette que j'avais aperçue en train de se ruer vers le bar, la bouteille à la main... Je n'avais que des soupçons. Mais il me semblait bien qu'elle n'appartenait pas au règne humain.

2

J'ai fourré mes vêtements crasseux et nauséabonds dans le panier à linge. J'allais devoir les faire tremper avec un bon produit avant même de les laver. Je n'allais pas les jeter avant qu'ils soient propres et que je puisse évaluer leur état. Je ne me sentais pas très optimiste quant à mon pantalon noir. Il était roussi, ce que je n'avais remarqué qu'en le retirant. La peau sur mes cuisses endolories était rose. Ce n'est qu'à ce moment que je me suis souvenue que mon tablier avait pris feu.

En étudiant mes jambes, j'ai pensé que j'avais eu de la chance. Les étincelles avaient pris sur mon tablier, pas mon pantalon, et Sam était intervenu très rapidement. Je lui étais maintenant reconnaissante de vérifier les extincteurs tous les ans, d'aller à la caserne les faire remplir par les pompiers, et d'avoir fait installer des alarmes à incendie. Une brève vision de ce qui aurait pu se passer m'a soudain terrassée.

Respire, me suis-je dit en séchant mes jambes. *Respire bien à fond. Concentre-toi sur cette sensation de propreté.* J'avais ressenti une immense sensation de bien-être à me laver pour attaquer la puanteur et à faire mousser mes cheveux avant de les rincer pour éradiquer les derniers relents.

Cependant, mes pensées enfiévrées suivaient leurs cours sans que je puisse les en empêcher : la petite silhouette aperçue par la fenêtre du *Merlotte*, courant vers le bar, tenant quelque chose à la main. Féminine ou masculine ? Je n'avais pas pu le distinguer, mais pour moi, il s'agissait d'un SurNat. Et probablement d'un – ou d'une hybride. Mes soupçons gagnaient du terrain au fur et à mesure que je réfléchissais à la vitesse et à l'agilité du coureur, à la force de son tir si juste. La bouteille avait été projetée avec une violence dont aucun humain n'aurait été capable, faisant voler la vitre en éclats.

Je n'en étais pas sûre à cent pour cent. Mais les vampires n'aiment pas manier le feu. Leur condition les rend particulièrement inflammables. Un croqueur choisissant un cocktail Molotov comme arme ? Il aurait fallu qu'il soit très sûr de lui. Ou complètement inconscient.

Rien que pour cette raison, j'étais prête à parier que l'agresseur était un hybride d'une sorte ou d'une autre. Garou ou métamorphe. Bien évidemment, il existe d'autres créatures surnaturelles, telles que les elfes, les faé et les gobelins. Et tous sont bien plus rapides que les êtres humains. À mon grand regret, pourtant, je n'avais pas eu le temps de vérifier l'esprit de l'attaquant, ce qui aurait été décisif : l'esprit des vampires m'apparaît comme un grand vide, un trou dans l'éther. Je ne peux pas lire les faé non plus, dont l'esprit est pourtant différent. Pour ce qui est des hybrides, je vois clairement les pensées de certains, et pour d'autres, pas du tout. Mais je les repère facilement à leurs cerveaux brûlants et très actifs.

Je ne suis pas une personne indécise, en principe. Tout en finissant de me sécher avec précaution et en démêlant mes cheveux mouillés – leur nouvelle longueur me semblait très inhabituelle – je réfléchissais. Serait-il bien sage de partager mes soupçons avec Eric ? Quand un vampire est amoureux, ou même simplement s'il se sent possessif, sa conception de son devoir de protection peut devenir plutôt extrême. Eric adorait le combat. Il se dominait souvent avec peine pour équilibrer sa conscience politique d'une situation avec son instinct, qui le poussait à se ruer dans la mêlée en brandissant un sabre. Je ne pensais pas qu'il se précipiterait pour attaquer la communauté des hybrides. Étant donné son état d'esprit actuel, il me semblait néanmoins plus avisé de garder mes idées pour moi. Au moins jusqu'à ce que j'aie pu réunir des preuves établissant une certitude, dans un sens ou dans l'autre.

J'ai enfilé un pantalon de pyjama et un tee-shirt des Lady Falcons de Bon Temps. Après un dernier coup d'œil langoureux à mon lit, j'ai délaissé ma chambre pour rejoindre l'étrange assemblée qui se tenait dans ma cuisine. Eric et Pam dégustaient du sang de synthèse dont ils avaient trouvé des bouteilles dans mon réfrigérateur, et Immanuel sirotait un Coca. J'étais effarée de ne pas avoir pensé à leur proposer des rafraîchissements, mais Pam, remarquant mon expression, m'a lancé un regard appuyé. Elle s'en était chargée toute seule. Je lui ai fait un signe de tête reconnaissant avant de m'adresser à Immanuel :

— Je suis prête, maintenant.

Déployant sa maigre silhouette pour se lever de sa chaise, il a indiqué le tabouret.

Cette fois-ci, mon nouveau coiffeur a déplié une petite cape toute fine pour me protéger les épaules avant de l'accrocher à mon cou. Il a peigné mes cheveux, les étudiant avec soin. J'ai tenté de sourire à Eric pour lui montrer que la situation n'avait rien de grave, mais le cœur n'y était pas. Pam fronçait les sourcils en regardant son portable. Visiblement, le dernier texto lui avait déplu.

Apparemment, Immanuel avait passé le temps en coiffant les cheveux de Pam. Sa crinière pâle et lisse était retenue par un bandeau bleu, dégageant son visage. Elle avait tout d'Alice au pays des Merveilles. Elle n'était pas en robe bleue avec un tablier blanc, mais elle portait néanmoins du bleu pâle : un fourreau style années 1960 et des escarpins à talons hauts. Et des perles.

— Qu'est-ce qui se passe, Pam ? ai-je lancé, tout simplement pour briser le silence oppressant. Tu as reçu un texto désagréable ?

— Rien ne se passe, a-t-elle grondé en retour tandis que je m'appliquais à ne pas sursauter. Rien de rien. Victor est toujours notre chef. Notre position ne s'améliore pas. Personne ne répond à nos requêtes. Où est Felipe ? Nous avons besoin de lui.

Eric l'a toisée avec fureur. Oups. Il y avait des nuages dans le ciel. Je ne les avais jamais vus en désaccord aussi profond.

À l'exception de Pam, je n'avais pas rencontré de vampires de la lignée d'Eric. Elle était partie seule après avoir passé avec lui ses premières années en tant que vampire. Elle s'était bien débrouillée, mais d'après ce qu'elle m'avait raconté, elle s'était montrée plutôt satisfaite de revenir auprès de lui. Il l'avait appelée à la rescousse pour l'aider à gérer la Cinquième Zone, lorsque la reine l'avait nommé au poste de shérif.

L'atmosphère tendue commençait à affecter Immanuel, dont l'esprit dévoilait une concentration vacillante. Aïe. Il était tout de même en train de me couper les cheveux...

— On se calme ! ai-je lancé sévèrement.

— Et tout ce bazar, dans ton allée, c'est quoi ? a demandé Pam, son accent britannique soudain en évidence. Sans parler de ton séjour et de ta véranda. Tu fais un vide-grenier ?

Manifestement, elle était fière d'utiliser la bonne terminologie.

— Voilà, c'est presque fini, a murmuré Immanuel, ses petits coups de ciseaux devenant plus frénétique que jamais, en réponse au climat orageux.

— Pam, tout est sorti de mon grenier, ai-je répondu, contente de pouvoir parler de choses aussi ordinaires et espérant contribuer à un retour au calme. Claude et Dermot m'aident à le vider pour le nettoyer. Je vais voir des antiquaires avec Sam demain matin. Enfin, on devait y aller. Je ne sais pas s'il va pouvoir, finalement.

— Et voilà ! s'est écriée Pam à l'attention d'Eric. Elle vit avec d'autres hommes. Elle fait des courses avec d'autres hommes. Tu fais un sacré mari, toi !

Eric a bondi par-dessus la table, les mains tendues vers la gorge de Pam.

En un instant, ils roulaient tous deux à terre, visiblement déterminés à s'infliger le pire. Je ne savais pas si Pam pouvait à proprement parler amorcer des mouvements d'attaque pour faire du mal à Eric, car c'était lui qui l'avait créée.

Elle se défendait avec fureur malgré tout. La limite entre les deux n'est pas facile à déterminer...

Je n'ai pas pu me dégager à temps pour éviter des dommages collatéraux. Il semblait inévitable qu'ils s'écrasent contre le tabouret – ce qu'ils ont fait. Projetée pour les rejoindre sur le sol, je me suis cogné l'épaule contre le comptoir. Doué d'une certaine intelligence, Immanuel a sauté en arrière, sans lâcher ses ciseaux. Excellente initiative d'ailleurs, car l'un des vampires aurait pu s'en saisir pour s'en servir. Ou alors, les lames brillantes auraient pu s'enfoncer dans une partie quelconque de mon anatomie.

J'ai senti la main d'Immanuel m'attraper avec une force surprenante, tandis qu'il me tirait vers le haut puis à l'écart. Nous nous sommes rués dans le séjour. Pantelants, debout au milieu de la pièce encombrée, nous guettions le couloir dans la crainte que la bataille ne nous suive.

Tumulte et fracas parvenaient à nos oreilles, ainsi qu'un curieux bruit persistant que j'ai finalement identifié : un grognement incessant.

— On dirait deux pitbulls qui se battent, a fait remarquer Immanuel.

Il était d'un calme étonnant, vu la situation. J'étais vraiment contente d'avoir la compagnie d'un être humain.

— Je me demande ce qui leur prend. Je ne les ai jamais vus dans cet état.

— Pam est affreusement énervée, a-t-il expliqué à mon grand étonnement. Elle veut débuter sa propre lignée, mais pour une raison vampiresque quelconque, elle n'en a pas le droit.

Je n'en croyais pas mes oreilles.

— Mais comment le savez-vous ? Pardon si je vous semble impolie, mais je passe beaucoup de temps avec Pam et Eric, et je ne vous avais jamais vu...

À mon grand soulagement, Immanuel ne s'est pas vexé de ma franchise.

— Pam sort avec ma sœur. Ma sœur Miriam. Ma mère est très pratiquante, a-t-il ajouté. Et un peu folle. Voilà la situation : ma sœur est malade et ça empire sérieusement.

Pam voudrait vraiment la faire passer de l'autre côté avant que ce soit trop grave. Si Pam ne se dépêche pas, Mir n'aura plus que la peau et les os, pour toute l'éternité.

Je ne savais plus quoi dire.

— Qu'est-ce qu'elle a, comme maladie ?

— Elle a une leucémie.

Le visage d'Immanuel demeurait détendu mais je pouvais lire la douleur, la terreur et l'angoisse dans son esprit.

— Alors c'est comme ça que vous avez rencontré Pam ?

— Eh oui. Notez qu'elle a raison malgré tout : je suis le meilleur coiffeur de Shreveport.

— Je vous crois, et je suis désolée pour votre sœur. J'imagine que personne ne vous a expliqué pourquoi Pam n'a pas encore pu faire passer Miriam de l'autre côté...

— Non, on ne m'a rien dit, mais je n'ai pas l'impression que ce soit Eric qui bloque tout.

— Probablement pas, effectivement. Je me demande si je ne devrais pas intervenir, ai-je dit d'un air songeur, tandis qu'un hurlement aigu nous parvenait de la cuisine parmi le tintamarre ambiant.

— À votre place, je ne ferais rien.

— J'espère bien qu'ils ont l'intention de payer pour tous les dégâts dans ma cuisine !

Je voulais qu'il me croie en colère, plutôt qu'effrayée.

De son côté, Immanuel a pris un ton dégagé :

— Vous savez, il pourrait lui ordonner de se tenir tranquille. Et elle serait bien obligée de lui obéir.

Il avait raison. Eric était son créateur. Pour Pam, un ordre venant de lui ne pouvait être désobéi. Quoi qu'il en soit, ma cuisine était en cours de destruction. Et quand je me suis rendu compte qu'Eric aurait pu interrompre le processus à tout moment, j'ai perdu mon calme.

Immanuel a bien tenté de me retenir, mais j'ai foncé pieds nus dans la salle d'eau de l'entrée pour prendre une cruche, je l'ai remplie d'eau froide et me suis ruée dans la cuisine – je boitais un peu, après ma chute du tabouret, mais j'ai réussi. Eric, perché sur Pam, la rouait de coups. Son propre visage était ensanglanté. Pam agrippait ses épaules, tentant de le tenir à l'écart. Sans doute avait-elle peur qu'il ne la morde.

Je me suis mise en position, estimant la trajectoire. Une fois sûre de moi, j'ai jeté l'eau froide sur les vampires en pleine folie.

Cette fois-ci, je m'attaquais à un feu d'une tout autre nature.

Alors que l'eau froide s'écrasait sur son visage, Pam a laissé échapper un cri strident, comme une cocotte-minute. Eric a craché quelques mots ignobles dans une langue qui m'était inconnue.

Bien campée sur mes jambes, cruche à la main, je leur ai rendu leurs regards furieux sans me démonter. Puis j'ai tourné les talons pour repartir.

Me voyant revenir en un seul morceau, Immanuel, surpris, s'est mis à secouer la tête. De toute évidence, il ne savait plus s'il devait m'admirer ou me considérer comme une imbécile.

— Vous êtes complètement dingue, vous. Mais au moins, j'ai réussi à faire quelque chose de vos cheveux. Venez me voir un jour, je vous ferai un balayage – et pour un bon prix. Je suis le plus cher, à Shreveport, a-t-il ajouté d'un air détaché.

— Ah. Eh bien merci, j'y penserai.

Épuisée par ma journée et ma crise de furie – la peur et la colère, ça vous met à plat – je suis allée me trouver une place dans un coin de mon canapé, tout en indiquant la méridienne à Immanuel – tous les autres sièges de la pièce étaient couverts de retombées provenant du grenier.

En silence, nous guettions l'émergence d'une nouvelle bagarre dans la cuisine. À mon grand soulagement, le bruit n'a pas repris. Après un instant, Immanuel s'est excusé :

— Je partirais bien, mais c'est Pam qui a la voiture.

— Pas de souci, ai-je répondu en étouffant un bâillement. Je suis désolée de ne pas avoir accès à la cuisine. Je pourrais vous offrir à boire ou à manger s'ils sortaient de là.

Il a secoué la tête.

— Merci, mais le Coca, c'était parfait. Et je ne mange pas grand-chose. Vous pensez qu'ils font quoi, là ? Ils baisent ?

J'espérais que mon visage ne trahissait pas à quel point j'étais choquée. Effectivement, quand Eric avait créé Pam, ils avaient été amants pendant un temps. Et d'ailleurs, elle m'avait raconté à quel point elle avait apprécié cette phase de leur relation. Au cours des décennies toutefois, elle s'était découvert un penchant plus marqué pour les femmes. Première chose. D'autre part, Eric m'avait maintenant épousée, même s'il s'agissait d'une union à la vampire, non contractuelle. Et j'étais pratiquement certaine que même dans un mariage vampire-humain, les ébats avec une autre partenaire que l'épouse, dans la cuisine de ladite épouse, étaient exclus.

D'un autre côté…

Rien que d'imaginer Eric avec quelqu'un d'autre, il me prenait une envie de lui arracher toute sa crinière dorée. Jusqu'à la racine. Par poignées entières.

— Pam préfère généralement les dames, ai-je indiqué, avec plus d'assurance que je n'en ressentais.

— On va dire qu'elle est omnisexuelle, a proposé Immanuel. Ma sœur et Pam ont déjà pris un homme au lit avec elles.

— Ah euh, d'accord, ai-je émis, en levant la main pour lui intimer de s'arrêter.

Je n'avais pas besoin de plus de détails.

— Vous êtes un peu coincée, pour quelqu'un qui sort avec un vampire, a observé Immanuel.

— Eh bien… oui, je le suis.

Je n'avais jamais pensé que je l'étais mais, comparé à Immanuel et à Pam, on pouvait en effet estimer que j'étais puritaine.

Mais, de mon côté, j'estimais plutôt que j'avais un sens de l'intimité plus évolué.

Enfin, Pam et Eric sont arrivés dans le séjour et nous nous sommes penchés en avant sur nos sièges, ne sachant pas à quoi nous attendre. Le visage des deux vampires était impassible. Leur posture défensive m'indiquait toutefois qu'ils avaient honte de leur perte de sang-froid.

Avec un zeste d'envie, j'ai constaté que leurs blessures guérissaient déjà. Eric était échevelé et l'une de ses manches de chemise avait été arrachée. La robe de Pam était déchirée et elle tenait ses chaussures à la main – l'un de ses talons était cassé.

Eric a ouvert la bouche mais je lui ai coupé la parole.

— Je ne sais absolument pas à quoi vous jouiez, mais je suis fatiguée et ça m'est totalement égal. Je vous tiens tous deux pour responsables de tout ce que vous avez cassé et je vous demande de quitter la maison immédiatement. J'annulerai votre invitation si nécessaire.

Eric a pris une expression rebelle. Il avait certainement prévu de passer la nuit chez moi. Ce soir, toutefois, pas question.

J'avais aperçu des phares remontant l'allée, et je me doutais que Claude et Dermot étaient arrivés. Je ne pouvais en aucun cas recevoir des faé et des vampires en même temps. Ils sont aussi forts et féroces les uns que les autres mais, pour les vampires, les faé ont un parfum irrésistible. C'est la même chose que des chats avec de l'herbe à chats. Je n'avais pas la force de subir une bataille supplémentaire.

— La porte, ai-je répété en voyant que les vampires ne s'exécutaient pas. Allez zou ! Merci pour la coupe, Immanuel. Eric, j'apprécie les efforts que tu as déployés pour veiller à mes soins capillaires…

J'ai très certainement mis une pointe de sarcasme plus que légère dans ce commentaire.

— … mais tu aurais dû réfléchir un peu avant de dévaster ma cuisine.

Sans plus attendre, Pam a fait signe à Immanuel avant de l'entraîner vers la sortie. J'ai pu discerner une expression amusée sur le visage du jeune homme. Quant à Pam, elle m'a lancé un regard lourd de sous-entendus. J'ai bien compris qu'elle m'adressait un message, mais j'avais beau réfléchir, je n'ai pas saisi sa signification.

Puis Eric s'est adressé à moi. Il paraissait étrangement troublé.

— Je pourrais te tenir dans mes bras pendant que tu dors. Tu as été blessée ? J'en suis désolé.

À un autre moment, j'aurais accepté ces rares excuses, mais pas ce soir.

— Rentre chez toi, Eric. Nous parlerons quand tu sauras de nouveau te contrôler.

C'était là une réprimande terrible pour un vampire et son dos s'est raidi. Pendant un instant, j'ai cru que j'allais devoir gérer un conflit de plus. Mais il a fini par sortir. Une fois sur la véranda, il s'est retourné :

— Je te parlerai bientôt, ma femme.

J'ai haussé les épaules. Pas de problème. J'étais bien trop épuisée et à cran pour lui adresser un regard plein de tendresse. Il me semble qu'il s'est installé en voiture avec Pam et le coiffeur pour rentrer à Shreveport. Il devait être trop meurtri pour voler.

Mais que diable se passait-il entre Pam et Eric ?

J'essayais de me dire que ce n'était pas mon problème. Au fond de moi, cependant, je me rendais bien compte que ça l'était. Et pas qu'un peu.

Claude et Dermot sont entrés par l'arrière un instant plus tard, humant l'atmosphère ostensiblement.

— Fumée et vampire, a décidé Claude en levant les yeux au ciel. Et on dirait qu'un ours est passé par ta cuisine pour trouver du miel.

— Je ne sais pas comment tu fais pour les supporter, a repris Dermot, ils ont une odeur douce et amère à la fois. Je ne sais pas si j'adore ou je déteste, en fait, a-t-il ajouté en se tenant le nez d'un geste théâtral. Et n'y aurait-il pas comme un effluve de cheveux brûlés ?

— C'est bon, les mecs, les ai-je interrompus d'un ton las.

Je leur ai fait un résumé de l'incendie au *Merlotte* et de l'échauffourée dans ma cuisine.

— Alors faites-moi juste un bisou, et laissez-moi aller me coucher – et plus de commentaires sur les vampires !

— Ma nièce, te serait-il agréable que nous dormions avec toi ? a demandé Dermot dans le langage fleuri d'un faé qui ne passait pas vraiment beaucoup de temps avec des humains.

Pour un faé, la proximité d'un autre faé est à la fois curative et apaisante. Même avec la quantité réduite de sang faé qui coulait dans mes veines, je trouvais la présence de Claude et de Dermot réconfortante. Au début, quand j'avais rencontré Claude et sa sœur Claudine, je n'avais pas remarqué que plus je les fréquentais et plus ils me touchaient, mieux je me sentais. Lorsque Niall, mon arrière-grand-père, m'avait prise dans ses bras, une véritable vague d'amour m'avait envahie. Quoi qu'il ait pu faire, et même si je doutais du bien-fondé de ses décisions, je ressentais cet amour chaque fois qu'il m'approchait. J'ai eu un bref moment d'abattement en me souvenant que je ne le reverrais probablement plus jamais. Mais l'épuisement m'avait gagnée et vidée de toute émotion.

— Merci, Dermot. Mais je crois que je vais aller au lit toute seule, ce soir. Dormez bien, les garçons.

— Toi aussi, Sookie, m'a souhaité Claude en retour.

Décidément, la courtoisie de Dermot déteignait sur mon cousin, généralement grognon.

Je me suis réveillée le matin suivant au son de coups frappés à ma porte. Hirsute et les yeux ensommeillés, je me suis traînée à travers le séjour pour inspecter le judas. C'était Sam.

J'ai ouvert en lui bâillant au nez.

— Sam ? Que puis-je pour toi ? Viens, entre.

Il a parcouru mon séjour encombré d'un regard, réprimant visiblement un sourire.

— On ne va plus à Shreveport ? a-t-il demandé.

— Oh mince ! me suis-je exclamée, tout à coup réveillée. Avant de m'endormir, je me suis dit que tu ne pourrais pas, à cause de l'incendie au bar. Mais tu peux quand même ? Tu veux y aller ?

— Absolument. Le capitaine des pompiers a parlé à mes assurances, et ils ont commencé les papiers. Entre-temps, Danny et moi, on a sorti la table brûlée et les chaises, Terry s'est mis à travailler sur le sol, et Antoine s'assure que tout est en état de marche dans la cuisine. J'ai déjà vérifié qu'on avait d'autres extincteurs prêts à fonctionner.

Puis son sourire s'est évanoui.

— Encore faut-il que j'aie des clients à servir. Les gens ne vont plus venir au *Merlotte* s'ils ont peur de se faire incinérer.

Et je ne pouvais pas vraiment leur en vouloir. Nous n'avions vraiment pas besoin de l'incident de la veille. Vraiment pas. Il pourrait bien précipiter le déclin du bar.

— Alors il faut qu'ils attrapent la personne qui a fait ça, ai-je déclaré d'un ton positif. À partir de là, les gens sauront qu'il n'y a plus de risque, et on aura de nouveau du boulot.

Claude a descendu l'escalier, le visage boudeur.

— C'est bruyant, par ici, a-t-il grommelé en passant vers la salle d'eau du couloir.

Même avachi et en jean tout froissé, Claude marchait avec une grâce qui ne faisait que souligner la splendeur de son physique. Sam a laissé échapper un soupir, secouant insensiblement la tête tandis qu'il observait Claude qui remontait le couloir d'un pas fluide, comme s'il avait des roulements à bille dans les hanches.

— Hé ! l'ai-je interpellé après avoir entendu la porte se fermer. Sam ! Il ne t'arrive pas à la cheville !

— Il y a des mecs… a commencé Sam, décontenancé. Oh… laisse tomber.

Ce qui m'était plutôt difficile : je voyais bien, à l'esprit de Sam, qu'il se sentait, non pas vraiment envieux, mais plutôt attristé, face au magnétisme physique de Claude. Pourtant, il savait comme tout le monde que Claude était un emmerdeur de première.

Je lis les esprits des hommes depuis des années. Et ils sont plus semblables à ceux des femmes qu'on ne pourrait le penser. Sauf quand on parle moteurs, bien entendu. J'allais rassurer Sam en lui disant qu'il était super beau, qu'il ne se rendait pas compte à quel point les femmes au bar se languissaient de lui, et puis je me suis ravisée. Je devais respecter l'intimité des pensées de Sam. Généralement, en raison de sa double nature, ce qui se passait dans la tête de Sam y restait... plus ou moins. Je percevais son humeur et, de temps à autre, une pensée, mais rien de plus précis, ou très rarement.

— Allez, je vais faire du café.

Je suis entrée dans la cuisine, Sam sur les talons, et me suis arrêtée net. La bagarre de la veille m'était sortie de la tête.

— Mais qu'est-ce qui s'est passé ? a demandé Sam en contemplant les dégâts, désarçonné. C'est Claude qui a fait ça ?

— Non. Eric et Pam. Oh putain de zombies ! me suis-je écriée, en reprenant l'un des jurons préférés de Pam.

J'ai commencé à rire en ramassant des objets ici et là – finalement, la situation n'était pas si désastreuse.

Je ne pouvais cependant m'empêcher de penser que Claude et Dermot auraient pu avoir la gentillesse de faire de l'ordre dans la pièce avant d'aller se coucher. Rien que pour me faire plaisir. Mais bon, après tout, ce n'était pas leur cuisine.

J'ai rétabli une chaise, et Sam a remis la table en place. J'ai pris le balai et la pelle pour ramasser le sel, le poivre et le sucre qui crissaient sous mes pieds, et j'ai pris note du fait que je devrais passer au Wal-Mart pour acheter un nouveau grille-pain si Eric ne m'en faisait pas apporter un aujourd'hui. Mon présentoir à serviettes avait été brisé – alors qu'il avait survécu à l'incendie, dix-huit mois auparavant. Soupir.

— Au moins, la table n'a pas été abîmée.

— Et il n'y a qu'un seul pied de chaise de cassé, a ajouté Sam. Eric va faire réparer ou remplacer tout ça, non ?

— J'imagine que oui.

La cafetière était intacte, ainsi que les mugs accrochés à leur support juste à côté – ah non, finalement, l'un d'eux s'était brisé. Au moins, il m'en restait cinq. Largement assez.

J'ai préparé le café. Pendant que Sam sortait la poubelle, je suis retournée dans ma chambre pour me préparer rapidement. Je m'étais douchée la veille et je n'ai eu qu'à me brosser les cheveux et les dents, avant d'enfiler un jean et un tee-shirt « Fight Like a Girl[1] ». Pas la peine de me maquiller : Sam m'avait déjà vue sous mon jour le moins avantageux, à de nombreuses reprises.

À mon retour, Dermot était avec lui dans la cuisine. Il avait dû aller en ville, car tous deux partageaient des doughnuts tout frais. Claude, lui, était encore sous la douche.

J'ai fixé la boîte de beignets avec envie, mais mon jean était vraiment trop serré ces temps-ci. Poussant un soupir martyrisé, je me suis versé un bol de Special K, que j'ai parsemé de faux sucre avant d'y rajouter du lait à 2 %. En voyant que Sam avait envie de faire un commentaire, je l'ai arrêté net en plissant mes yeux. Souriant largement, il s'est appliqué à terminer son doughnut à la confiture tandis que je m'adressais à Dermot.

— Dermot, on part à Shreveport dans quelques minutes. Si tu as besoin de ma salle de bains…

Je la lui proposais parce que Claude laissait celle du couloir dans un état de saleté innommable.

— Je te remercie, ma nièce, a répondu Dermot en me baisant la main. Et ta chevelure est resplendissante, en dépit de sa nouvelle longueur. Eric a eu raison d'amener quelqu'un hier pour s'en occuper.

Sam secouait la tête lorsque nous sommes montés dans son pick-up.

— Sook, ce type-là te traite comme une reine.

— Lequel ? Tu veux dire Eric ou Dermot ?

— Pas Eric, a fait Sam d'un ton qu'il voulait neutre. Dermot.

— Ouais, je sais. Dommage qu'il soit de ma famille ! Mais de toute façon, il ressemble beaucoup trop à Jason.

Sam m'a répondu d'un ton sérieux.

— Pour un faé, ça, ce n'est pas un obstacle.

— Arrête ! Tu rigoles, non ?

---

1. « Fight Like a Girl », littéralement « Battez-vous comme une fille », est une association de lutte contre le cancer.

Son expression m'indiquait qu'il ne plaisantait pas et m'a immédiatement dégrisée.

— Écoute, Sam, Dermot ne m'a jamais regardée comme si j'étais une femme, et Claude est gay. Entre nous, c'est strictement familial.

Nous avions tous dormi dans le même lit, mais il n'y avait jamais rien eu d'autre qu'une présence réconfortante de leur part, même si, au début, j'avais trouvé la situation étrange. Je m'étais persuadée que j'étais tout simplement embarrassée de préjugés purement humains. Mais à entendre Sam, je révisai mon opinion à toute vitesse. Avais-je tort ? Effectivement, Claude adorait se promener partout dans le plus simple appareil, et il m'avait même raconté qu'il avait déjà couché avec une femme – très franchement, je m'étais imaginé qu'il y avait un autre homme dans l'histoire.

Sam m'a lancé un regard.

— Je te le répète : il se passe des choses spéciales, dans les familles faé.

— Je ne veux pas être impolie, mais comment le sais-tu ?

Si Sam avait fréquenté des faé, il s'était bien gardé de me le révéler.

— J'ai lu pas mal de choses pour me renseigner, après avoir rencontré ton grand-père.

— Tu t'es renseigné ? Mais où ?

J'aurais bien aimé en savoir plus sur mon héritage faé, si ténu soit-il. Dermot et Claude avaient décidé de se séparer de leur famille faé – je ne savais d'ailleurs pas si c'était entièrement volontaire, de leur part. Ils s'étaient montrés extrêmement silencieux sur les mœurs et coutumes des faé. Mis à part quelques commentaires dénigrant les trolls et les lutins, ils ne parlaient pas de leur race – du moins devant moi.

— Ah, euh… Les hybrides ont une bibliothèque. Nous avons conservé les archives de notre histoire et de nos observations sur les autres SurNat. Toutes ces traces nous ont aidés à survivre. Nous avons toujours conservé un endroit, sur chaque continent, où nous pouvions nous rendre pour lire et étudier les autres races. Maintenant, tout est sous forme électronique. J'ai juré de ne rien montrer à quiconque. Si je le pouvais, je te laisserais lire le tout sans problème.

— Alors je n'ai pas le droit de lire vos archives, mais tu as le droit de m'en parler ?

Ce n'était pas ironique de ma part. Très honnêtement, je trouvais le sujet intéressant.

— Dans certaines limites.

Sam rougissait. Je ne voulais pas faire pression sur lui. Il était évident qu'il avait déjà repoussé les limites pour moi.

Nous sommes demeurés chacun perdu dans ses pensées pendant tout le reste du trajet. Eric étant mort pour la journée, je demeurais seule avec moi-même, ce que j'appréciais, généralement. Ce lien avec Eric ne me donnait pas à proprement parler l'impression d'être possédée, mais pendant la nuit je pouvais sentir sa vie se dérouler en parallèle avec la mienne. Je savais s'il travaillait ou se disputait avec quelqu'un, s'il était satisfait ou concentré sur sa tâche. Je ne lisais pas dans sa vie comme dans un livre ouvert, mais j'étais simplement consciente de lui.

— Bon, alors notre incendiaire d'hier soir, a soudain repris Sam, abrupt.

— Mouais. À mon avis, c'était un hybride, non ?

Sam a hoché la tête en silence.

— Alors il ne s'agit pas de haine raciale, ai-je conclu aussi posément que possible.

— Pas au sens humain du terme, a-t-il précisé. Malgré tout, je crois vraiment qu'il s'agit de haine.

— Un motif financier peut-être ?

— Je n'en vois aucun. Je suis assuré, mais je suis le seul bénéficiaire en cas d'incendie du bar. Évidemment, ça m'empêcherait de travailler pendant quelque temps, ce qui rapporterait du business pour les autres bars du coin. Mais franchement, je ne pense pas que ce soit un motif – ou tout du moins un motif suffisant, a-t-il rectifié.

Puis il a ajouté, avec une pointe d'amertume :

— L'ambiance au *Merlotte* a toujours été familiale, plutôt que déjantée. Rien à voir avec le *Vic's Redneck*.

Il avait raison.

— Alors c'est peut-être personnel. Quelqu'un ne t'aime pas, Sam, ai-je repris, avant de me rendre compte que la phrase sonnait d'un ton trop agressif. Je veux dire, ai-je ajouté précipitamment, que quelqu'un veut t'atteindre en démolissant ton affaire. Pas toi en tant que métamorphe. Toi en tant que personne.

Étonné, Sam a réfléchi :

— Non, je ne vois vraiment rien…

— Euh… Est-ce que Jannalynn pourrait avoir un ex qui voudrait se venger, par exemple ?

— Je ne vois vraiment personne qui puisse m'en vouloir de sortir avec elle, a réfuté Sam, de plus en plus surpris. Et Jannalynn est plus qu'à même de s'exprimer toute seule. Ce n'est pas le genre de fille que j'aurais pu forcer à sortir avec moi…

Effectivement ! J'ai réprimé un éclat de rire et me suis excusée d'avoir évoqué sa vie privée :

— J'essayais juste de couvrir toutes les possibilités.

— Pas de souci. Mais bon, la vérité, c'est que je ne me souviens pas d'avoir vraiment fâché qui que ce soit.

Moi non plus, et je le connaissais depuis des années.

Puis nous sommes arrivés chez les antiquaires, dont la boutique avait été aménagée au sein d'un ancien magasin de peintures, dans une rue autrefois animée du quartier des affaires.

Les baies vitrées de la devanture étincelaient de propreté et les pièces qu'on y avait placées étaient superbes. La plus impressionnante était ce que ma grand-mère appelait un buffet de chasse, un meuble lourd et richement sculpté, presque aussi grand que moi. Dans l'autre vitrine, on avait disposé une collection de jardinières – ou peut-être de vases. Colorée de bleu et de vert aux tonalités marines, celle qu'on avait posée au centre, manifestement une pièce de choix, était décorée de chérubins. Je la trouvais parfaitement hideuse. Mais il fallait avouer qu'elle avait un certain style.

Avec Sam, nous avons considéré l'étalage pensivement avant d'entrer. Quand nous l'avons ouverte, la porte a fait sonner une cloche – une vraie, pas un appareil électronique. Une femme assise sur un tabouret derrière le comptoir a levé le regard en repoussant ses lunettes sur son nez.

— Quel plaisir de vous revoir, monsieur Merlotte, a-t-elle dit en lui adressant un sourire étudié. Je me souviens de vous. Je suis contente que vous soyez revenu. Mais en tant qu'homme, vous ne m'intéressez pas.

Elle était douée.

— Merci, madame Hesterman. Voici mon amie, Sookie Stackhouse.

— Bienvenue chez Splendide, a répondu Mme Hesterman. Appelez-moi Brenda. Que puis-je pour vous aujourd'hui ?

— Nous sommes là pour deux choses, a dit Sam. Moi, je suis venu voir les pièces dont vous m'avez parlé lorsque vous m'avez appelé…

— Et moi, je viens de vider mon grenier et j'ai quelques petites choses. J'ai pensé que vous pourriez y jeter un œil. Il faut que je me débarrasse de certains objets que j'ai descendus – je ne veux pas avoir à tout remonter, ai-je expliqué en souriant.

— Vous avez une maison de famille depuis longtemps ?

Il s'agissait pour elle de m'encourager à lui donner des indices sur l'intérêt que pourraient présenter les trésors accumulés par ma famille.

— Nous vivons dans cette maison depuis environ cent soixante-dix ans, l'ai-je rassurée.

Son sourire s'est instantanément épanoui.

— Ce n'est qu'une vieille ferme, pas une demeure. Mais certains articles vous plairont certainement, ai-je ajouté.

— Oh, mais j'adorerais venir voir tout ça, m'a-t-elle assuré, même si elle exagérait clairement son enthousiasme. Nous prendrons rendez-vous dès que j'aurai aidé Sam à choisir un présent pour Jannalynn. Elle qui est si moderne ! Qui aurait pu penser qu'elle s'intéresse aux antiquités ? Quelle adorable jeune fille !

Ah. J'ai retenu ma mâchoire, qui menaçait de tomber disgracieusement. Sa Jannalynn était-elle la même que la mienne ?

Dès que Brenda nous a tourné le dos pour aller chercher un trousseau de petites clés, Sam m'a donné un coup de coude en me lançant une grimace d'avertissement. Je me suis immédiatement recomposé un visage tout lisse, tout en battant des cils à son intention. Il a détourné le regard aussi vite, mais j'ai bien vu qu'il souriait malgré lui.

— Sam, j'ai mis de côté quelques pièces qui plairaient sans doute à Jannalynn, a dit Brenda en nous menant vers une vitrine, ses clés cliquetant à ses doigts.

L'étalage était plein de petites choses, de jolies petites choses. Pour la plupart, je ne pouvais même pas les identifier. Je me suis penchée pour les examiner.

— Qu'est-ce que c'est ? ai-je demandé en montrant des objets ciselés.

Ils me semblaient dangereusement pointus – est-ce qu'on pourrait s'en servir pour tuer un vampire ?

— Ce sont des épingles à chapeau et des fibules – pour fixer écharpes et lavallières.

Il y avait également des boucles d'oreilles, des bagues et des broches, ainsi que des boîtes – émaillées, perlées et peintes, disposées avec soin. Des tabatières, peut-être ? J'ai lu l'étiquette qui dépassait discrètement sous un écrin ovale en écaille et argent. J'ai serré les lèvres pour ne pas m'exclamer.

Tandis que je me posais toutes sortes de questions sur ces articles, Brenda et Sam comparaient les mérites d'une paire de boucles d'oreilles art déco en nacre avec ceux d'un réceptacle à cheveux victorien[1] en verre moulé-pressé, avec couvercle en laiton émaillé. Un... réceptacle à cheveux ?

— Qu'en penses-tu, Sookie ? m'a demandé Sam, dont le regard passait d'un objet à l'autre.

---

1. Les femmes de l'ère victorienne y rangeaient les cheveux retenus par leur brosse. (N.d.T.)

J'ai examiné les boucles d'oreilles art déco, de petites perles en larme accrochées à une monture en or rose. Je trouvais le réceptacle très joli également, même si je n'avais aucune idée de ce que Jannalynn pourrait bien en faire. De nos jours, qui pourrait bien vouloir mettre ses cheveux de côté dans un réceptacle, et pour quel usage...

— Elle pourra porter ses boucles pour les faire admirer, ai-je finalement fait remarquer. Il est plus délicat de se vanter d'avoir reçu un... réceptacle à cheveux.

Brenda m'a regardée de travers. D'après ses pensées, j'étais maintenant clairement casée dans la catégorie des grossiers ignorants. Tant pis.

— Le réceptacle est plus ancien, a hésité Sam.

— Mais moins personnel. À moins d'être né à l'époque victorienne.

Tandis que Sam comparait ces deux petites merveilles à la magnificence d'un badge de police de New Bedford, 70 ans d'âge, je me suis promenée dans la boutique en regardant les meubles. J'ai ainsi découvert que je n'étais pas particulièrement emballée par les antiquités. Et un défaut de plus, un. Quelle banalité ! Ou alors, c'était parce que je vivais au milieu de meubles anciens. Rien chez moi n'était neuf à part la cuisine. Et encore : c'était à cause de l'incendie. Si les flammes ne l'avaient pas dévoré, j'utiliserais encore le vieux réfrigérateur de Gran. Il fallait bien dire toutefois que ce dernier ne me manquait pas !

En apercevant ce qu'une étiquette désignait comme un meuble à cartes marines, j'ai ouvert l'un des fins tiroirs. Une mince feuille de papier y était restée.

— Regardez-moi ça, a fait la voix de Brenda Hesterman derrière moi. Et moi qui pensais que je l'avais bien nettoyé. Prenez-en de la graine, mademoiselle Stackhouse. Faites bien attention de vérifier toutes vos affaires et de retirer tous les papiers et autres objets. N'allez pas nous vendre quelque chose dont vous n'auriez pas voulu vous séparer.

En me retournant, j'ai vu que Sam tenait un paquet emballé. Pendant que je m'étais perdue dans mon exploration, il avait effectué son achat – à mon grand soulagement, il avait dû choisir les boucles d'oreilles, car le réceptacle était revenu à son emplacement.

— Elle va adorer les boucles, elles sont magnifiques, lui ai-je dit très honnêtement.

Le temps d'un instant, ses pensées se sont brouillées pour devenir presque... pourpres.

Mais pourquoi penser à des couleurs ? Étrange. J'espérais bien que ce n'était pas dû à la drogue Shaman que j'avais prise pour les loups-garous.

J'ai rassuré l'antiquaire :

— Je vérifierai tout très soigneusement, Brenda.

Nous avons pris rendez-vous pour le surlendemain. Elle m'a assuré qu'elle trouverait ma maison isolée grâce à son GPS, tandis que je la mettais en garde contre la longueur de l'allée qui traversait les bois : certains visiteurs avaient cru qu'ils s'étaient perdus.

— Je ne sais pas encore si je viendrai ou si ce sera mon associé, Donald, a ajouté Brenda. Peut-être tous les deux.

— Je serai heureuse de vous recevoir, lui ai-je répondu. Si vous avez un problème ou si vous devez changer la date, tenez-moi au courant.

— Tu crois vraiment qu'elle va les aimer ? m'a demandé Sam une fois dans le camion.

Nous avions passé nos ceintures et le sujet était revenu à Jannalynn.

Je me suis étonnée :

— Mais bien sûr ! Pourquoi ?

— J'ai bien l'impression que je suis à côté de la plaque, avec Jannalynn. Tu veux t'arrêter pour déjeuner, au *Ruby Tuesday* sur la rue Youree ?

— Bonne idée, oui. Mais Sam, pourquoi tu penses ça ?

— Je lui plais. Je veux dire, ça se voit. Mais elle pense toujours à la meute.

— Tu as l'impression qu'elle accorde plus d'importance à Alcide, c'est ça ?

C'était bien ce que je percevais dans la tête de Sam – mais j'avais peut-être manqué de tact et il a rougi en avouant :

— Euh, oui, peut-être.

J'ai tenté de garder un ton neutre en poursuivant :

— Elle fait un excellent Second de meute, et elle était vraiment excitée d'avoir ce poste.

— Tu as raison.

— Tu aimes bien les femmes de caractère, toi...

— C'est vrai, j'aime les femmes qui ont de la force, m'a-t-il répondu en souriant, et je n'ai pas peur de celles qui sont différentes. Les femmes ordinaires, ça ne marche pas vraiment, avec moi.

Je lui ai retourné son sourire.

— J'ai vu ça ! Écoute, Sam, je ne sais pas vraiment quoi dire, concernant Jannalynn. Elle serait vraiment idiote de ne pas t'apprécier. Célibataire, beau, et propriétaire d'une belle affaire ? Et en plus, tu ne te cures même pas les dents à table ! Rien à jeter !

Puis j'ai pris mon courage à deux mains. Je voulais changer de sujet, mais sans vexer mon patron.

— Dis, Sam, tu sais, ce site Web sur lequel tu surfes pour te renseigner ? Tu crois que tu pourrais trouver pourquoi je me sens plus faé, quand je passe plus de temps avec les membres faé de ma famille ? Je veux dire... je ne suis pas en train de me transformer en faé ? C'est impossible, non ?

— Je vais voir ce que je peux trouver là-dessus, m'a-t-il répondu après un silence tendu. Mais on va d'abord essayer d'en savoir plus avec tes copains de chambrée. Ils devraient quand même te donner toutes les informations que tu veux. Ou alors je peux les aider à le faire en leur cassant la tête.

Et il parlait sérieusement.

— Ils m'aideront, ai-je affirmé d'un ton faussement assuré.

— Où sont-ils en ce moment ?

J'ai jeté un œil à ma montre.

— À cette heure-ci, sûrement au club. Ils règlent toutes leurs affaires avant l'ouverture.

— Alors c'est là qu'on va, a dit Sam. Kennedy fait l'ouverture pour moi, ce soir. Et toi, tu prends plus tard, ce soir, c'est bien ça ?

— Absolument, ai-je répondu en abandonnant mes projets pour l'après-midi.

Ils n'avaient rien d'urgent, finalement. Si nous déjeunions au *Ruby Tuesday*, nous ne serions pas à Monroe avant 13 h 30, mais j'aurais le temps de rentrer pour me changer avant d'aller au travail. Entre-temps, nous étions arrivés. Après avoir passé ma commande, je me suis excusée un instant. Pendant que j'étais aux toilettes, mon portable a sonné. Je ne réponds pas dans ces cas-là – moi, je n'aimerais pas parler à quelqu'un et entendre une chasse d'eau... Le restaurant étant très bruyant, j'ai décidé de rappeler à l'extérieur. J'ai fait un signe de la main à Sam et suis sortie pour composer le numéro, qui me semblait vaguement familier.

— Salut, Sookie, m'a saluée Remy Savoy. Comment tu vas ?

— Impeccable. Et comment va mon petit garçon préféré ?

Remy avait été marié à ma cousine Hadley, dont il avait eu un fils, Hunter. Il entrait en maternelle à l'automne. Après l'ouragan Katrina, Remy et Hunter avaient emménagé dans la bourgade de Red Ditch – grâce aux bons offices d'un de ses cousins, Remy avait trouvé du travail là-bas, dans un chantier de bois.

— Il va très bien. Il fait de gros efforts pour respecter ton règlement. Dis-moi, est-ce que je peux te demander un service ?

— Dis toujours.

— J'ai commencé à sortir avec une certaine dame, du nom d'Erin. On avait envie d'aller au tournoi de pêche au black-bass[1] à côté de Baton Rouge, ce week-end. Et on, euh, on espérait que tu pourrais garder Hunter. Il s'ennuie quand je pêche plus d'une heure.

Ah. Rapide, ce Remy. Kristen, c'était plutôt récent, et elle était déjà remplacée. Mais je pouvais comprendre. Il n'était

---

1. Aussi nommé achigan, ce poisson est recherché dans la pêche sportive en eau douce car il est très combatif. *(N.d.T.)*

pas désagréable à regarder, c'était un excellent charpentier, et il n'avait qu'un seul enfant. En plus, sa femme était décédée et il n'y avait donc pas d'histoires de divorce difficile. Ce n'était pas un mauvais parti, dans une ville comme Red Ditch.

— Remy, je suis sur la route pour l'instant. Je te rappelle un peu plus tard – il faut que je vérifie mes horaires de boulot.

— Super, merci beaucoup, Sookie. À plus tard.

Quand je suis rentrée à l'intérieur, on était en train de nous servir.

— C'était le père de Hunter, au téléphone, ai-je dit à mon patron après le départ du serveur. Remy a une nouvelle petite amie, et il voulait savoir si je pouvais garder Hunter ce week-end.

J'ai eu l'impression que, pour Sam, Remy était en train de m'exploiter, mais qu'il ne pensait pas avoir le droit de me dire ce que j'avais à faire.

— Si j'ai bonne mémoire, tu travailles samedi soir, a-t-il fait remarquer.

En plus, c'est le samedi soir que je fais mes plus gros pourboires.

J'ai hoché la tête en réfléchissant. Pendant le repas, nous avons parlé des négociations de Terry avec un éleveur de chiens catahoulas à Ruston. Sa chienne Annie avait fait une fugue lors de ses dernières chaleurs. Cette fois-ci, Terry entendait contrôler la grossesse. Entre les deux hommes, les pourparlers en étaient presque arrivés aux fiançailles. La conversation m'a fait penser à quelque chose qui m'avait toujours intriguée. Je ne savais pas trop comment poser la question à Sam, mais ma curiosité l'a emporté.

— Tu te souviens de Bob le chat ? ai-je demandé.

— Bien sûr. C'est le type qu'Amelia avait métamorphosé en chat par accident, non ? Et son amie Octavia l'a retransformé en humain.

— Absolument. Alors en fait, tu vois, pendant qu'il était chat, il était noir et blanc. Vraiment mignon, comme chat.

Mais Amelia a trouvé une femelle dans les bois, avec une portée de chatons. Et certains étaient noir et blanc. Bon. Alors je sais, c'est spécial, mais elle s'est mise en colère avec Bob parce qu'elle pensait que, enfin, il était devenu, euh, papa…

— Alors ta véritable question, c'est « est-ce que ça se fait », chez nous ? a fait Sam en prenant un air dégoûté. Mais non, Sookie ! On ne peut pas. Et on n'en a pas envie. Personne chez les hybrides ne le ferait. Et même s'il y avait une rencontre d'ordre sexuel, il n'y aurait pas de grossesse. Je crois qu'Amelia a accusé Bob à tort. D'un autre côté, il faut bien dire qu'il n'est pas – n'était pas vraiment hybride. La magie l'avait totalement transformé.

Sam a haussé les épaules et semblait extrêmement mal à l'aise. J'ai eu honte.

— Je suis désolée, c'était franchement grossier de ma part.

Sam a pris un air dubitatif.

— J'imagine qu'il est naturel de se poser la question. Mais quand je porte ma seconde peau, je ne pars pas faire des chiots.

Là, j'étais affreusement gênée.

— Je t'en prie, accepte mes excuses !

En voyant à quel point j'étais embarrassée, il s'est détendu et m'a gentiment tapoté l'épaule.

— Ne t'inquiète pas, ce n'est pas grave.

Puis il m'a demandé ce que j'avais l'intention de faire avec le grenier, maintenant que je l'avais vidé, et nous avons parlé de choses et d'autres jusqu'à ce que l'atmosphère soit redevenue tout à fait normale entre nous.

J'ai rappelé Remy alors que nous étions sur l'autoroute.

— Je suis désolée, Remy, mais ce week-end, ça ne marche pas, pour moi.

Et je lui ai expliqué que je devais travailler.

— Pas de souci, m'a-t-il répondu très calmement. C'était juste une idée. Écoute, ça m'embête, mais j'ai autre chose à te demander. Hunter doit visiter la maternelle la semaine prochaine. L'école organise ça tous les ans pour que les gamins puissent se faire une idée de l'endroit où ils iront à la rentrée. Ils rencontrent les instits et font le tour des salles de classe, de la cantine et des sanitaires. Hunter m'a demandé si tu voudrais bien venir avec nous.

J'en suis restée la bouche grande ouverte – heureusement que Remy ne pouvait pas me voir.

— C'est dans la journée, je suppose. Quel jour ?

— Mardi prochain, à 14 heures.

Si je n'étais pas sur l'équipe du déjeuner, c'était faisable.

— Il faudra que je vérifie mon emploi du temps, mais a priori, c'est possible. Je te rappelle ce soir.

J'ai refermé mon portable et raconté cette seconde demande de service à Sam.

— On dirait bien qu'il a attendu de te demander le service le plus important en second. Pour te pousser à venir.

J'ai éclaté de rire.

— Je n'y avais pas pensé jusqu'à ce que tu le dises ! Les circuits imprimés de mon cerveau ne sont pas si tordus. Mais maintenant que j'y pense, ce n'est pas improbable.

J'ai haussé les épaules avant d'ajouter :

— Ce n'est pas que ça m'ennuie vraiment. Je tiens à ce que Hunter soit heureux. J'ai passé du temps avec lui, et pas suffisamment à mon goût, d'ailleurs.

Hunter et moi étions semblables, mais personne ne pouvait le voir. Nous étions tous deux des télépathes. C'était notre secret. Je ne voulais pas que Hunter soit en danger si son potentiel était découvert. Pour ma part, en tout cas, ça ne m'avait apporté que des ennuis.

— Alors pourquoi tu t'inquiètes ? Parce que je le vois bien, que tu es inquiète.

— C'est juste que ça va sembler… bizarre. Les gens de Red Ditch vont penser que Remy et moi, on sort ensemble. Que je suis presque la mère de Hunter. Et puis… Remy vient de m'annoncer qu'il sort avec une femme qui s'appelle Erin. Erin ne va peut-être pas aimer ça.

Je ne savais plus vraiment quoi dire. Cette visite de l'école ne me semblait pas une très bonne idée. Mais si cela faisait plaisir à Hunter, pourquoi pas ?

— Tu as l'impression qu'on te force la main, de ne plus contrôler la situation ? m'a demandé Sam avec un sourire un peu désabusé.

Décidément, nos conversations prenaient un drôle de tour, aujourd'hui.

— Effectivement, ai-je avoué. Quand je suis intervenue dans la vie de Hunter, je n'avais jamais imaginé qu'il dépendrait de moi pour quoi que ce soit. En fait, je n'ai jamais vraiment fréquenté d'enfants. Remy a une grand-tante et un grand-oncle à Red Ditch. C'est pour cela qu'il a emménagé ici après Katrina. Ils avaient une maison vide à louer. Mais ils sont trop âgés pour garder un enfant de l'âge de Hunter pendant plus d'une heure ou deux, et l'autre cousin est trop occupé pour pouvoir aider Remy.

— Il est sympa, Hunter ?

— Ah oui, il est adorable, ai-je répondu en souriant. Et tu sais quoi ? Quand Hunter est venu chez moi, lui et Claude se sont vraiment bien entendus. J'étais vraiment surprise.

Sam m'a jeté un regard en coulisse.

— Mais tu ne voudrais pas vraiment le confier à Claude pendant des heures, si ?

Après un instant de réflexion, j'ai admis :

— Non, c'est vrai.

Sam a hoché la tête, comme si je venais de confirmer quelque chose.

— Parce que Claude est bien un faé, après tout...

Son ton de voix interrogateur me disait également qu'il pensait que Claude pouvait être dangereux pour un enfant.

J'ai réfléchi à la façon dont je pourrais le rassurer.

— Oui, Claude est bien un faé. Il n'est pas de notre espèce. Tu sais, les faé adorent les enfants. Mais ils n'ont pas les mêmes références que la plupart des humains. Un faé va vouloir faire plaisir à un enfant, ou faire ce qu'il pense être bénéfique, et pas nécessairement ce qu'un bon chrétien ferait.

J'avais l'impression d'exprimer des idées de très petite envergure, et plutôt provinciales. Mais c'était bel et bien ce

60

que je ressentais. J'avais envie d'ajouter que je n'étais pas forcément une bonne chrétienne, loin de là. Et que les non-chrétiens n'étaient pas forcément mauvais. Et aussi que je ne pensais pas que Claude ferait du mal à Hunter. Mais Sam et moi nous connaissions depuis longtemps. Il me comprenait à demi-mot.

— Très bien. Je vois que nous sommes sur la même longueur d'onde, a-t-il dit.

J'étais soulagée, même si je me sentais mal à l'aise avec nos pensées.

Il faisait une très belle journée, le printemps se préparant à laisser place à l'été. J'ai tenté d'en profiter à fond pendant tout le trajet vers Monroe. Sans véritable succès.

Mon cousin Claude était propriétaire du *Hooligans*, un bar à strip-tease situé aux abords de Monroe, à la sortie de l'autoroute. Cinq nuits par semaine, le spectacle offert était celui qu'on attend généralement dans ce type d'endroit. Le club était fermé le dimanche. Mais le jeudi, c'était la Soi-rée Dames. C'est alors que Claude montait sur scène. Il n'était pas le seul homme à se produire, bien sûr. Il y avait au moins trois autres strip-teaseurs qui venaient réguliè-rement, à tour de rôle, et le club accueillait souvent un invité. Il y avait un véritable circuit pour les hommes strip-teaseurs, m'avait dit mon cousin.

— Tu es déjà venue le regarder ? m'a demandé Sam tandis que nous arrivions à la porte de service.

Ce n'était pas le premier à me poser la question. Je commençais à me demander si je n'étais pas anormale : je ne ressentais aucune envie irrépressible de me ruer à Monroe pour regarder des mecs se déshabiller...

— Non. J'ai déjà vu Claude tout nu. Mais je ne suis jamais venue ici pour le voir exercer sa profession. Il paraît qu'il est bon.

— Tout nu ? Tu veux dire chez toi ?

— La pudeur ne fait pas partie des priorités de Claude, ai-je rétorqué.

Sam a pris un air à la fois mécontent et surpris – pour-tant, c'était lui qui m'avait suggéré plus tôt que les faé pouvaient ne pas considérer que la sexualité avec un membre de leur famille était interdite.

— Et Dermot ? a-t-il demandé.

— Dermot ? Je ne pense pas qu'il ait un numéro de strip-teaseur, ai-je répondu, désorientée.

— Je veux dire – il ne se balade pas tout nu chez toi, quand même, si ?

— Pas du tout. Apparemment, c'est une prérogative claudienne. En plus, ce serait vraiment dégoûtant, que Dermot fasse ça. Il ressemble tellement à Jason…

— Mais ça ne va pas du tout, ça, a marmonné Sam. Il faut que Claude reste dans son pantalon.

— Je m'en suis occupée, ai-je répliqué d'un ton acerbe.

Je voulais rappeler à Sam que la situation ne le regardait pas.

C'était un jour de semaine et le club n'ouvrait pas avant 14 heures. Je n'étais jamais venue au *Hooligans*. Il ressemblait à n'importe quel autre petit club ordinaire. Il se situait un peu à l'écart, dans un parking de bonne taille, avec des murs bleu électrique et une enseigne voyante rose vif. De jour, les endroits qui vendent de l'alcool et de la chair fraîche ont toujours cet aspect un peu défraîchi. Et d'ailleurs, la seule autre boutique des environs était un magasin de vins et spiritueux.

Claude m'avait donné des instructions pour le cas où je passerais ici un jour. Le signal secret consistait à frapper quatre coups à intervalles réguliers. Cela fait, j'ai porté mon regard au loin sur les champs. Le soleil dardait ses rayons sur le parking, annonçant les chaleurs qui ne tarderaient plus. Anxieux, Sam se balançait d'un pied sur l'autre. Puis la porte s'est ouverte.

Avec un sourire automatique, j'ai dit bonjour en passant le seuil. Puis j'ai réalisé avec un coup au cœur que le portier n'était pas humain. Je me suis arrêtée net.

J'avais supposé que Claude et Dermot étaient les seuls faé qui restaient aujourd'hui en Amérique, depuis que mon arrière-grand-père avait rappelé tous les faé dans leur propre dimension et fermé la porte. Pourtant, je savais également que Niall et Claude communiquaient de temps à autre, car Niall m'avait fait passer une lettre par Claude. Malgré tout, j'avais délibérément évité de poser des questions. Les expériences que j'avais vécues avec ma famille faé, avec tous les faé, s'étaient avérées à la fois merveilleuses et horrifiantes. Vers la fin d'ailleurs, elles s'étaient situées surtout à l'extrémité horrifiante de l'échelle.

Le portier s'est montré tout aussi surpris que moi. Ce n'était pas un faé à proprement parler, mais pourtant bien une créature faérique. J'avais déjà vu des faé se limer les dents pour imiter celles de cet être : deux ou trois centimètres de long, effilées et légèrement incurvées vers l'intérieur. Loin d'être pointue, la silhouette de ses oreilles était naturellement plus plate et ronde que celle des oreilles humaines. L'impression étrange qu'il dégageait se trouvait légèrement adoucie par ses cheveux denses et fins, d'une riche teinte auburn. Cette chevelure lisse couvrait tout son crâne, sur environ huit centimètres de longueur. On aurait dit la fourrure d'un animal plus qu'une coiffure.

— Vous êtes quoi ? avons-nous demandé en même temps.

Dans un autre univers, la situation aurait pu sembler comique.

— Qu'est-ce qui se passe ? a demandé Sam dans mon dos, me faisant sursauter.

J'ai finalement pénétré dans le bâtiment, Sam sur mes talons, et la lourde porte de métal a claqué dans notre dos. Après la lumière éblouissante du soleil, la lumière des néons interminables qui éclairaient l'entrée me semblait encore plus blafarde.

— Moi c'est Sookie, ai-je prononcé pour briser le silence.

— Vous êtes quoi ? a insisté la créature.

Embarrassés, nous nous faisions face dans le couloir étroit.

La tête de Dermot est soudain apparue dans l'encadrement d'une porte.

— Salut, Sookie ! Je vois que tu as rencontré Bellenos.

Il s'est avancé vers nous, et a remarqué mon expression.

— Ne me dis pas que tu n'avais encore jamais vu un elfe !

— Moi, en tout cas, jamais, et merci de t'en inquiéter, a marmonné Sam, sarcastique.

Il en savait bien plus que moi sur l'univers des SurNat. J'en ai déduit que les elfes, ça ne courait pas les rues.

J'avais beaucoup de questions concernant la présence de Bellenos, mais après mon manque de tact avec Sam, je n'étais pas certaine de savoir les poser.

— Pardon, Bellenos. Non, je n'avais jamais rencontré d'elfe. Mais j'ai déjà vu des faé se limer les dents pour qu'elles ressemblent aux vôtres. Ravie de vous rencontrer, ai-je articulé avec grande difficulté – car je ne l'étais pas. Et je vous présente Sam, mon ami.

Sam et Bellenos se sont serré la main. Ils avaient à peu près la même taille et la même corpulence. Mais les yeux en amande de Bellenos étaient brun foncé, de la même teinte que les taches de rousseur qui parsemaient la peau laiteuse de son visage. Ces yeux étaient curieusement écartés – ou alors, c'était peut-être son visage aux pommettes anormalement larges qui produisait cet effet... L'elfe a souri à Sam et j'ai brièvement aperçu ses dents de nouveau. Je me suis détournée avec un frisson.

L'une des portes ouvertes donnait sur une grande loge. Sous un miroir brillamment éclairé, un comptoir courait d'un mur à l'autre, croulant sous un monceau d'accessoires divers – fards en tous genres, brosses à maquillage, séchoirs à cheveux, fers à boucler, lisseurs, éléments de costumes, rasoirs, magazines, perruques, portables... tout ce que laissent derrière eux les gens qui vivent de leur apparence. Quelques tabourets de bar étaient disséminés dans la pièce, au milieu des fourre-tout et des chaussures.

Dermot s'était déjà éloigné et nous appelait :

— Venez dans le bureau.

La pièce en question était étriquée, ce qui m'a déçue : le bureau de Claude le fabuleux, l'exotique, n'était qu'un petit espace réduit, encombré et sans fenêtre. Claude avait une secrétaire, vêtue d'un tailleur de chez JCPenney, très

« femme d'affaires ». Sa présence ici dans un bar à strip-tease n'aurait pu être plus incongrue. Dermot, visiblement le maître des cérémonies aujourd'hui, nous a présentées :

— Nella Jean, voici notre chère cousine, Sookie.

Nella Jean était brune et ronde, et ses yeux couleur chocolat noir me rappelaient ceux de Bellenos. Fort heureusement, ses dents n'avaient rien d'anormal. Son cagibi était situé juste à côté du bureau de Claude – il était si minuscule qu'on l'avait certainement aménagé dans un placard. Après un regard hautain pour Sam et moi, Nella Jean s'est retirée dans ses appartements. Elle a tiré sa porte d'un geste ferme, comme si elle savait que nous allions commettre des actes répréhensibles et qu'elle ne voulait pas y être mêlée.

Bellenos a refermé la porte de Claude et nous nous sommes retrouvés à cinq dans une pièce déjà trop petite pour deux. J'entendais la musique provenant du club et me suis demandé ce qui s'y passait. Les strip-teaseurs font-ils des répétitions ? Et Bellenos ? Qu'en pensaient-ils ?

— Alors, pourquoi cette visite surprise ? a commencé Claude. Même si je suis enchanté de te voir bien sûr.

Il n'était absolument pas enchanté – pourtant, il m'avait invitée plus d'une fois à passer au *Hooligans*. À voir sa moue boudeuse, toutefois, il avait manifestement cru que je ne viendrais que pour le voir s'effeuiller sur scène. *Évidemment, Claude est persuadé que le monde entier rêve de le voir se déshabiller*, me suis-je dit. Son humeur était-elle simplement due au fait qu'il n'appréciait pas les visites en général ? Ou avait-il quelque chose à me cacher ?

— Il faut que tu nous dises pourquoi Sookie se sent devenir faé, a expliqué Sam brusquement.

Les trois mâles faériques se sont retournés vers lui d'un bloc.

— Et pourquoi serait-ce nécessaire ? l'a interrogé Claude. Et en quel honneur te mêles-tu de nos histoires de famille ?

— Parce que Sookie aimerait savoir, et qu'elle est mon amie, a rétorqué Sam d'un ton ferme, le visage déterminé.

Vous feriez mieux de l'éduquer au fait d'être de sang mêlé, au lieu de vivre chez elle comme des parasites.

Je ne savais plus où me mettre. Je n'avais pas compris que Sam était si révolté que mon cousin et mon grand-oncle vivent chez moi. Il n'avait pas à exprimer son opinion ici. D'autant plus que Claude et Dermot ne se comportaient pas en parasites. Ils faisaient des courses et prenaient grand soin de faire le ménage derrière eux. Parfois. Effectivement, ma facture d'eau avait subi une grosse augmentation et j'en avais même parlé à Claude, d'ailleurs. Mais je n'avais pas eu d'autres frais supplémentaires.

— Et je dirais même, a rajouté Sam tandis que les faé continuaient de le fixer en silence, que vous restez à ses côtés pour vous assurer qu'elle devienne de plus en plus faé, c'est bien ça ? Vous encouragez cette partie d'elle-même à prendre de la vigueur. Je ne sais pas comment vous le faites, mais je sais pertinemment que c'est ce que vous faites. Alors je vous pose la question : c'est juste pour la chaleur, pour profiter de sa compagnie ? Ou vous avez des plans secrets qui concernent Sookie ? Un complot faé ?

La voix de Sam semblait maintenant gronder.

Automatiquement, j'ai pris leur défense.

— Claude est mon cousin, et Dermot mon grand-oncle. Ils n'essaieraient pas de...

Mes mots se sont éteints d'eux-mêmes. J'avais pourtant bien appris, ces dernières années, à quel point il était stupide de se baser sur de telles suppositions. Croire qu'un membre de votre famille ne pouvait pas vous faire de mal était un postulat d'une parfaite imbécillité.

Soudain, Claude a interrompu le cours de mes pensées :

— Venez voir le club.

En un tour de main, il nous avait fait sortir de son bureau et nous menait dans le couloir. Il a ouvert la porte de communication vers le club. Sam et moi y sommes entrés.

Pour moi, tous les bars et les clubs se ressemblent – des tables, des chaises, quelques tentatives de décoration, un bar, une estrade avec des barres verticales et une cabine pour gérer le son. Effectivement, le *Hooligans* n'avait rien de différent.

Mais toutes les créatures qui se sont tournées vers la porte à notre entrée, toutes sans exception, étaient faériques. Chacune, même celles qui auraient pu passer pour un être humain – et c'était le cas pour la plupart – montrait au moins une trace de sang faé. La superbe rousse était mi-elfe. Elle s'était fait limer les dents. Et le grand, plus loin, si long et si mince – je n'avais aucune idée de ce qu'il pouvait être.

— Bienvenue, notre sœur, a fait une silhouette blonde de genre et d'espèce indéterminés. Tu es venue pour te joindre à nous ?

J'ai fait un effort démesuré pour lui répondre.

— Ce n'était pas dans mes intentions.

Je suis revenue précipitamment dans le couloir en poussant Sam et j'ai fermé la porte derrière nous. Puis j'ai attrapé Claude par le bras.

— Nom de Dieu, qu'est-ce qui se passe, ici ?

Il n'a pas bronché et je me suis tournée vers mon grand-oncle.

— Dermot ?

Après un instant, Dermot a brisé le silence.

— Sookie, notre adorée, ce soir, lorsque nous serons rentrés, nous te raconterons tout ce que tu dois savoir.

— Et lui ? ai-je demandé en désignant Bellenos du menton.

— Il ne sera pas des nôtres, a dit Claude. Bellenos dort ici, c'est notre gardien de nuit.

On ne prend un gardien de nuit que par crainte d'une attaque.

Encore des ennuis.

Oh non.

3

Bon, d'accord. Il m'est déjà arrivé d'être stupide. Ce n'est pas une constante, mais ça m'arrive. Et j'ai fait des erreurs. Ce n'est rien de le dire.

J'ai réfléchi furieusement sur le chemin du retour à Bon Temps. Mon meilleur ami conduisait et m'accordait tout le silence dont j'avais tant besoin. Une larme perlait à chacun de mes yeux. J'ai pris un mouchoir dans mon sac et me suis détournée pour les essuyer. Je ne voulais pas que Sam s'apitoie sur moi. Après avoir repris mes esprits, j'ai annoncé :

— Je suis une imbécile.

Sam a eu la bonté de paraître surpris.

— Qu'est-ce que tu veux dire ? m'a-t-il demandé, au lieu de m'assommer d'un « non, tu crois ? ».

— Sam, est-ce que les gens peuvent vraiment changer ?

Il a pris un instant pour organiser ses pensées.

— Ça, Sookie, c'est une grande question. Bien sûr, certaines personnes peuvent évoluer dans le bon sens. Un drogué peut être suffisamment fort pour arrêter de prendre la substance en question. Les gens peuvent suivre des thérapies et apprendre à contrôler des comportements inacceptables. Mais il s'agit là d'un système, disons, externe. Une technique de gestion acquise et imposée à l'ordre naturel des choses – à la nature véritable de ce que sont ces gens, c'est-à-dire des drogués. Tu me suis ?

J'ai hoché la tête.

— Donc, a-t-il poursuivi, non. Je ne pense pas que les gens puissent changer. Par contre, ils sont capables d'apprendre à se comporter différemment. J'aimerais croire le contraire pourtant, et si tu peux me prouver que j'ai tort, je serai ravi de t'entendre.

Nous avions pris l'allée qui menait chez moi à travers les bois.

— Les enfants changent en grandissant, ils s'adaptent à la société et à leur situation de vie, ai-je répondu. Parfois en bien, parfois en mal. Je crois que si on aime quelqu'un, on fait des efforts pour réprimer ce qui, en nous, ne lui plaît pas… Mais les tendances naturelles sont toujours là. Sam, tu as raison. Il s'agit bien d'imposer une réaction étudiée à ce qu'on est naturellement.

Il m'a jeté un œil inquiet tandis qu'il se garait derrière la maison.

— Sookie, qu'est-ce qui ne va pas ?

J'ai secoué la tête.

— Je suis tellement bête.

Je ne pouvais même plus le regarder en face. Je suis sortie du pick-up à toute vitesse avant de reprendre :

— Tu as pris la journée entière ? Ou je te vois plus tard au bar ?

— J'ai pris la journée. Écoute, tu veux que je reste avec toi ? Je ne sais pas vraiment ce qui t'inquiète à ce point, mais tu sais qu'on peut en parler. Je n'ai aucune idée de ce qui se passe au *Hooligans*, mais en attendant que les faé se décident à s'expliquer, je suis là si tu as besoin de moi.

Son offre était sincère, mais je savais qu'il avait envie de rentrer chez lui pour appeler Jannalynn. Il voulait organiser la soirée pour pouvoir lui offrir le cadeau qu'il s'était donné tant de mal à choisir.

— Non non, tout va bien, l'ai-je rassuré avec un sourire. J'ai des milliards de choses à faire avant d'aller au travail. Et je dois réfléchir un peu.

Et même beaucoup.

— Merci de m'avoir accompagné à Shreveport, Sookie. Je n'aurais pas dû insister pour que ton cousin et ton grand-oncle te parlent. Mais dis-le-moi, s'ils ne tiennent pas leur promesse ce soir.

J'ai agité la main tandis qu'il manœuvrait. Il allait reprendre la route de Hummingbird en direction de son mobile home, juste derrière le *Merlotte*. Sam ne pouvait jamais vraiment décrocher de son travail. En revanche, ses trajets étaient très courts.

En glissant ma clé dans la serrure, j'avais la tête déjà pleine de projets.

J'avais bien envie d'une douche – non, d'un bain. En fait, je me délectais de me retrouver seule chez moi, sans Claude et Dermot. J'étais assaillie de soupçons. Et malheureusement, c'était une impression tristement familière. Je me suis demandé si j'allais appeler Amelia, mon amie et sorcière, repartie à La Nouvelle-Orléans pour reprendre le travail une fois sa maison rebâtie. Je lui aurais bien demandé quelques conseils. Finalement, cependant, je n'ai pas pris le téléphone. J'aurais dû lui fournir trop d'explications. À cette seule pensée, je me sentais épuisée. Ce n'était pas une bonne idée d'avoir une conversation dans cet état. Peut-être qu'un e-mail me permettrait de décrire la situation plus posément.

J'ai versé des huiles de bain dans la baignoire avant de m'installer délicatement dans l'eau chaude, avec une grimace – le devant de mes cuisses était toujours sensible. Je me suis rasé les jambes et les aisselles. S'occuper de soi, c'est toujours une bonne thérapie. Après être sortie du bain, l'huile ayant laissé ma peau aussi glissante que celle d'un catcheur, je me suis verni les orteils et j'ai démêlé mes cheveux. J'étais encore étonnée de les trouver si courts. Mais je me suis rassurée en constatant qu'ils tombaient sous mes épaules.

Une fois toute belle, j'ai enfilé mon uniforme *Merlotte*, en regrettant d'avoir à recouvrir mes jolis ongles avec des chaussettes et des baskets. Je faisais finalement tout mon possible pour ne pas réfléchir. Et j'y parvenais très bien.

Puisque j'avais encore une trentaine de minutes d'avance, j'ai allumé ma télévision et mon DVR[1], pour regarder le

---

1. Digital Video Recorder (DVR), correspond à un enregistreur vidéo numérique.

dernier épisode de *Jeopardy !*, qui était passé la veille. Nous avions commencé à régler la télé du bar sur le jeu tous les jours. Les clients aimaient bien deviner les réponses aux questions. Jane Bodehouse, notre alcoolique la plus habituée, nous avait surpris : elle s'était avérée une experte en cinéma classique. Terry Bellefleur, quant à lui, était incollable en sport. Pour ma part, je parvenais à répondre à presque toutes les questions concernant les écrivains, car je lis beaucoup. Sam était plutôt bon en histoire contemporaine de l'Amérique. Je n'étais pas toujours au bar quand le programme passait, et j'avais commencé à l'enregistrer tous les jours. J'aimais bien l'univers joyeux de *Jeopardy !* J'aimais bien remporter des points, comme aujourd'hui. À la fin du jeu, il était déjà temps de partir travailler.

J'adorais faire cette route le soir quand il faisait encore jour. J'ai mis la radio et j'ai chanté « Crazy » avec les Gnarls Barkley – effectivement, j'étais dingue, moi aussi.

J'ai croisé Jason en chemin. Il allait sans doute rejoindre sa petite amie chez elle. Michele Schubert survivait toujours à la relation. Maintenant que Jason prenait enfin un peu de maturité, elle allait peut-être parvenir à quelque chose de permanent. Sa grande force résidait dans le fait qu'elle ne se montrait pas impressionnée par les prouesses (réputées) de Jason dans la chambre à coucher. S'il la faisait craquer, elle le cachait bien. Chapeau bas, Michele ! J'ai fait un signe de la main à mon frère, qui m'a souri en retour. Il semblait parfaitement heureux. Je lui enviais cette insouciance du plus profond de mon être. Il y a de grands avantages à aborder la vie comme Jason.

Encore une fois, il n'y avait pas grand monde au *Merlotte*, ce qui n'était pas vraiment surprenant : un attentat au cocktail Molotov, ce n'est pas une bonne publicité. Qu'allait-il se passer maintenant ? Le *Merlotte* pourrait-il survivre ? Le *Vic's Redneck* continuerait-il à lui voler ses clients ? Les gens aimaient le *Merlotte* parce que l'endroit était relativement calme, l'atmosphère détendue, et qu'on y servait de bons plats (même si la carte était limitée) et des cocktails généreux. Sam avait toujours été populaire, jusqu'à ce que les loups-garous et les autres hybrides se révèlent au grand jour. Pour ceux qui éprouvaient déjà des difficultés à accepter les vampires, l'existence de ces créatures à double nature était la goutte qui avait fait déborder le vase.

Je suis passée par la réserve pour attraper un tablier propre, puis dans le bureau de Sam pour fourrer mon sac dans le grand tiroir de sa table de travail. J'aurais bien aimé avoir un petit casier, pour y laisser mon sac et des vêtements de rechange pour les soirées catastrophe : une bière renversée ou un geste malheureux avec de la moutarde par exemple.

Je reprenais ce soir les tables de Holly, qui allait épouser Hoyt, le meilleur ami de Jason, en octobre. Pour elle, ce serait le second mariage. Pour lui, le premier. Ils avaient décidé d'en faire une grande occasion et d'avoir une cérémonie à l'église doublée d'une réception dans la salle paroissiale. J'en savais plus que je ne le voulais : le mariage aurait lieu dans des mois, mais pour Holly, certains détails étaient déjà devenus des obsessions. Son premier mariage n'avait été qu'une simple et courte cérémonie civile. Celui-ci était donc (théoriquement) sa dernière chance de vivre son rêve. J'imaginais bien ce que ma grand-mère aurait dit de la robe blanche de Holly, puisqu'elle avait un petit garçon scolarisé. Mais après tout, si cela pouvait faire plaisir à la mariée, pourquoi pas ? Autrefois, le blanc symbolisait la pureté virginale de la mariée. Maintenant, il signifiait tout simplement qu'elle avait acheté une robe hors de prix, qu'elle ne pourrait plus jamais porter, et qui resterait dans l'armoire après le grand jour.

J'ai agité la main pour attirer l'attention de Holly, qui discutait avec Frère Collins, le nouveau pasteur baptiste. Il venait ici de temps en temps mais ne commandait jamais d'alcool. Holly s'est interrompue pour venir à ma rencontre et me raconter ce qui se passait à nos tables – c'est-à-dire pas grand-chose. En apercevant une marque de brûlé par terre au milieu de la salle, j'ai été prise d'un frisson. Une table de moins à servir.

— Hé, Sookie ! a rajouté Holly avant d'aller chercher son sac, tu viens bien au mariage, n'est-ce pas ?

— Bien sûr, je ne le raterais pour rien au monde.

— Ça t'ennuierait de servir le punch ?

C'était un bel honneur – pas aussi grand que d'être choisie comme demoiselle d'honneur, mais significatif malgré tout. Jamais je ne m'y serais attendue.

— J'en serais ravie, me suis-je exclamée avec un sourire. On en reparle un peu avant, d'accord ?

Visiblement, Holly était contente de ma réaction.

— Super ! Espérons que les affaires reprennent ici, pour qu'on ait encore du travail en septembre !

— Mais oui, ne t'inquiète pas, on s'en sort toujours !

Malgré ma réponse rassurante, j'étais loin d'être convaincue.

De retour à la maison ce soir-là, j'ai attendu Dermot et Claude pendant une demi-heure, mais ils ne se sont pas montrés et je n'avais aucune envie de les appeler. Cette fameuse conversation qu'ils m'avaient promise et qui devait me permettre de comprendre mon héritage faé n'aurait donc pas lieu ce soir. J'avais besoin de réponses. Finalement, toutefois, je n'étais pas mécontente de leur absence. La journée avait été trop remplie. J'ai vaguement tenté de me convaincre que j'étais folle de rage et que je devrais guetter leur retour, mais je n'ai pas mis cinq minutes à m'endormir.

Lorsque j'ai émergé le lendemain vers 9 heures, je n'ai vu aucun des signes qui révélaient habituellement la présence de mes hôtes. La salle d'eau du bas était dans le même état que la veille, aucune vaisselle sale ne traînait dans l'évier, et aucune lampe n'avait été laissée allumée. Je me suis rendue sur la véranda de derrière : et non, pas de voiture.

Ils s'étaient sans doute sentis trop fatigués pour faire la route jusqu'à Bon Temps. Ou alors ils avaient eu de la chance : lorsque Claude avait emménagé avec moi, il m'avait expliqué que, s'il faisait une conquête, il passerait la nuit avec l'heureux élu dans sa propre maison de Monroe.

J'imaginais que Dermot en ferait autant. Tiens donc, d'ailleurs… Jamais je n'avais vu Dermot accompagné. Homme ou femme, personne. Et j'avais toujours naturellement supposé que Dermot préférait les femmes, tout simplement parce qu'il ressemblait tant à Jason, qui frétillait devant tous les jupons. Encore des préjugés. N'importe quoi…

Je me suis préparé des œufs, du pain grillé et des fruits, que j'ai dégustés en lisant un roman d'amour de Nora Roberts que j'avais emprunté à la bibliothèque. Je ne m'étais pas sentie aussi bien depuis des semaines. En dehors de la séance au *Hooligans*, j'avais globalement passé une bonne journée, la veille. Et là, les garçons ne passaient pas leur temps à faire des apparitions dans la cuisine – qui pour se plaindre que je n'avais plus de pain complet (Claude), et qui pour m'offrir une conversation fleurie alors que j'aurais voulu qu'on me laisse lire (Dermot). J'étais donc encore capable de profiter avec plaisir de ma solitude.

Je me suis douchée puis maquillée en chantonnant. Je prenais plus tôt aujourd'hui, et l'heure de partir travailler est vite arrivée. Avant de me mettre en route, j'ai contemplé mon séjour. C'était un vrai dépotoir et j'en avais assez. Heureusement, les antiquaires devaient venir le lendemain.

Ce soir-là, il y avait un peu plus de monde au bar, ce qui a contribué encore plus à ma bonne humeur. À ma surprise, Kennedy se tenait derrière le bar. Elle faisait honneur à son statut d'ancienne reine des concours, parfaite et impeccable, même en jean (de luxe), avec un débardeur à rayures blanc et gris. Nous étions toutes deux très en beauté ce soir !

— Où est Sam ? ai-je demandé. Je pensais qu'il venait travailler, ce soir.

— Il m'a appelée ce matin, m'a répondu Kennedy en me jetant un regard en coulisse. L'anniversaire de Jannalynn a dû bien se passer. Et moi, j'ai vraiment besoin d'heures, alors j'étais super contente de me lever et de traîner mes fesses ici.

— Et comment vont tes parents ? Ils sont venus te voir, récemment ?

Kennedy a eu un sourire amer.

— Ils se portent bien, Sookie. Ils regrettent toujours que je ne sois plus Miss Concours de beauté et que je n'aille plus au catéchisme. Mais ils m'ont quand même donné un beau chèque quand je suis sortie de prison. J'ai de la chance de les avoir.

Elle séchait des verres et ses mains se sont soudain immobilisées.

— Je me demande…

Elle s'est interrompue. J'ai attendu patiemment – je savais bien ce qu'elle allait dire. Puis elle a repris à voix basse.

— Je me demande si c'est un membre de la famille de Casey, qui a mis le feu au bar. Quand je lui ai tiré dessus, je ne pensais qu'à sauver ma peau. Je n'ai pas pensé à sa famille, ni à la mienne. La seule chose qui m'importait, c'était de survivre.

Kennedy n'en avait jamais parlé auparavant, ce que je comprenais totalement.

Je lui ai répondu doucement mais fermement :

— Mais qui n'aurait pas tout tenté pour survivre, Kennedy ? Il faudrait être fou pour agir autrement. Je ne pense pas que Dieu aurait souhaité que tu le laisses te battre à mort.

Pourtant, je n'étais vraiment pas certaine des intentions de Dieu. Ce que je voulais probablement lui dire, c'était *Je pense que tu aurais été vraiment bête de le laisser te tuer.*

— Ma peine aurait été bien plus lourde si ces femmes n'étaient pas venues témoigner. Sa famille – enfin je crois qu'ils savent qu'il frappait les femmes, mais je me demande s'ils m'en veulent malgré tout. En sachant que je serais au bar, ils auraient pu décider de me tuer ici.

— Est-ce qu'il y a des hybrides dans sa famille ? ai-je demandé.

Je l'avais choquée :

— Oh ! mon Dieu, non ! Ils sont tous baptistes !

J'ai tenté de ne pas sourire. Sans succès. Et après un instant, Kennedy a commencé à rire.

— Non, sérieusement, je ne pense pas. Tu crois que la personne qui a lancé la bombe était un métamorphe ?

— Oui, je le crois. Un hybride en tout cas. Mais surtout, n'en parle à personne. Sam a déjà suffisamment d'ennuis comme ça.

Kennedy a hoché la tête d'un air convaincu, puis un client m'a appelée pour me demander de lui apporter un flacon de sauce pimentée, et je me suis concentrée sur mon travail.

La serveuse qui devait reprendre après moi a appelé pour expliquer qu'elle avait crevé un pneu, et je suis donc restée au *Merlotte* deux heures de plus. Kennedy, qui devait rester jusqu'à la fermeture, m'a taquinée en me disant que j'étais indispensable et je lui ai envoyé mon torchon à la tête. Puis Danny est arrivé, allumant des étincelles dans les yeux de Kennedy. Manifestement, il était passé chez lui après son travail pour se doucher et se raser. Il regardait Kennedy comme si le monde était maintenant parfait. En grimpant sur son tabouret, il s'est adressé à elle :

— Une bière, femme. Et plus vite que ça.

— Tu veux peut-être la prendre sur la tête, ta bière, Danny ?

— Je m'en fiche. Je la prendrai comme tu veux.

Et ils se sont souri.

Plus tard, à la tombée de la nuit, mon portable a vibré dans ma poche. Dès que j'ai pu, je suis allée dans le bureau de Sam pour le regarder. Eric m'avait envoyé un texto : « a + ». Rien d'autre. Mais j'avais le sourire aux lèvres et l'ai gardé tout le reste de la soirée. Quand je suis arrivée chez moi, je me suis sentie toute contente de le voir assis sur la véranda – peu importe qu'il ait détruit ma cuisine. Pour couronner le tout, il tenait un nouveau grille-pain, tout enrubanné de rouge.

— En quel honneur, cette visite ? ai-je émis d'un ton acerbe.

Je n'allais certainement pas lui montrer que j'avais attendu sa visite avec impatience. Avec notre lien de sang, bien sûr, il devait pourtant bien s'en douter.

— Nous ne nous sommes pas amusés depuis trop longtemps, toi et moi.

Et il m'a tendu le grille-pain.

— Tu veux dire entre moi qui éteignais un incendie, et toi qui attaquais Pam ? Effectivement, c'est un euphémisme. Merci pour le grille-pain, même si ce n'est pas comme ça que je perçois l'amusement. Tu avais quoi, en tête, au juste ?

— Pour plus tard, ce que j'ai en tête, c'est du sexe. Spectaculaire, a-t-il précisé en s'avançant plus près de moi. J'ai pensé à une position que nous n'avons pas encore essayée.

Je ne suis pas aussi souple qu'Eric et la dernière fois que nous avions testé quelque chose d'audacieux, j'avais eu mal à la hanche pendant trois jours. Malgré tout, j'étais toujours partante pour de nouvelles expériences.

— Et qu'avais-tu en tête pour passer le temps, avant tout ce sexe spectaculaire ?

Soudain j'ai perçu une légère trace d'inquiétude dans sa voix.

— Nous devons rendre visite à un nouveau « *dance club* » – c'est ainsi qu'ils appellent leur discothèque, pour attirer les jeunes. Et surtout celles qui sont jolies. Comme toi.

— Et où se trouve ce *dance club* ?

J'avoue que je n'étais pas particulièrement tentée, car j'étais debout depuis des heures. Cependant, en tant que couple, nous ne nous étions effectivement pas amusés (en public) depuis bien longtemps.

— Sur la route entre ici et Shreveport.

Puis Eric a hésité avant d'ajouter :

— Victor vient tout juste de l'ouvrir.

— Ah. Et tu penses que c'est prudent d'y aller ?

J'étais atterrée. Le projet d'Eric ne me disait vraiment plus rien.

Victor et Eric étaient enlisés dans une lutte silencieuse. Victor Madden représentait en Louisiane le roi du Nevada, de l'Arkansas et de la Louisiane, à savoir Felipe. Ce dernier s'était installé à Las Vegas. Eric, Pam et moi nous demandions si Felipe n'avait pas donné à Victor cette part énorme de gâteau tout simplement pour protéger son territoire le plus riche de son ambition dévorante. Au plus profond de mon être, je désirais la mort de Victor. Il avait envoyé Bruno et Corinna, ses sous-fifres préférés, pour nous tuer, Pam et moi, simplement pour affaiblir Eric : en effet, Felipe l'avait engagé car, en tant que shérif, il avait les meilleurs résultats de tout l'État.

Nous avions renversé la situation. Bruno et Corinna n'étaient désormais plus que de petits tas de cendres sur le bord de l'autoroute. Et personne ne pouvait rien prouver.

Victor avait fait passer le message : il offrait une récompense plus que généreuse à quiconque pourrait lui transmettre des informations permettant de localiser ses deux employés. Mais personne ne s'était manifesté. Seuls Pam, Eric et moi savions réellement ce qui s'était passé. Et Victor ne pouvait nous accuser directement, puisqu'il aurait avoué ainsi qu'il les avait envoyés pour nous tuer. C'était une impasse, en somme.

Bruno et Corinna souffraient de suffisance excessive. La prochaine fois, Victor enverrait certainement quelqu'un de plus avisé.

Eric a repris :

— Non, ce n'est pas prudent de s'y rendre, mais nous n'avons pas le choix. Victor m'a ordonné d'y aller, en compagnie de mon épouse. Si je ne viens pas avec toi, il va penser que j'ai peur de lui.

J'ai réfléchi à la situation tandis que je fouillais mon armoire, à la recherche d'une tenue qui conviendrait pour aller dans une boîte à la mode. Eric était allongé sur mon lit, les mains derrière la tête.

— J'ai oublié quelque chose dans ma voiture, s'est-il exclamé soudain avant de se précipiter pour sortir – il n'était plus qu'une ombre en mouvement.

Il est revenu en quelques secondes avec un vêtement sur un cintre, recouvert de plastique transparent.

— Mais ce n'est pas mon anniversaire !

— Un vampire n'aurait-il pas le droit d'offrir un présent à son aimée ?

Je n'ai pu m'empêcher de lui sourire.

— Mais si bien sûr !

J'adore les cadeaux. Le grille-pain n'avait été qu'un leurre. C'était celui-ci, la véritable surprise. J'ai retiré l'emballage avec précaution. Le vêtement était une robe. Enfin, probablement.

— C'est un peu limité, question tissu, non ?

J'examinai la chose. Elle était formée d'un col noir en forme de U. Un très grand U, devant comme derrière. Et le reste était de couleur bronze, brillant, et tout plissé. On aurait dit une multitude de larges rubans cousus ensemble. Et finalement, d'ailleurs, il ne s'agissait en aucun cas d'une multitude. La vendeuse avait laissé l'étiquette. J'ai tenté de ne pas regarder. J'ai échoué et, en absorbant le prix, je suis restée bouche bée. Pour cette somme, j'aurais pu acheter six à dix pièces chez Wal-Mart, ou trois chez Dillard's.

— Tu seras à tomber, a dit Eric avec un sourire plein de crocs. Tout le monde va m'envier.

Toute femme se serait sentie flattée...

Quand je suis finalement sortie de la salle de bains, mon copain Immanuel était de retour. Il avait établi un poste de travail à ma coiffeuse. Je trouvais très étrange de voir un autre homme dans ma chambre. Immanuel semblait de bien meilleure humeur. Même sa coiffure bizarre paraissait plus enthousiaste. Tandis qu'Eric nous surveillait étroitement, comme s'il soupçonnait Immanuel d'être un assassin potentiel, le coiffeur maigrichon m'a bouclée, coiffée et maquillée. La dernière fois que j'avais passé un moment aussi amusant devant un miroir, c'était lors de mon enfance, avec Tara. Après l'intervention d'Immanuel, j'avais endossé une sophistication toute naturelle.

Émerveillée, je l'ai remercié tout en me demandant où la véritable Sookie avait bien pu passer.

— Mais je vous en prie, a répondu Immanuel, très sérieux. Vous avez une peau de rêve. J'aime beaucoup travailler sur vous.

Personne ne m'avait jamais rien dit de tel. Je ne savais pas comment réagir et je lui ai bêtement demandé de me laisser sa carte. Il en a sorti une, qu'il a posée contre une figurine de porcelaine que ma grand-mère avait adorée. En la remarquant, je me suis sentie un peu nostalgique. J'avais parcouru un si long chemin depuis sa mort.

Et puisque je pensais à des choses tristes, je lui ai demandé comment allait sa sœur.

— Aujourd'hui, ça allait. C'est gentil à vous de vous en soucier.

Il ne regardait pas Eric, mais j'ai vu que ce dernier détournait le regard, les dents serrées. Agacé.

Après avoir remballé tout son attirail, Immanuel est reparti.

Je me suis trouvé un soutien-gorge sans bretelles et un string – je déteste les strings mais, avec une telle robe, personne ne voudrait porter une culotte qui fasse des marques. Puis j'ai commencé à me préparer. Par chance, j'avais une paire de jolis escarpins noirs à talons hauts. J'aurais préféré des sandales fantaisie pour cette tenue, mais les escarpins devraient suffire.

Eric m'avait observée de près pendant que je m'habillais.

— Tu as la peau si douce, a-t-il murmuré en effleurant ma jambe tout en la remontant.

— Hé ! Si tu continues, on n'arrivera jamais au club, et je me serai préparée pour rien !

C'est sans doute pathétique, mais j'avais effectivement très envie qu'Eric ne soit pas le seul à pouvoir admirer la nouvelle robe, la nouvelle coiffure et le maquillage de pro.

— Pour rien ? Pas vraiment, a répliqué Eric.

Il s'est changé malgré tout et j'ai natté ses cheveux avec soin, avant de les attacher avec un ruban noir. Eric ressemblait à un flibustier, prêt à écumer la ville tout entière.

Nous aurions dû nous sentir heureux à l'idée de cette soirée et de pouvoir danser tous les deux au club. Je ne savais pas précisément à quoi pensait Eric, tandis que nous allions à sa voiture, mais manifestement, il était loin d'être satisfait de la situation.

Nous étions deux.

Je voulais en savoir plus et j'ai décidé d'entamer la conversation avec des sujets anodins.

— Comment ça va, avec les nouveaux vamp's ?

— Ils arrivent quand ils le doivent et font leurs heures, m'a-t-il répondu sans enthousiasme.

Trois des vampires qui avaient échoué dans la zone d'Eric après Katrina lui avaient demandé l'autorisation de rester. Ils avaient toutefois décidé d'établir leur nid à Minden et non à Shreveport.

— Tu n'as pas l'air vraiment ravi de tes nouvelles troupes. Qu'est-ce qui ne va pas, chez eux ?

Je me suis glissée dans mon siège pendant qu'Eric faisait le tour de la voiture.

— Palomino s'en sort plutôt bien, a-t-il admis avec réticence. Mais Rubio est stupide, et Parker est un faible.

Je ne les connaissais pas suffisamment pour avancer une opinion. Palomino, qui ne donnait pas de nom de famille, était une jeune et jolie vampire dont les cheveux blond-blanc ressortaient de façon frappante sur sa peau brune. Rubio Hermosa était magnifique. J'étais du même avis qu'Eric, cependant : il était plutôt bas de plafond, et n'avait jamais grand-chose à dire. De son vivant, Parker quant à lui avait tout du geek et rien n'avait changé quand il était passé de l'autre côté. Il avait certes amélioré le système informatique du *Fangtasia*, mais c'était un poltron qui avait peur de son ombre.

Après avoir bouclé ma ceinture, j'ai repris la conversation.

— La dispute entre toi et Pam, tu veux en parler ?

Au lieu de sa Corvette habituelle, Eric était venu avec une Lincoln, la Town Car du *Fangtasia*. Je la trouvais merveilleusement confortable. De plus, étant donné le style de conduite qu'Eric adoptait au volant de la Corvette, j'appréciais particulièrement de pouvoir sortir en Lincoln.

— Non, a répliqué Eric, instantanément sombre et inquiet.

J'ai attendu une minute qu'il précise sa pensée.

Puis une minute de plus.

Il me fallait un effort surhumain pour conserver le plaisir que j'avais ressenti à l'idée de sortir en soirée avec un homme fabuleux.

— D'accord. Bien bien bien. Comme tu veux. Mais j'ai comme l'impression que la fameuse partie de jambes en l'air sera un tantinet moins spectaculaire si je me fais un sang d'encre au sujet de toi et de Pam.

Mon trait d'humour léger m'a valu un regard noir.

— Je sais que Pam voudrait créer un vampire, ai-je ajouté. Apparemment, il y aurait urgence.

— Immanuel aurait mieux fait de tenir sa langue.

— Mais figure-toi que j'ai apprécié qu'on partage des informations avec moi. Des informations qui concernent des gens que j'aime.

Fallait-il que je lui fasse un dessin ?

— Sookie. Victor a décrété que je ne dois pas autoriser Pam à commencer sa lignée.

Et les mâchoires d'Eric se sont refermées comme un piège à loup.

Ah.

— Et les rois contrôlent la « reproduction », j'imagine, ai-je repris avec prudence.

— Effectivement. Ils ont le contrôle absolu. Mais tu dois comprendre que Pam me mène la vie dure, là-dessus, et Victor aussi.

— Mais Victor n'est pas vraiment un roi, si ? Et si tu allais voir Felipe directement ?

— Chaque fois que je le court-circuite, Victor trouve un moyen de me punir.

Eric était tiraillé et cela ne servait à rien de poursuivre.

En chemin pour le club de Victor – Eric m'a appris que Victor l'avait appelé le *Vampire's Kiss*, le baiser du vampire – nous avons donc bavardé du rendez-vous du lendemain avec les antiquaires. J'aurais aimé discuter d'un certain nombre de choses, mais Eric se trouvait dans une situation impossible, et je ne voulais pas lui asséner mes propres problèmes. De plus, j'avais le sentiment que je ne savais pas tout. Là dessus, finalement, je me suis lancée.

— Eric, ai-je commencé, tout en sachant pertinemment que j'allais me montrer trop abrupte et intense. Tu ne me dis pas tout, sur tes affaires, n'est-ce pas ?

Il a répondu sans hésiter.

— Tu as raison. J'ai de nombreuses raisons, Sookie. Certaines choses ne feraient que t'inquiéter, et d'autres pourraient te mettre en danger. Le savoir n'équivaut pas toujours au pouvoir.

J'ai serré les lèvres et refusé de le regarder. C'était immature de ma part, je le sais, mais je ne le croyais pas totalement honnête avec moi.

Après un moment de silence, il a ajouté :

— Par ailleurs, il faut bien dire que je n'ai pas l'habitude de partager mes soucis quotidiens avec un être humain. Il est difficile de rompre cette habitude après un millier d'années.

Bon. Et aucun de ces secrets ne concernait mon avenir, naturellement... Mais bien sûr. De toute évidence, Eric a estimé que ma froideur impassible signifiait que j'acceptais son explication, même avec réticence. Il a décidé que ce moment tendu était terminé.

— Mais toi, tu me dis tout, mon aimée, non ? a-t-il repris d'un ton taquin.

Je l'ai fixé d'un air furieux, sans répondre. Il ne s'attendait pas à ma réaction.

— Tu ne me dis pas tout ?

Tout à coup, j'ai eu des difficultés à déchiffrer les émotions qui perçaient dans sa voix : de la déception, de l'inquiétude, une petite touche de colère, peut-être même un peu d'excitation. Tout cela au moins. Ce qui fait beaucoup de sentiments différents, en si peu de mots.

— Ça, c'est pour le moins inattendu, a-t-il murmuré. Et malgré cela, nous disons que nous nous aimons.

— Nous le disons, tu as raison. Et je t'aime. Mais je commence à comprendre que le fait d'être amoureux n'implique pas autant de partage que je le pensais.

Il n'a rien trouvé à répondre.

Nous sommes passés devant le *Vic's Redneck*, et même depuis l'autoroute, je voyais bien que le parking était bondé.

— Et merde. Tout le business du *Merlotte* est parti là-bas. Qu'est-ce qu'ils ont de plus que nous ?

— Le show. La nouveauté. Des serveuses en pantalon moulant et en dos-nu, a commencé Eric.

— Stop ! C'est bon ! l'ai-je interrompu, dégoûtée. Entre les problèmes de Sam, maintenant qu'on sait qu'il est métamorphe, et tout le reste, je ne sais pas combien de temps le *Merlotte* va tenir.

J'ai perçu une véritable vague de satisfaction chez Eric.

— Oh la la, a-t-il réagi, faussement compatissant, mais tu n'aurais plus de travail ! Tu pourrais travailler pour moi au *Fangtasia*.

Ma réponse fut immédiate.

— Non, merci. Je détesterais voir les fangbangers arriver tous les soirs, nuit après nuit, toujours avides d'avoir ce qu'ils ne devraient pas avoir. C'est triste, et ce n'est pas bien.

Eric m'a lancé un regard, déstabilisé par la rapidité de ma réaction.

— Sookie, c'est ainsi que je gagne ma vie. Grâce aux fantasmes et à la perversité des humains. La plupart sont des touristes qui viennent voir le *Fangtasia* une ou deux fois et repartent à Minden ou Emerson. Et après, ils racontent leur folle virée à leurs voisins. D'autres sont des militaires de la base aérienne, qui aiment bien se vanter d'être des durs pour avoir osé venir boire dans un bar à vampires.

— Je comprends. Et je sais bien que si les fangbangers ne venaient pas au *Fangtasia*, ils iraient ailleurs, rien que pour pouvoir traîner avec des vampires. Mais je crois que ce climat ne me conviendrait pas, sur une base quotidienne.

J'étais fière de ma formulation.

— Et que ferais-tu, si le *Merlotte* venait à fermer ?

C'était une bonne question, que j'allais devoir me poser très sérieusement.

— J'essaierais de trouver un autre job de serveuse. Peut-être au *Crawdad Diner*. J'aurais moins de pourboires, mais ce serait moins stressant. Et sans doute aussi que je suivrais des cours en ligne, pour avoir un diplôme. Ce serait bien, de faire des études.

84

Après un silence, Eric a remarqué :

— Tu n'as pas parlé de contacter ton grand-père. Il s'assurerait que tu ne manques jamais de rien.

Surprise, j'ai répondu :

— Je ne suis pas certaine de pouvoir le joindre. J'imagine que Claude saurait comment s'y prendre. En fait, je suis sûre qu'il le saurait. Mais Niall a bien expliqué qu'il trouvait que ce serait une mauvaise idée de rester en contact.

À mon tour, j'ai réfléchi un instant.

— Eric, tu penses que Claude a une raison cachée de vivre chez moi ?

— Mais évidemment, et Dermot aussi. Je me demande pourquoi tu poses la question.

J'ai brusquement eu l'impression que je n'étais pas à la hauteur pour diriger le cours de ma vie. Et ce n'était pas la première fois. J'ai lutté contre une vague de découragement et d'amertume, tout en essayant d'examiner les paroles d'Eric. Je m'en étais doutée, forcément, et c'était justement la raison pour laquelle j'avais demandé à Sam si les gens pouvaient réellement changer. Claude s'était toujours montré d'un égoïsme sans égal et d'une indifférence totale. Pourquoi changerait-il ? Bien sûr, ses congénères lui manquaient, surtout maintenant que sa sœur était morte. Mais pourquoi vivrait-il avec quelqu'un comme moi, qui avais si peu de sang faé dans les veines ? D'autant que j'avais indirectement causé la mort de Claudine. Il devait avoir une motivation bien précise.

Quant à Dermot, ce n'était pas plus clair. Il ressemblait tellement à Jason, physiquement, que l'on pouvait avoir tendance à penser qu'ils avaient le même tempérament. Mais j'avais appris, à mes dépens, qu'il était dangereux d'entretenir de tels préjugés. Pendant longtemps, Dermot avait été sous le coup d'un enchantement. Le sort qu'on lui avait jeté l'avait rendu fou. Malgré tout, même désorienté par la magie, il avait lutté de toutes ses forces pour agir comme il le fallait. Du moins, c'était ce qu'il m'avait raconté. J'en avais d'ailleurs quelques petites preuves.

Je songeais toujours à ma naïveté lorsque nous avons pris une sortie, au beau milieu de nulle part. La lumière des projecteurs du *Vampire's Kiss* trouait la nuit – c'était justement le but recherché.

— Tu n'as pas peur que les gens qui avaient l'intention de continuer sur Shreveport pour aller au *Fangtasia* ne prennent la sortie pour venir en boîte ici ?

— Si.

J'avais posé une question bête. Je ne lui en ai pas voulu d'être aussi laconique. Eric devait s'inquiéter de sa situation financière depuis le jour où Victor avait acheté le bâtiment. Mais je n'allais pas accorder plus d'indulgence à Eric. Nous étions un couple et il devait partager ses préoccupations avec moi en toute franchise, ou me laisser m'occuper de mes propres difficultés tranquillement. Ce lien avec Eric était parfois comme un véritable joug. Je lui ai jeté un regard. Un fangbanger du *Fangtasia* me trouverait complètement idiote. Eric était assurément l'un des hommes les plus craquants que j'aie jamais vus. Il était fort, intelligent, et complètement génial au lit.

En ce moment précis, un silence pesant glaçait l'atmosphère entre cet homme fort, intelligent et sensuel, et moi-même. Eric parcourait le parking, à la recherche d'un emplacement libre. Les places étaient rares, ce qui l'énervait furieusement – ça, au moins, ce n'était pas difficile à percevoir.

Puisqu'il avait été convoqué, la plus élémentaire des courtoisies aurait consisté à lui réserver un endroit à proximité de l'entrée, ou de lui permettre de passer par l'arrière. Ajoutons à cela qu'on tenait manifestement à démontrer qu'il y avait tellement de monde au *Vampire's Kiss* qu'il était devenu difficile de se garer.

Aïe.

Je me suis efforcée de mettre mes questions personnelles de côté pour l'instant. Je devais me concentrer sur ce que nous allions affronter. Victor n'aimait pas Eric et ne lui accordait aucune confiance. C'était mutuel. Depuis que Victor avait été placé à la tête de la Louisiane, la position d'Eric, le dernier rescapé de l'ère Sophie-Anne, était devenue de plus en plus précaire. Pour ma part, j'étais à peu près certaine que je devais ma survie exclusivement au fait qu'Eric m'avait bernée, pour que je l'épouse selon les rites vampires.

Les lèvres serrées, Eric est venu m'ouvrir ma portière. Il en a profité pour évaluer les risques de danger dans le parking. Il se tenait délibérément entre le club et moi. Tandis que je sortais les jambes de la Town Car, il m'a demandé :

— Dis-moi qui se trouve dans le parking, mon aimée.

Lentement, je me suis relevée avec précaution, les yeux fermés pour me concentrer. J'ai posé ma main sur la sienne, qu'il avait appuyée sur le haut de la portière. J'ai déployé mes sens et les ai projetés dans la nuit chaude, dont la brise légère ébouriffait mes cheveux. Puis j'ai chuchoté :

— Un couple qui fait l'amour dans une voiture à deux rangs d'ici. Un homme qui vomit derrière le pick-up noir, de l'autre côté. Deux couples qui arrivent dans une Escalade. Un vampire à côté de l'entrée. Un autre, qui approche, et vite.

Quand un vampire passe en état d'alerte, on le voit tout de suite. Les crocs d'Eric sont sortis, son corps s'est tendu et il a fait volte-face.

— Maître, a fait la voix de Pam tandis qu'elle sortait de l'ombre d'un gros 4 × 4.

Eric s'est immédiatement détendu et, petit à petit, moi aussi. Apparemment, ils avaient mis leur discorde de côté pour la soirée.

— Je suis venue en avance, comme tu me l'avais demandé, a-t-elle murmuré dans le vent.

Son visage était étrangement sombre.

— Pam, viens dans la lumière, ai-je dit.

Elle a obéi – pourtant, elle n'y était absolument pas obligée.

La noirceur sous sa peau révélait qu'elle avait été battue. Les vampires ne développent pas de bleus comme nous, et ils guérissent très vite. S'ils ont été frappés très violemment, cela se voit plus longtemps.

— Que t'est-il arrivé ? a demandé Eric.

Sa voix était dénuée de toute émotion. Très très mauvais signe.

— J'avais dit aux gardes devant la porte que je devais entrer pour m'assurer que Victor soit au courant de votre arrivée. C'était une excuse pour vérifier que tu serais en sécurité à l'intérieur.

— Et ils t'en ont empêchée.

— Oui.

La brise avait pris de l'ampleur et nous lançait les odeurs fétides du parking à la figure. Elle continuait de jouer avec mes cheveux, qui voletaient autour de mon visage. Ceux d'Eric étaient attachés sur sa nuque, mais Pam a levé la main pour retenir les siens.

Eric voulait la mort de Victor depuis des mois, et à mon grand regret, je dois avouer que moi aussi. Ce n'était pas seulement à cause de l'angoisse et de la colère d'Eric qui coulaient en moi. Je voyais bien pour moi-même à quel point notre vie deviendrait plus facile s'il venait à disparaître.

J'avais tellement changé. À l'occasion d'un moment tel que celui-ci, je me sentais à la fois triste et soulagée de constater que je n'avais aucun scrupule à imaginer la fin de Victor. Je la désirais même avec ferveur. Ma détermination à survivre et à ménager la survie des êtres qui m'étaient chers s'avérait plus forte que tous les principes religieux qui m'avaient été inculqués.

— Nous devons entrer. Sinon, ils enverront quelqu'un pour nous chercher, a finalement conclu Eric.

Nous nous sommes dirigés vers la porte principale en silence. Il ne manquait plus que la musique, une musique de gros dingues, quelque chose de menaçant mais super cool, avec un tas de percussions, pour annoncer : « Les Vampires en Visite et leur Acolyte Humain Tombent dans un Piège ». Mais la chanson qui se jouait dans le club, « Hips don't lie », était complètement décalée par rapport à notre petit drame, et n'avait rien d'une musique de gros dingues.

Nous sommes passés devant un homme barbu, devant la porte, qui nettoyait le gravier au jet. On voyait encore des taches de sang sombres.

— Ce n'est pas le mien, a murmuré Pam d'un ton hautain.

La vampire qui gardait la porte était une brune robuste qui portait un collier de cuir clouté et un bustier de la même matière, assortis d'un tutu (si, si, je le jure devant Dieu) et de bottes de motard. Seule la jupe à froufrous semblait incongrue sur elle.

Elle s'est adressée à Eric avec un accent très fort.

— Shérif Eric. Je me nomme Ana Lyudmila. Je vous souhaite la bienvenue au *Vampire's Kiss*.

Elle n'a pas accordé un seul regard à Pam, et à moi, encore moins. Le fait qu'elle m'ignore n'avait rien de surprenant. En revanche, son manque de respect pour Pam représentait clairement une insulte. D'autant plus que Pam avait déjà « rencontré » le personnel. Ce type de comportement risquait de déclencher sa fureur, et c'était sans doute le but du jeu. Si Pam sortait de ses gonds, les nouveaux vamp's auraient une raison légitime de la tuer. La cible inscrite sur le dos d'Eric prendrait alors des proportions impressionnantes.

Ma petite personne ne représentait naturellement strictement rien dans leur façon de penser. Pour eux, un simple humain n'avait aucune chance de contrer la force et la vitesse d'un vampire. Je ne suis pas Superwoman et ils avaient sans doute raison. Je n'étais pas certaine du nombre de vampires qui étaient conscients que je n'étais pas totalement humaine. Et d'ailleurs, le fait d'apprendre que j'avais un peu de sang faé changerait-il quoi que ce soit pour eux ? Je n'avais jamais manifesté de pouvoirs faé. Ma seule valeur à leurs yeux résidait dans mes talents de télépathe et mon lien de parenté avec Niall. Puisque Niall avait quitté cet univers pour gagner celui des faé, cet avantage-là avait dû décliner. Mais Niall pouvait à tout moment décider de revenir dans le monde des humains, et j'étais l'épouse d'Eric selon les lois des vampires. Niall pourrait donc, le cas échéant, choisir de combattre aux côtés d'Eric. C'était du moins mon raisonnement. Qui pouvait vraiment savoir, avec les faé ? Quoi qu'il en soit, il était temps pour moi de m'imposer.

J'ai posé la main sur l'épaule de Pam pour la tapoter gentiment. C'était comme si j'avais tapoté un rocher. Puis j'ai souri à Ana Lyudmila.

— Salut, lui ai-je dit, aussi joyeuse qu'une pom-pom girl. Moi, c'est Sookie. Je suis l'épouse d'Eric – mais vous ne le saviez pas, je crois. Et voici Pam, de la lignée d'Eric. C'est son bras droit. Vous ne le saviez pas non plus, je pense, si ? Parce que sinon, vous êtes drôlement impolie. Ce n'est pas très bien, de nous accueillir comme ça.

Je lui adressais toujours mon plus beau sourire.

On aurait dit que je la forçais à avaler une grenouille vivante.

— Bienvenue, épouse humaine d'Eric, ainsi que Pam, guerrière vénérée. Je ne vous ai pas saluées de bonne manière et vous prie de m'en excuser.

Pam, quant à elle, la regardait fixement et semblait se demander combien de temps il lui faudrait pour lui arracher les cils, un par un. J'ai donné un petit coup de poing sur l'épaule de Pam, style copain-copain.

— C'est cool, Ana Lyudmila, tout va bien !

Pam a braqué ses yeux sur moi, mais j'ai lutté et n'ai pas bronché. Pour ne rien arranger, Eric nous faisait sa plus belle imitation d'un beau bloc de granit blafard. Je l'ai toisé d'un regard lourd de sous-entendus.

Ana Lyudmila ne pouvait pas avoir tabassé Pam. Elle n'en avait pas les épaules. En outre, elle semblait intacte et quiconque levait la main sur Pam ne pouvait manquer d'en porter les traces.

Après un court instant, Eric a pris la parole.

— Je crois que votre maître nous attend.

Il parlait comme s'il la grondait gentiment et montrait délibérément à quel point il avait su se contrôler.

Si Ana Lyudmila avait pu rougir, je pense qu'elle l'aurait fait.

90

— Mais bien sûr. Luis ! Antonio !

Deux jeunes hommes bruns et musclés se sont détachés de la foule. Ils portaient un short de cuir et des bottes. Point. Apparemment, c'était le look des employés du *Vampire's Kiss*. J'avais cru qu'Ana Lyudmila suivait sa propre idée de la mode, mais, de toute évidence, tous les vamp's de service devaient s'habiller en hommes des cavernes doublés d'esclaves sexuels. Enfin, je crois que c'était le look qu'ils recherchaient.

Luis, le plus grand des deux, nous a invités à le suivre. Lui aussi parlait avec un accent très marqué. Il portait un piercing aux tétons, ce que je n'avais jamais vu. Naturellement, j'avais bien envie de regarder de plus près. Mais on m'a toujours appris qu'il était de mauvais ton de regarder les atouts des gens, même s'ils sont clairement affichés.

Antonio ne pouvait cacher à quel point Pam l'impressionnait. Malgré tout, il n'hésiterait pas à nous tuer si Victor le lui ordonnait.

Nous avons suivi les chérubins du bondage pour traverser la piste de danse surpeuplée. Je tiens à faire remarquer que, de derrière, les shorts en cuir offraient des perspectives étourdissantes. Et les affiches d'Elvis qui décoraient les murs avaient jusque-là manqué à mon éducation. Les boîtes à vampires à thème « bondage-Elvis-maison close », ça ne court pas les rues.

Pam admirait également le décor, mais son étincelle habituelle d'ironie amusée ne se montrait pas. J'avais l'impression qu'il se passait beaucoup de choses, dans son esprit.

— Comment se portent vos amis ? a-t-elle demandé à Antonio. Ceux qui m'ont empêchée d'entrer.

Le sourire qu'il a esquissé en retour semblait démontrer qu'il ne portait pas les vampires blessés dans son cœur.

— Ils s'abreuvent du sang de volontaires, dans l'arrière-salle. Je crois que le bras de Pearl est guéri.

Tandis qu'il me précédait à travers le vacarme ambiant, Eric évaluait discrètement notre environnement. Il prenait soin de paraître à l'aise, comme s'il était tout à fait certain que le patron ne lui voulait aucun mal. Je le percevais parfaitement à travers notre lien. Puisque personne ne faisait attention à moi, j'étais pour ma part libre de poser les yeux où je le souhaitais. J'espérais malgré tout que je dégageais le même air d'insouciance.

Il y avait au moins une vingtaine de suceurs de sang au *Vampire's Kiss*. Plus qu'Eric n'en avait jamais eu en même temps au *Fangtasia*. La salle était également bondée d'êtres humains. Je ne savais pas combien de personnes la salle était censée contenir, mais j'étais certaine que ses capacités officielles étaient nettement dépassées. Eric a tendu le bras derrière son dos et j'ai pris sa main fraîche. Il m'a tirée en avant, passant son bras gauche autour de mes épaules. Pam s'est mise en place pour couvrir nos arrières. Nous étions passés en alerte rouge. Eric était tendu comme une corde de guitare.

Et puis nous l'avons repéré.

Victor était assis dans le fond, dans une espèce de parc à VIP. L'endroit était délimité par une énorme banquette tendue de velours rouge, devant laquelle on avait posé l'habituelle table basse. Elle était parsemée de petits sacs de soirée, de verres à moitié vides et de billets. Victor trônait en son centre, flanqué d'un jeune homme et d'une jeune femme, les bras passés autour de leurs épaules. La scène était l'archétype même de ce que les êtres humains les plus conservateurs redoutaient le plus : le vampire dépravé séduisant la jeunesse de l'Amérique et l'offrant en pâture pour des orgies de bisexualité et de folie sanguinaire. J'ai examiné les deux êtres humains. Malgré leur différence de sexe, ils étaient étonnamment semblables. En faisant un tour dans leur esprit, j'ai pu rapidement déterminer qu'ils étaient tous deux majeurs, drogués, et qu'ils avaient une grande expérience sexuelle. Je les plaignais, mais je n'étais pas responsable de leurs vies. Ils ne le savaient pas encore, mais ils ne représentaient rien pour Victor que des fairevaloir. Leur situation reflétait leur propre vanité.

Dans cet enclos se tenait un autre être humain. Une jeune femme assise à l'écart. Elle portait une robe blanche

à la jupe volumineuse. Ses yeux fixaient Pam avec désespoir. Elle était visiblement horrifiée de devoir côtoyer une
telle compagnie. Jusque-là, j'aurais parié que rien n'aurait
pu mettre Pam en colère ou l'attrister plus encore. Et
j'aurais eu tort.

— Miriam, a soufflé Pam.

Oh ! Seigneur Dieu. C'était elle que Pam voulait pour
sienne et faire passer de l'autre côté.

Je n'avais jamais vu quelqu'un d'aussi malade et qui ne soit
pas à l'hôpital. Mais Miriam avait adopté une coiffure et un
maquillage sophistiqués, même si les fards ressortaient violemment sur son visage si pâle et ses lèvres exsangues.

Le visage d'Eric demeurait impassible et je sentais qu'il
luttait désespérément pour ne rien montrer et garder
l'esprit clair.

Quelle embuscade étourdissante. Bravo, Victor.

S'étant acquittés de leur tâche, Luis et Antonio se sont
postés à l'entrée du coin VIP. Je ne sais pas s'ils devaient
bloquer notre sortie ou empêcher les autres d'y entrer.
Notre protection était également assurée par des figurines
en carton d'Elvis, en taille réelle. Elles ne m'impression-
naient pas – j'avais rencontré le vrai.

Tel un parfait animateur de jeu télévisé, Victor nous a
accueillis avec un merveilleux sourire, découvrant toutes
ses belles dents blanches.

— Eric ! Quel plaisir de te voir dans ma nouvelle entre-
prise ! Tu aimes le décor ?

Il a désigné toute la salle comble d'un large geste de la
main. De taille modeste, Victor n'en était pas moins le roi
du château. Il en appréciait chaque minute avec une passion dévorante. Il s'est penché en avant pour prendre son
verre sur la table basse.

Même le verre cannelé, couleur de fumée sombre, avait
quelque chose de théâtral. Il correspondait pleinement au
décor dont Victor était si fier. Si j'avais eu à le décrire à
quelqu'un – ce qui, à l'instant présent, me semblait plus
qu'improbable – j'aurais parlé de style « Bordel début dix-
neuvième » : du bois foncé à profusion, du papier mural

floqué, du cuir et du velours rouge. À mes yeux, l'ensemble était lourd et chargé. J'entretenais sans doute trop de préjugés : les gens qui tournoyaient sur la piste semblaient apprécier le *Vampire's Kiss* en dépit de sa décoration intérieure. Le groupe qui jouait était composé de vampires et ils étaient vraiment bons. Ils alternaient des chansons contemporaines avec du rock et du blues. Ils avaient dû jouer dans le passé avec Robert Johnson et Memphis Minnie[1], et ils avaient eu des décennies entières pour se perfectionner.

— Je suis époustouflé, a répondu Eric d'une voix inexpressive.

— Pardonne mes mauvaises manières ! Je t'en prie, assieds-toi ! s'est exclamé Victor. Je te présente... Ton nom, ma jolie ?

— Je m'appelle Mindy Simpson, a déclaré la fille avec un sourire aguicheur. Et voici mon mari, Mark Simpson.

Eric ne leur a accordé qu'un bref coup d'œil. Quant à Pam et moi, on ne s'était pas encore adressé à nous et nous n'étions pas obligées de réagir.

Victor a négligé de nous présenter la pâle jeune femme. Il gardait clairement le meilleur pour la fin.

— Je vois que tu es venu avec ta chère épouse, a repris Victor tandis que nous nous installions sur la banquette à sa droite.

Elle n'était pas aussi confortable que je le pensais, et la profondeur des sièges ne correspondait pas à la longueur de mes jambes. La silhouette d'Elvis sur ma droite portait la fameuse combinaison blanche. Très classe...

— Eh oui, je suis là, ai-je annoncé tristement.

— Et avec ta célèbre Pam Ravenscroft, a-t-il continué, comme s'il nous nommait délibérément, à l'intention d'un micro caché.

J'ai serré la main d'Eric. Il ne pouvait lire dans mon esprit, ce que je regrettais – à ce moment précis seulement. Il se passait ici beaucoup de choses dont nous ne savions rien.

---

1. Chanteurs et joueurs de blues américains. (*N.d.T.*)

Aux yeux d'un vampire, mon statut en tant qu'épouse humaine d'Eric équivalait à celui de première concubine officielle. Le titre d'épouse me valait un certain rang et garantissait ma sécurité. Théoriquement, pour les autres vampires et leurs serviteurs, j'étais intouchable. Je n'étais pas particulièrement fière d'être une citoyenne de seconde classe, mais une fois que j'avais compris pourquoi Eric m'avait manipulée pour que je l'épouse, j'avais petit à petit accepté mon titre. Il était maintenant temps pour moi de le soutenir à mon tour.

Je me suis tournée vers l'affreux Victor avec le plus beau de mes sourires – au cours des ans, j'avais appris l'art de paraître heureuse alors que je ne l'étais pas, et j'étais la reine des conversations insipides.

— Depuis combien de temps le *Vampire's Kiss* est-il ouvert ?

— Vous n'avez pas vu toute la publicité ? Trois semaines seulement, mais il remporte un franc succès, jusqu'à présent du moins.

Victor m'avait à peine regardée. En tant que personne, je ne l'intéressais pas du tout. Et sexuellement non plus – j'en reconnais facilement les signes. En revanche, j'étais une créature dont le décès pourrait meurtrir Eric. Et ça, c'était intéressant. En d'autres termes, mon absence serait plus avantageuse que ma présence.

Puisqu'il daignait s'adresser à moi, j'ai décidé d'en profiter.

— Vous passez beaucoup de temps, ici ? Honnêtement, je suis plutôt surprise qu'on n'ait pas besoin de vous plus souvent à La Nouvelle-Orléans.

Et toc. J'ai attendu sa réponse sans cesser de sourire.

— Sophie-Anne a choisi La Nouvelle-Orléans comme base permanente. De mon côté, je préfère l'idée d'un gouvernement flottant, a-t-il expliqué, tout aussi cordial. J'aime garder la main sur tout ce qui se passe, partout en Louisiane. Car je ne suis qu'un régent, et je préserve l'état pour Felipe, mon roi bien-aimé.

Sur ces mots, quelque chose de féroce est apparu dans son rictus.

— Tu es devenu régent. Je te présente toutes mes félicitations, a fait Eric, comme si rien ne pouvait lui faire plus plaisir.

L'endroit croulait sous un véritable flot de sous-entendus. Nous risquions la noyade.

— Je t'en remercie, a rétorqué Victor, toute sa sauvagerie soudain apparente. En effet, Felipe a décrété que j'étais maintenant « régent ». Il est inhabituel pour un roi d'avoir amassé autant de territoires que lui. Il ne s'est pas pressé pour se prononcer sur la façon dont il allait en disposer. Il a décidé de garder tous les titres pour lui.

— Et serez-vous également régent de l'Arkansas ? a demandé Pam.

Au son de sa voix, Miriam s'est mise à pleurer. Elle était aussi discrète qu'une femme en larmes peut l'être, mais les pleurs ne sont jamais totalement silencieux. Pam n'a pas bronché.

— Non ! s'est exclamé Victor avec violence. C'est Rita la Rouge qui a reçu cet honneur.

Je n'avais jamais entendu parler de Rita la Rouge, mais Eric et Pam étaient manifestement impressionnés.

— C'est une grande guerrière, m'a expliqué Eric. Elle est douée d'une force impressionnante. Elle sera parfaite pour reconstruire l'Arkansas.

Super. Et si nous allions vivre là-bas, plutôt…

J'étais incapable de lire dans les esprits des vampires, mais ce n'était pas nécessaire. Il n'y avait qu'à regarder l'expression de Victor pour comprendre qu'il désirait le titre de roi plus que tout, qu'il avait espéré régner sur les deux nouveaux territoires de Felipe. Sa déception le mettait en rage, et il concentrait toute cette colère sur Eric, la cible la plus importante qui soit à sa portée. Et le fait de provoquer Eric et d'empiéter sur son territoire ne lui suffirait pas.

C'était la raison pour laquelle Miriam était assise ici ce soir. J'ai tenté de faire une incursion dans son esprit. En m'approchant avec précaution des limites de sa conscience, je me suis heurtée à une sorte de brouillard blanc. Elle avait été droguée. Avec quel genre de drogue, volontairement ou non, je n'en savais rien.

Puis le son de la voix de Victor m'a rappelée à la réalité. Pendant que je m'étais perdue dans la tête de Miriam, les vampires avaient continué la conversation sur Rita la Rouge.

— Effectivement ! Et pendant qu'elle s'installe par ici, j'ai pensé qu'il serait bon de développer le coin de Louisiane qui touche son territoire. J'ai ouvert le bar à humains, puis celui-ci.

Il semblait presque ronronner de plaisir.

Déstabilisée, j'ai murmuré :

— Alors c'est vous le propriétaire du *Vic's Redneck* !

J'aurais dû m'en douter. Victor se faisait-il une joie d'accumuler les prétextes qui me donnaient envie de le voir mourir ? En principe, la finance ne devrait pas compter lorsqu'il s'agit de vie et de mort. Mais c'est malheureusement trop souvent le cas.

— Mais oui, m'a répondu Victor, enchanté – il semblait aussi jovial qu'un père Noël de grand magasin. Vous y êtes allée ?

Il a reposé son verre sur la table.

— Non, j'ai trop à faire.

— On m'a pourtant rapporté que le *Merlotte* ne se portait plus très bien.

Victor a tenté d'adopter une expression compatissante, puis il a abandonné son projet.

— Si vous avez besoin d'un travail là-bas, Sookie, j'en toucherai deux mots à mon manager. À moins que vous ne préfériez travailler ici ? Comme ce serait amusant !

J'ai dû prendre une bonne inspiration. Le temps s'est arrêté. Pendant un instant parfaitement silencieux, j'ai eu conscience que tout se jouait.

Au prix d'un effort surhumain, Eric a emmuré sa rage, du moins temporairement.

— Sookie est tout à fait à sa place là où elle travaille, Victor. Si ce n'était pas le cas, elle viendrait vivre avec moi. Peut-être prendrait-elle un poste au *Fangtasia*. C'est une femme américaine moderne et elle a l'habitude d'être autonome.

Eric paraissait fier de mon indépendance – je savais toutefois qu'il n'en était rien. Il ne comprenait absolument pas pourquoi je persistais à garder mon job.

— Puisque j'en suis à parler de mes partenaires féminines, Pam m'informe que tu lui as infligé une correction. Il n'est pas dans nos coutumes de corriger le second d'un shérif. Il me semble qu'il appartient à son maître de le faire.

Il avait laissé percer une pointe d'irritation dans sa voix.

— Mais tu n'étais pas là, a répliqué Victor d'un ton léger. Elle a grandement manqué de respect envers mes gardes, lorsqu'elle a insisté pour pénétrer à l'intérieur. Elle souhaitait effectuer une vérification de notre sécurité avant ton arrivée. Comme si nous aurions permis à qui que ce soit ici de menacer notre shérif le plus puissant !

— Souhaitais-tu parler avec moi d'un point en particulier ? a coupé Eric. Non que je n'admire pas tout ce que tu as fait ici. Toutefois...

Il n'a pas terminé la phrase, laissant entendre qu'il était trop poli pour dire « j'ai mieux à faire ».

— Ah si, merci de me l'avoir rappelé.

Victor s'est penché en avant pour reprendre son verre à pied fumé, qu'un serveur avait rempli à ras bord d'un liquide rouge sombre.

— Je manque à tous mes devoirs, je ne vous ai rien proposé à boire. Du sang pour toi, Eric ? Pam ?

Pam avait profité de la conversation entre Victor et Eric pour porter le regard sur Miriam. Celle-ci semblait sur le point de s'effondrer, peut-être pour ne plus se relever. Pam a réussi à arracher son regard de la jeune femme et se concentrer de nouveau sur Victor. Elle a secoué la tête en silence.

— Merci pour la proposition, Victor, a commencé Eric. Mais...

— Je sais que tu lèveras ton verre avec moi. La loi m'interdit de t'offrir Mindy ou Mark pour étancher ta soif, puisqu'ils ne sont pas donneurs officiels – et je m'attache toujours à respecter la loi.

Ce disant, il a adressé un sourire à Mindy et à Mark, qui le lui ont rendu béatement. Pauvres imbéciles.

— Sookie, a-t-il repris. Que prendrez-vous ?

Eric et Pam avaient dû accepter du sang de synthèse, mais je n'étais qu'un simple être humain et j'ai eu le droit d'insister sur le fait que je n'avais pas soif. Même s'il m'avait offert des escalopes panées et des beignets de tomates vertes, j'aurais dit que je n'avais pas faim.

Luis a fait signe à l'un des serveurs, qui a disparu pour revenir avec des bouteilles de TrueBlood. Elles étaient disposées sur un grand plateau et accompagnées de verres fantaisie semblables à celui de Victor.

— Je suis certain que ces bouteilles ne répondent pas à votre sens de l'esthétique, a continué Victor. Elles sont une injure au mien, en tout cas.

Celui qui avait apporté les boissons était un homme, comme tous les serveurs. Beau comme un dieu, il portait un pagne de cuir – encore plus court que le short de Luis – et des bottes hautes. Un genre de rosette épinglée à son pagne indiquait qu'il s'appelait Colton. Ses yeux étaient d'un gris saisissant. En posant le plateau sur la table pour le décharger, il pensait à quelqu'un qui s'appelait Chic, ou Chico... et lorsqu'il m'a regardée droit dans les yeux, il a pensé *il y a du sang de faé sur les verres. Empêchez vos vamp's de boire.* J'ai gardé les yeux sur lui un long moment. Il en savait donc un peu sur moi. Et moi sur lui. Il avait entendu parler de mes talents, que tout le monde connaissait dans la communauté des SurNat. Et il y avait cru.

Colton a baissé le regard.

Eric a tourné le bouchon pour ouvrir sa bouteille, qu'il a soulevée pour en verser le contenu dans son verre.

NON ! lui ai-je dit. Nous ne pouvions pas communiquer par télépathie, mais je lui ai envoyé une vague négative et j'espérais qu'il comprendrait.

— Je ne suis pas comme toi. Je n'ai rien contre le packaging des Américains, a-t-il annoncé d'un ton égal en portant le goulot directement à ses lèvres.

Pam l'a imité.

Une étincelle de frustration a traversé le visage de Victor, si fugace que j'aurais cru l'avoir imaginée, si je n'avais été en train de l'examiner attentivement. Le serveur aux yeux gris s'est reculé.

— Sookie, avez-vous vu votre grand-père, récemment ?

« Là, je t'ai eue », semblait-il dire.

Il était inutile de prétendre que je n'avais aucun lien avec les faé.

— Pas récemment, ai-je répondu en restant vague.

— Mais deux membres de votre espèce vivent chez vous.

Ça n'avait rien de confidentiel, et à mon avis c'était Heidi, la nouvelle vampire d'Eric, qui avait informé Victor. Heidi n'avait pas vraiment le choix – ses proches étaient encore de ce monde.

— En effet, mon cousin et mon grand-oncle passent quelque temps chez moi.

J'avais réussi à prendre un ton qui marquait mon ennui – j'en étais toute fière.

— Je me demandais si vous pourriez m'éclairer sur la situation politique chez les faé, a ajouté Victor, négligemment.

Mindy Simpson a commencé à bouder, fatiguée de ne pas être incluse dans la conversation. C'était imprudent de sa part.

— Certainement pas. Je me tiens à l'écart de toute politique.

— Vraiment ? Même après votre calvaire ?

— Eh oui. Même après mon calvaire, ai-je renchéri froidement.

Quelle conversation fascinante pour une soirée ! Je n'avais bien évidemment qu'une idée en tête : m'étaler sur mon enlèvement et mes mutilations. Mais bien sûr.

— Je ne suis pas une bête de politique.

— Mais un animal malgré tout, a précisé Victor d'un ton mielleux.

Un silence lourd s'est abattu sur notre assistance. Toutefois, j'étais bien déterminée : si Eric devait mourir en

100

combattant ce vampire, ce ne serait pas à cause d'une insulte qu'il m'aurait faite.

— Eh oui, ai-je répliqué en retour avec un sourire à son intention. Je suis comme ça, moi. J'ai le sang chaud et je respire. Je pourrais même produire du lait. Un parfait mammifère.

Les yeux de Victor se sont plissés. J'étais peut-être allée un peu trop loin.

— Régent, y avait-il autre chose ? est intervenue Pam, devinant qu'Eric était trop furieux pour parler. Je serais heureuse de demeurer ici aussi longtemps que vous le désiriez, ou tant que mes paroles vous plairaient, mais je dois prendre mon service au *Fangtasia* ce soir, et mon maître, Eric, doit assister à une réunion. En outre, mon amie Miriam est manifestement en petite forme, ce soir, et je vais la ramener chez moi pour qu'elle puisse dormir et se remettre.

Victor a regardé la femme livide comme s'il venait tout juste de la remarquer.

— Oh, vous la connaissez donc ? a-t-il demandé d'un ton léger. Ah oui, il me semble que quelqu'un en a parlé. Eric, s'agit-il de la femme dont vous m'avez dit que Pam voulait la faire passer ? Je regrette d'avoir dû refuser. Car à mon avis, elle n'a certainement plus longtemps à vivre.

Pam est restée de marbre, sans bouger un seul muscle.

Victor a poursuivi, avec une désinvolture nettement feinte.

— Je vous ai donné les dernières nouvelles sur ma régence, et vous avez vu mon club merveilleux. Vous pouvez maintenant vous retirer. Ah, j'oubliais. Je pense à ouvrir un établissement spécialisé dans le tatouage. Et peut-être un cabinet d'avocats aussi – l'homme que je mettrai à ce poste devra étudier le droit contemporain toutefois, car il a été diplômé à Paris dans les années 1800.

Puis son sourire indulgent s'est effacé brusquement.

— Vous êtes conscients du fait qu'en tant que régent, je suis en droit de créer des sociétés sur le territoire de n'importe quel shérif, n'est-ce pas ? L'argent des nouvelles affaires ira droit vers moi. J'espère que tes revenus n'en pâtiront pas trop, Eric.

— Mais pas du tout, a répliqué Eric (ce qui ne voulait rien dire, à mon avis). Nous faisons tous partie de ton domaine personnel, Maître.

Son timbre sec et vide me rappelait le son du linge battu par le vent.

Nous nous sommes levés, en chœur ou presque, en inclinant la tête vers Victor. Il nous a fait un bref signe de la main dédaigneux avant de se pencher pour embrasser Mindy Simpson. Mark s'est pelotonné plus près du vampire pour nicher sa tête au creux de son épaule. Pam s'est dirigée vers Miriam Earnest pour passer un bras autour d'elle et l'aider à se lever. Une fois sur pied, soutenue par Pam, Miriam a concentré toute son attention pour aller vers la sortie. Son esprit était peut-être embrumé, mais ses yeux hurlaient.

Escortés par Luis et Antonio, nous avons quitté l'endroit en silence – du moins sans rien dire, car la musique s'acharnait dans un vacarme impitoyable. Les frères sont passés devant la robuste Ana Lyudmila pour nous suivre dans le parking, ce que j'ai trouvé surprenant.

Nous nous sommes engagés parmi les voitures et, après la première rangée, Eric s'est tourné pour leur faire face. Une Escalade massive bloquait la vue entre Ana Lyudmila et notre petite troupe – ce n'était certainement pas une coïncidence.

— Vous avez quelque chose à me dire, vous deux ? a murmuré Eric.

Comme si elle avait soudain compris qu'elle était maintenant sortie du *Vampire's Kiss*, Miriam a hoqueté et s'est mise à pleurer. Pam l'a prise dans ses bras.

— Ce n'était pas notre idée, shérif, a dit Antonio, le plus petit des deux.

Ses muscles abdominaux enduits d'huile réfléchissaient la lumière des réverbères du parking.

Luis a précisé :

— Nous sommes fidèles à notre véritable roi, Felipe, mais Victor est un maître difficile. Ce fut une mauvaise nuit, lorsqu'on nous a désignés pour aller le servir en Louisiane. Bruno et Corinna ont disparu et il n'a trouvé personne pour les remplacer. Il n'a pas de lieutenant capable. Il voyage constamment d'un bout à l'autre de la Louisiane pour tenter de tout contrôler.

Il a secoué la tête avant de poursuivre.

— Nous ne sommes pas assez nombreux. Il ferait mieux de s'installer à La Nouvelle-Orléans pour développer la structure de la communauté vampire là-bas. Il n'est pas judicieux que nous passions notre temps à nous balader avec un petit bout de cuir sur le cul, tout en détournant tous les revenus de votre club vers celui-ci. Diviser les revenus, c'est une mauvaise approche. Et les coûts de démarrage étaient très élevés.

— Si vous pensez pouvoir m'inciter à trahir mon nouveau maître, vous n'êtes pas venus voir le bon vampire, a énoncé Eric.

Surprise, j'ai cependant tout fait pour ne pas le montrer. J'avais été enchantée, lorsque Luis et Antonio avaient révélé leur mécontentement. Une fois de plus, je n'avais pas été suffisamment retorse.

Pam a ajouté :

— Les shorts en cuir, c'est sympa, par rapport aux tenues noires en synthétique que je suis forcée de porter, moi.

Elle soutenait toujours Miriam, tout en l'ignorant, en évitant soigneusement de la regarder, comme si elle souhaitait que tout le monde oublie sa présence.

Sa plainte au sujet des uniformes lui ressemblait bien. Elle paraissait toutefois hors de propos. Mais Pam avait une idée derrière la tête, comme toujours.

Désabusé, Antonio l'a toisée avec dégoût.

— On vous disait si féroce, a-t-il marmonné.

Puis il s'est tourné vers Eric.

— Et vous, on vous disait si téméraire.

Puis Antonio et Luis se sont retournés pour repartir à grands pas vers le club.

Après quoi Pam et Eric se sont mis en mouvement, se hâtant comme si nous avions une heure limite pour quitter la propriété.

Pam a tout simplement ramassé Miriam pour se précipiter vers la voiture d'Eric. Ce dernier lui a ouvert une portière à l'arrière et elle y a introduit sa petite amie avant de se glisser auprès d'elle. Quand j'ai vu toute cette précipitation, je me suis installée sur le siège passager à l'avant et j'ai bouclé ma ceinture en silence. En jetant un regard vers la banquette arrière, j'ai vu que Miriam s'était évanouie dès qu'elle s'était sentie en sécurité.

Tandis que la voiture quittait le parking, Pam a commencé à pouffer et Eric arborait un large sourire. J'étais trop déconcertée pour leur demander ce qui était si drôle.

— Victor est incapable de se tenir, s'est exclamé Pam. Regarde un peu comme il a affiché ma pauvre Miriam !

— Et alors, cette proposition des deux jumeaux en cuir ! Ça n'a pas de prix !

— Tu as vu l'expression d'Antonio ? a repris Pam. Franchement, je ne me suis pas amusée à ce point depuis le jour où j'ai montré mes crocs à cette vieille, celle qui s'est plainte de la couleur de ma maison quand je l'ai repeinte.

— Là, ils ont de quoi réfléchir, a ajouté Eric avant de me lancer un regard, ses crocs luisant dans l'obscurité. Ce fut un moment délicieux. Il était convaincu que nous allions tomber dans le piège ! Jamais je n'aurais cru ça de lui.

— Et si Antonio et Luis étaient sincères ? ai-je demandé. Et si Victor avait pris le sang de Miriam et l'avait ramenée de l'autre côté lui-même ?

Je m'étais tordue sur mon siège pour faire face à Pam.

Elle me regardait avec pitié : c'était peine perdue, j'étais trop romantique.

— Il ne pouvait pas le faire. Ils étaient en public, elle a une grande famille, et il sait que je le tuerais s'il faisait cela.

— Pas si tu es morte.

Apparemment, Eric et Pam ne prenaient pas les manigances mortelles de Victor autant au sérieux que moi. Ils me semblaient d'une impudence presque insensée.

— Et comment pouvez-vous être si certains qu'Antonio et Luis ont inventé tout cela juste pour voir comment vous alliez réagir ?

— S'ils étaient sincères, ils feront une autre tentative, a répondu Eric brusquement. S'ils se sont déjà adressés à Felipe et qu'il a refusé de les entendre, ce que je soupçonne d'ailleurs, ils n'ont aucun autre recours. Dis-moi, mon aimée, quel était le problème, avec les boissons ?

— Le problème, comme tu dis, c'est qu'il avait frotté l'intérieur des verres avec du sang de faé. C'est le serveur humain qui m'a avertie, celui qui avait les yeux gris.

À ces mots, leur sourire s'est brusquement évanoui. Et j'ai eu un moment de satisfaction amère.

Pour les vampires, le sang de faé pur est comme une drogue. Dieu seul sait ce qu'ils auraient fait si Pam et Eric avaient bu dans ces verres. Ils auraient avalé le tout en un clin d'œil, car le parfum de ce sang est tout aussi enivrant que la substance elle-même.

Dans le style tentative d'empoisonnement, celle-ci montrait une certaine subtilité.

— Je ne pense pas qu'une quantité aussi infime nous aurait poussés à perdre tout contrôle, a dit Pam d'un ton malgré tout incertain.

Pensif, Eric a haussé ses sourcils blonds.

— Il s'agissait d'une prudente expérience. Nous aurions pu attaquer n'importe qui dans le club – et même Sookie, puisqu'elle est si tentante avec son sang faé. Dans le meilleur des cas, nous nous serions ridiculisés en public. On nous aurait peut-être même arrêtés. C'est une excellente chose, que tu nous aies retenus, Sookie.

— Je sais me rendre utile, ai-je répondu tout en réprimant ma frayeur : je venais de comprendre qu'atteints de frénésie causée par le sang de faé, Pam et Eric auraient très bien pu m'attaquer.

— Et tu es l'épouse d'Eric, a fait observer Pam à mi-voix, insistant sur le mot « épouse ».

Dans le rétroviseur, Eric l'a fixée d'un air furieux.

J'aurais aimé disposer d'un couteau, pour couper le silence qui s'est installé. Ce conflit secret entre Pam et Eric faisait bouillonner en moi détresse et frustration. C'était même un doux euphémisme.

— Vous avez quelque chose à me dire ? ai-je demandé malgré ma peur d'entendre la réponse.

Ne rien savoir était encore pire, toutefois.

— Eric a reçu une lettre... a commencé Pam.

En un éclair, Eric s'était retourné pour la saisir à la gorge. J'ai hurlé de terreur, car il était toujours au volant.

— Tes yeux sur la route, Eric ! Ça ne va pas recommencer, cette bagarre ! Allez, conduis et raconte-moi ça.

De sa main droite, Eric agrippait toujours Pam, qui se serait étouffée si elle respirait toujours, ce qui n'était pas le cas. Il maniait le volant de la main gauche et nous avons ralenti pour nous arrêter sur le bas-côté. Je ne voyais pas de circulation dans le sens inverse, ni aucun phare derrière nous. Je ne savais pas si cet isolement me rassurait ou non. Eric s'est retourné vers sa vampire, son regard si violent qu'il semblait darder des étincelles.

— Pam, ne parle pas. C'est un ordre. Quant à toi, Sookie, laisse tomber !

J'aurais pu dire plusieurs choses. J'aurais pu dire : « Je ne suis pas ton vassal, et je dis ce que je veux. » Ou encore : « Va te faire voir et laisse-moi sortir », avant d'appeler mon frère pour qu'il vienne me chercher.

Mais je suis restée assise en silence.

J'ai honte de l'avouer, mais à ce moment-là j'avais peur d'Eric. Ce vampire redoutable et férocement déterminé venait d'attaquer sa meilleure amie pour m'empêcher d'apprendre... quelque chose. À travers le lien qui nous attachait l'un à l'autre, j'ai perçu un amas confus d'émotions négatives : peur, colère, âpre résolution et frustration.

— Ramène-moi à la maison, ai-je simplement émis.

Derrière moi, j'ai entendu le pauvre écho de la voix ténue de Miriam :

— À la maison...

Après une seconde d'éternité, Eric a relâché Pam, qui s'est effondrée sur la banquette arrière comme un sac de riz. Elle s'est recroquevillée sur Miriam dans un geste protecteur. Dans un silence glacé, Eric m'a ramenée chez moi. Le sexe que nous avions prévu pour couronner cette fabuleuse soirée n'a pas été évoqué. À cet instant précis, j'aurais préféré coucher avec Luis et Antonio. Ou même Pam. J'ai souhaité une bonne nuit à Pam et Miriam, suis sortie de la voiture et suis entrée dans ma maison, sans me retourner pour un seul regard.

J'imagine qu'Eric, Pam et Miriam sont rentrés ensemble à Shreveport et qu'Eric a permis à Pam de parler de nouveau à un moment ou à un autre. Mais je n'en ai aucune certitude.

Je n'ai pas pu trouver le sommeil – je m'étais lavé la figure et j'avais accroché ma jolie robe sur un cintre. Je me demandais si je la porterais de nouveau un de ces jours, pour une soirée plus joyeuse. Elle m'allait si bien. Je me sentais tellement malheureuse. Je me demandais si Eric aurait fait preuve d'autant de sang-froid si Victor m'avait capturée, moi, et m'avait affichée là sur la banquette, aux yeux du monde entier.

Un détail supplémentaire me tourmentait également. Voici ce que j'aurais demandé à Eric, s'il ne s'était pas mis à jouer les dictateurs :

— Où Victor a-t-il trouvé du sang de faé ?

C'est cela, que j'aurais demandé.

4

Je me suis levée le lendemain d'humeur morose. Mais en m'apercevant que Claude et Dermot étaient revenus dans la nuit, je me suis sentie rassérénée. Les preuves étaient évidentes : la chemise de Claude avait été jetée sur le dossier d'une chaise de cuisine et les chaussures de Dermot étaient restées au pied des escaliers. Et après avoir pris mon café et ma douche, en sortant de ma chambre habillée d'un short et d'un tee-shirt vert, je les ai trouvés tous deux qui m'attendaient dans ma salle de séjour.

— Salut, les garçons.

Même à mes propres oreilles, mon salut manquait d'enthousiasme.

— Vous vous souvenez que les antiquaires viennent aujourd'hui ? Ils devraient arriver d'ici une heure ou deux.

Je redoutais la conversation que nous devions avoir.

— Parfait. Au moins, cette pièce ne ressemblera plus à un bazar, a répliqué Claude, toujours charmant.

J'ai simplement hoché la tête. Nous étions aujourd'hui en présence de Claude l'Exécrable. Claude le Tolérable se laissait observer à de plus rares occasions.

— Nous t'avions promis une conversation, a commencé Dermot.

— Et ce soir-là, vous n'êtes pas revenus à la maison.

Je me suis installée dans le vieux rocking-chair qui venait du grenier. Je me sentais inquiète et mal à l'aise. Mais il me fallait absolument des réponses.

Évasif, Claude a simplement expliqué :

— Il se passait quelques petites choses au club.

— Hmm. Laisse-moi deviner – l'un de vos faé a disparu.

Là, ils se sont redressés. J'avais toute leur attention. Dermot s'est repris le premier :

— Quoi ? Comment le sais-tu ?

— C'est Victor qui l'a pris. Ou prise.

Et je leur ai raconté ma soirée de la veille.

— Comme si nous n'avions pas assez de problèmes avec notre propre race, a fait Claude. Maintenant on se coltine ceux de ces putains de vampires.

— Non, ai-je rétorqué – j'avais l'impression que j'étais la seule à faire des efforts. Vous n'êtes pas mêlés aux problèmes des vampires en tant que communauté. L'un de vous a été enlevé dans un but précis. C'est un scénario complètement différent. Et je vous fais remarquer que ce faé a été saigné, pour le moins, car c'est cela, dont les vampires avaient besoin – de son sang. Je ne dis pas que votre congénère disparu est forcément mort, mais vous savez bien que les vampires perdent tout contrôle quand il y a un faé dans les parages. Et ne parlons pas d'un faé qui saigne.

— Elle a raison, a dit Dermot à Claude. Cait est certainement morte. Certains des faé du club sont-ils de sa famille ? Il nous faut leur demander s'ils ont eu une vision de mort.

— Une femelle, évidemment, a fait observer Claude, son beau visage dur comme de la pierre. Nous ne pouvons pas nous permettre d'en perdre une seule. Oui. Nous devons découvrir ce qui s'est passé.

Claude ne pensait généralement pas aux femmes, d'un point de vue personnel, et je me suis sentie déconcertée pendant un instant. Puis je me suis rappelé qu'il y avait de moins en moins de femmes faé. Pour le reste des créatures faériques, je ne savais pas ce qu'il en était, mais la population des faé me semblait être sur le déclin.

Je m'inquiétais bien au sujet de la disparition de Cait (à mon avis, il n'y avait aucune chance qu'elle soit vivante), mais j'avais des questions purement égoïstes à poser, et j'avais bien l'intention qu'on y réponde. Dermot a appelé le *Hooligans* et demandé à Bellenos de convoquer les faé. Il s'agissait de déterminer qui était de sa famille. Dès qu'il a reposé l'appareil, j'ai repris mon idée.

— Pendant que Bellenos s'occupe, vous avez un peu de temps libre. Comme les antiquaires ne vont pas tarder, je voudrais que vous répondiez à mes questions.

Dermot et Claude ont échangé un regard, comme s'ils tiraient à pile ou face. Dermot a visiblement perdu. Il a pris une profonde inspiration avant de commencer.

— Bien. Parfois, lorsque l'un de vos Blancs épouse l'un de vos Noirs, leurs bébés ressemblent plus à l'une des races qu'à l'autre, sans règle bien déterminée. Le degré de ressemblance peut varier d'un enfant à l'autre, même s'ils sont issus du même couple.

— En effet, j'ai déjà entendu ça.

— Lorsque Jason est né, notre arrière-grand-père Niall est venu l'examiner.

J'en suis restée la bouche ouverte.

— Attendez, ai-je péniblement grogné d'une voix enrouée, Niall m'a dit qu'il ne pouvait nous rendre visite parce que Fintan, son fils mi-humain nous protégeait contre lui. Et que Fintan était notre véritable grand-père.

— C'est justement la raison pour laquelle Fintan vous préservait contre les faé, a expliqué Claude. Il ne voulait pas que son père intervienne dans vos vies comme il l'avait fait pour la sienne. Niall a trouvé malgré tout le moyen de passer voir le bébé. En découvrant que Jason ne disposait pas de l'étincelle essentielle, il est devenu, disons, indifférent.

J'ai attendu un peu, et il a repris.

— C'est pour cela qu'il a mis tant d'années à faire ta connaissance. Il aurait pu déjouer la surveillance de Fintan, mais il pensait que tu serais semblable à Jason : particulièrement attirante pour les humains et les SurNat, mais en dehors de cela, un simple être humain tout à fait ordinaire.

110

— Par la suite toutefois, il a appris que tu ne l'étais pas, a continué Dermot.

— Appris ? Mais par qui ?

— Par Eric. Ils faisaient parfois des affaires ensemble. Niall a eu l'idée de demander à Eric de le tenir au courant des événements importants de ta vie. Eric lui donnait donc de tes nouvelles de temps à autre. À un certain moment, Eric a estimé qu'il te fallait la protection de ton arrière-grand-père. Et bien sûr, tu étais en train de faner.

De… faner ?

— Alors notre grand-père a envoyé Claudine. Quand elle s'est inquiétée plus tard de ne pouvoir garantir une totale sécurité pour toi, Niall a décidé de te rencontrer en personne. Là également, Eric a tout organisé. J'imagine qu'il pensait gagner ainsi le soutien de Niall en retour, a dit Dermot en haussant les épaules. Apparemment, Eric avait raison d'ailleurs. Les vampires sont tous cupides et égoïstes.

Les termes « hôpital » et « charité » se sont soudain affichés dans mon esprit…

— Donc, ai-je repris, Niall a fait son apparition dans ma vie par l'intermédiaire d'Eric. Et c'est cela qui a précipité la Guerre des Faé, parce que les faé des eaux ne voulaient plus de contact avec les humains. Et encore moins une quantité négligeable comme moi, de vague ascendance royale et qui n'a qu'un huitième de sang faé dans les veines.

Merci, les mecs. Je suis véritablement enchantée d'apprendre que j'étais la cause de cette guerre.

— Absolument, a acquiescé Claude, très judicieusement. C'est un bon résumé. Or donc, la guerre a éclaté, et après un grand nombre de morts Niall a pris la décision de fermer le Royaume de Faérie.

Il a poussé un énorme soupir.

— On m'a laissé de ce côté-ci, et Dermot aussi.

— Au fait, l'ai-je coupé brusquement, je ne suis pas en train de faner, comme vous dites ! Non mais ! Est-ce que j'ai l'air fané ?

Je savais bien que je m'attachais là à un point de détail, dans un contexte plus large. Mais la colère commençait à me gagner. On allait peut-être même passer à de la fureur.

— Mais tu n'as que peu de sang faé, m'a dit Dermot très doucement, comme s'il cherchait à m'épargner la douleur que me causerait ce rappel des faits. Tu prends de l'âge.

Ça, je ne pouvais pas le nier.

— Alors pourquoi est-ce que j'ai l'impression de vous ressembler de plus en plus, si je n'ai que cette petite goutte de sang faé en moi ?

— L'union fait la force, a précisé Dermot. Je suis à moitié humain, mais plus je reste à côté de Claude et plus ma magie prend de la force. Claude, même s'il est faé pure souche, était demeuré dans le monde des humains depuis si longtemps que sa magie faiblissait. Il est plus fort, maintenant. Toi, tu n'as qu'un peu de sang faé, mais plus tu restes à nos côtés et plus cet élément de ta nature prend de l'importance.

J'avais quelques doutes, malgré tout.

— Comme quand on amorce une pompe ? J'avoue que je ne comprends pas vraiment.

— C'est comme... comme... de laver du blanc avec un vêtement rouge, s'est exclamé Dermot triomphalement.

Il l'avait justement fait une semaine plus tôt. Toute la maisonnée portait maintenant des chaussettes roses.

— Mais dans ce cas, Claude deviendrait moins rouge, non ? Je veux dire moins faé. Si nous absorbons sa nature de faé, je veux dire.

— Pas du tout, a rétorqué Claude avec suffisance. Je suis plus rouge que je ne l'étais.

— Il en est de même pour moi, a renchéri Dermot.

— Je n'ai pourtant remarqué aucune différence.

— N'es-tu pas plus forte que par le passé ?

— Eh bien, euh, oui, certains jours.

L'effet n'était pas le même que celui que produisait l'ingestion de sang de vampire. Ce sang-là augmentait votre force pendant une période indéterminée – s'il ne vous rendait pas complètement fou. J'avais pourtant le sentiment d'être plus énergique. En fait, je me sentais... plus jeune. Et vu mon âge, je trouvais cette sensation déstabilisante.

— Niall ne te manque-t-il pas ? m'a demandé Claude.

— Parfois.

En fait, tous les jours.

— Ne te sens-tu pas heureuse lorsque nous dormons à tes côtés ?

— Si, si. Mais je tiens à dire que je trouve ça un peu glauque aussi.

— Ah ces humains ! s'est exclamé Claude à l'intention de Dermot, avec un mélange d'exaspération et d'indulgence suffisante.

Dermot a haussé les épaules – il était à moitié humain, tout de même.

— Et malgré tout, vous avez choisi de vivre ici, ai-je fait remarquer.

— Je me demande chaque jour si c'était une erreur.

— Mais pourquoi, si vous êtes si dingue de Niall et de la vie en Faérie ? Et comment as-tu reçu cette lettre de Niall, celle que tu m'as donnée il y a un mois, dans laquelle il expliquait qu'il avait usé de toute son influence auprès du FBI, pour qu'ils me laissent tranquille ?

Je les ai fixés d'un regard soupçonneux avant de continuer.

— Cette lettre, c'était un faux ?

— Non, elle était authentique, a répondu Dermot. Et nous sommes ici parce que nous aimons et craignons notre prince tout à la fois.

Puisque je n'arrivais pas à avoir une discussion avec eux sur leurs véritables motivations, j'ai décidé de changer de sujet.

— C'est quoi exactement, un portail ?

— C'est un endroit plus fin de la membrane, m'a répondu Claude.

Je ne comprenais toujours pas et il l'a vu. Il est donc rentré dans les détails :

— Il existe une sorte de membrane magique entre nos deux mondes – le monde surnaturel et le vôtre. À certains endroits plus minces, cette membrane est perméable. Le monde des faé devient accessible. De même que certaines parties de votre monde qui restent généralement invisibles pour vous.

— Hein ?

Mais Claude était parti, maintenant.

— En principe, les portails restent dans le même coin, même s'ils bougent un peu. Nous les utilisons pour passer de votre monde au nôtre. Niall a laissé une ouverture dans celui qui se trouve dans tes bois. La fente n'est pas assez grande pour que nous puissions y passer, mais on peut transférer des objets.

C'était un peu comme une boîte aux lettres.

— Eh bien tu vois ! Ce n'était pas si dur, finalement, si ? Et vous pourriez me révéler d'autres vérités ?

— Comme quoi ?

— Par exemple, pourquoi toutes ces créatures faériques se trouvent au *Hooligans*, en tant que strip-teaseurs, videurs ou que sais-je. Ils ne sont pas tous faé. Et je ne sais même pas ce qu'ils sont, au juste. Mais pourquoi ont-ils échoué avec vous ?

— Ils n'ont pas d'autre endroit où aller, m'a répondu Dermot simplement. Ils se sont retrouvés enfermés. Certains l'ont fait exprès, comme Claude, et d'autres pas… comme moi.

— Alors Niall a fermé tous les accès au Royaume de Faérie, mais il a laissé quelques-uns des siens de notre côté ?

— Absolument. Il voulait fermer ce monde contre tous les faé qui avaient encore l'intention de tuer les humains. Il est allé trop vite, a expliqué Claude.

J'ai remarqué que Dermot, que Niall avait enchanté de manière particulièrement cruelle, ne semblait pas convaincu.

— J'avais compris que Niall avait de bonnes raisons pour enfermer les faé dans leur monde, ai-je poursuivi lentement tout en réfléchissant. Il m'a raconté que l'expérience lui avait appris qu'il y a toujours des problèmes lorsque faé et humains se mélangent. Il ne voulait plus que

114

les faé se reproduisent avec des humains, trop de faé haïssent le produit métissé de ces unions.

J'ai jeté un regard d'excuse à Dermot, qui a haussé de nouveau les épaules. Il était devenu imperméable à ce genre de propos.

— Niall n'avait aucune intention de me revoir. Est-il si important pour vous de retourner dans le monde du Peuple des Faé et d'y rester ?

Le silence s'est fait très, très pesant. De toute évidence, Dermot et Claude n'allaient pas répondre. Du moins n'allaient-ils pas mentir.

— Alors expliquez-moi pourquoi vous vivez avec moi et ce que vous voulez de moi.

J'espérais qu'ils réagiraient, cette fois-ci.

— Nous vivons avec toi parce qu'il nous semblait qu'il était bon de rester aux côtés de la seule famille que nous ayons réussi à trouver, a répondu Claude. Nous nous sentions affaiblis d'être coupés de notre patrie. Nous ne savions pas que tant d'autres faé étaient demeurés dans ce monde-ci. Nous avons été surpris lorsque d'autres faé abandonnés d'Amérique du Nord ont commencé à se montrer au *Hooligans*. Mais nous en étions heureux. Comme nous te l'avons dit, nous nous sentons plus forts lorsque nous sommes ensemble.

Je me suis levée et j'ai commencé à marcher de long en large.

— Tu me dis vraiment toute la vérité ? Vous auriez pu me dire tout ça bien avant, et vous ne l'avez pas fait. Peut-être mentez-vous ?

Et j'ai tendu les bras sur mes côtés, les paumes en l'air : *alors ?*

— Pardon ? s'est exclamé Claude, vexé – il récoltait ce qu'il avait semé, et il était grand temps. Les faé ne mentent jamais. Tout le monde sait cela !

Mais oui. Bien évidemment. C'était de notoriété publique.

— Peut-être. Mais vous ne dites pas toujours toute la vérité, ai-je fait remarquer. Vous avez d'autres raisons d'être ici ? Peut-être que vous voulez surveiller le portail, pour voir qui en sort.

Dermot s'est levé d'un bond.

Nous étions maintenant tous les trois en colère et très agités. L'air était chargé de reproches.

Claude a cédé le premier, choisissant ses mots avec soin.

— J'aimerais rentrer en Faérie, parce que je voudrais revoir Niall. J'en ai assez, de ne recevoir que quelques messages, par-ci par-là. J'ai envie de me rendre sur nos lieux sacrés, d'être auprès des esprits de mes sœurs. Je veux aller et venir entre nos deux mondes. C'est mon droit. Le portail le plus proche est ici. Tu es notre famille la plus proche. Et il y a quelque chose qui nous attire, dans cette maison. Ici, pour l'instant, c'est chez nous.

Dermot est allé contempler la chaude matinée par la fenêtre : les papillons qui voletaient, les plantes qui fleurissaient, et le soleil éclatant. Soudain, j'ai éprouvé le besoin intense de me trouver dehors, dans un monde familier, plutôt qu'ici, coincée dans cette discussion étrange avec des parents que je ne comprenais pas, et à qui je ne pouvais pas accorder toute ma confiance. À en croire le langage corporel de Dermot, il traversait la même gamme d'émotions.

— Je vais réfléchir à ce que tu viens de dire, ai-je dit à Claude – et j'ai vu les épaules de Dermot se détendre très légèrement. Il y a autre chose, qui me tracasse. Je vous ai parlé de la bombe incendiaire au bar.

Dermot s'était retourné avant de s'appuyer contre la fenêtre ouverte. Ses cheveux étaient plus longs que ceux de mon frère, et son expression plus intelligente (pardon, Jason). Mais leur ressemblance était malgré tout presque effrayante. Ils n'étaient pas identiques, mais on aurait facilement pu les confondre, au moins un court instant. Dermot montrait malgré tout un tempérament plus sombre que Jason.

Lorsque j'ai mentionné l'incendie au bar, les deux faé ont hoché la tête. Ils paraissaient intéressés, mais détachés. C'était un regard que je voyais souvent chez les vampires.

116

Le sort d'êtres humains qu'ils ne connaissaient pas leur était totalement indifférent. « Aucun homme n'est une île », disait John Donne. Rien n'aurait pu être plus faux pour les faé. Pour eux, la plupart des humains étaient regroupés sur une seule grosse île, qui dérivait sur une mer baptisée « Je n'en ai Strictement Rien à Faire ».

— Les gens discutent dans les bars, alors je suis certaine qu'ils papotent également dans les clubs de strip-tease. Ce serait gentil de m'informer, si vous entendez quoi que ce soit sur qui a fait ça. C'est important pour moi. Si vous pouviez demander au personnel du *Hooligans* de dresser l'oreille au sujet de l'attaque, j'avoue que j'apprécierais.

Dermot m'a interrogée :

— Les affaires ne vont donc pas bien, chez Sam, Sookie ?

— Non, ai-je répondu, sans grande surprise sur le tour que prenait la conversation. Et le nouveau bar proche de l'autoroute nous fait du tort, côté clientèle. Je ne sais pas si c'est l'attrait de la nouveauté, qui fait que les gens vont plutôt au *Vic's Redneck* et au *Vampire's Kiss*, ou s'ils sont perturbés que Sam soit un métamorphe. En tout cas, au *Merlotte*, ça ne va pas fort.

Je me demandais si je devais leur parler de Victor et de sa malveillance, quand Claude a soudain fait observer :

— Tu n'aurais plus de travail…

Puis il s'est interrompu, perturbé.

Décidément, tout le monde s'intéressait à ce que je ferais si le *Merlotte* fermait.

— Sam perdrait son gagne-pain, surtout, ai-je fait remarquer tandis que je me préparais à retourner à la cuisine pour me resservir en café. Et ça, c'est bien plus important que mon job. Je peux toujours trouver un autre endroit où travailler.

Claude a haussé les épaules.

— Il pourrait gérer un bar ailleurs.

— Mais il serait obligé de quitter Bon Temps, ai-je rétorqué brusquement.

— Et ça, ça ne te conviendrait pas, si ?

Claude était devenu étrangement pensif. Je n'étais pas tranquille.

— C'est mon meilleur ami et tu le sais.

C'était la première fois que je le formulais, mais en fait, je le savais depuis longtemps.

— Au fait, ai-je ajouté. Si vous voulez savoir ce qui est arrivé à Cait, je vous recommande d'entrer en contact avec un humain aux yeux gris, qui travaille au *Vampire's Kiss*. L'étiquette sur son uniforme dit qu'il s'appelle Colton.

Je connaissais des endroits où l'on distribuait des étiquettes tous les soirs sans se soucier du véritable nom des employés. Mais c'était une piste. J'ai fait un pas vers la cuisine.

— Attends, s'est exclamé Dermot, si vivement que je me suis retournée. Quand est-ce que ces antiquaires doivent venir, pour regarder tout ton bazar ?

— D'ici quelques heures en principe.

— Le grenier est vide, pour ainsi dire. Tu ne voulais pas le nettoyer ?

— C'est ce que j'avais l'intention de faire ce matin.

— Veux-tu que nous t'aidions ?

Claude était manifestement horrifié et toisait Dermot d'un regard furibond.

À mon grand soulagement, nous étions revenus à des considérations plus familières. Il me fallait du temps pour pouvoir réfléchir à tout ce qu'ils m'avaient appris. Pour l'instant, je ne savais même plus quelles questions poser.

— Merci, ai-je répondu. Si vous pouviez porter une des grosses poubelles là-haut, ce serait bien. Je vais balayer et tout ramasser, et après, vous pourriez la redescendre.

Il est assez pratique d'avoir des parents à la force surhumaine.

Je suis allée chercher tout mon équipement sur la véranda à l'arrière de la maison et lorsque je suis montée à pas lourds, les bras chargés, j'ai noté que la porte de Claude était fermée. Ma locataire précédente, Amelia, avait aménagé l'une des chambres du haut en petit boudoir adorable. Elle y avait installé une petite coiffeuse, à deux sous mais très mignonne, une commode et un lit. Elle avait pris une autre chambre pour en faire son salon, avec deux fauteuils confortables, une télévision et un grand bureau. Le jour où nous avions vidé le grenier, j'avais remarqué que c'était celle-là que Dermot avait choisie pour y mettre son lit de camp.

Je n'avais pas eu le temps de dire « ouf » que Dermot surgissait brusquement avec la poubelle. En la posant, il a regardé autour de lui.

— Je le préférais avec toutes les affaires de famille.

J'étais d'accord avec lui. Dans la lumière du jour qui filtrait par les lucarnes encrassées, le grenier avait pris une apparence triste et miteuse.

— Quand il sera propre, il sera très bien, ai-je dit fermement.

Armée du balai, j'ai attaqué les toiles d'araignée puis la poussière et les débris qui jonchaient le parquet. À ma grande surprise, Dermot s'est emparé de quelques chiffons et de nettoyant et s'est mis aux lucarnes. J'ai préféré ne pas émettre de commentaire.

Après avoir terminé, Dermot a tenu la pelle tandis que j'y poussais toutes les saletés accumulées. Une fois cette tâche terminée, j'ai monté l'aspirateur pour en terminer avec la poussière. C'est alors qu'il a fait remarquer que les murs avaient besoin d'une couche de peinture.

C'était comme s'il avait dit que le désert avait besoin d'eau. Les murs avaient probablement été peints autrefois, mais la peinture usée s'était écaillée. La couleur indéterminée qui demeurait avait été égratignée et tachée par tous les objets qu'on avait appuyés contre les parois.

— Eh bien oui, ai-je répondu. Il faut poncer et peindre. Et pareil pour le sol, ai-je ajouté en le tapotant du pied – apparemment, quand ils avaient construit le deuxième étage, mes ancêtres s'en étaient donné à cœur joie, badigeonnant le tout à la chaux.

— Tu n'auras besoin que d'une partie de l'espace pour ranger des affaires, a dit Dermot en passant du coq à l'âne.

En supposant que les antiquaires t'achètent les plus grosses pièces et que tu ne les rapportes pas ici.

— Effectivement.

Dermot avait sans doute raison, mais je ne comprenais pas la portée du message.

— Tu peux aller droit au but ? ai-je ajouté sans ambages.

— Eh bien, tu pourrais faire une troisième chambre à cet étage, si tu n'utilisais que cette extrémité comme grenier. Tu vois, ici ?

Il me montrait un endroit sous les combles qui faisait à peu près deux mètres de profondeur, sur toute la largeur de la maison.

— Il ne serait pas difficile de monter une cloison et d'y poser des portes, a dit mon grand-oncle.

Dermot savait poser des portes ? Il a dû voir ma surprise car il a ajouté :

— Je regarde les programmes de bricolage sur la télévision d'Amelia.

— Oh, ai-je fait, démontrant ainsi ma grande vivacité d'esprit.

Mais je me sentais toujours un peu perdue.

— Eh bien oui, on pourrait le faire, mais je ne pense pas avoir besoin d'une autre pièce. Enfin, je veux dire, qui viendrait habiter ici ?

— Mais plus de chambres, c'est mieux, non ? C'est ce qu'ils disent toujours, à la télévision. Et moi, je pourrais m'y installer. Claude et moi pourrions partager la salle de télévision, ce serait notre séjour. Et nous aurions chacun notre chambre, ainsi.

Une bouffée de honte m'a submergée. Je n'avais jamais pensé à demander à Dermot si cela l'ennuyait de partager une pièce avec Claude. Manifestement oui. Le pauvre dormait dans un lit de camp dans le minuscule séjour... J'étais lamentable, comme hôtesse. Je ne m'en étais même pas souciée. J'ai considéré Dermot avec plus d'attention que je ne lui en avais accordé jusque-là. Il y avait de l'espoir dans son regard. Peut-être mon nouveau locataire était-il sous-employé. J'ai compris soudain que je ne savais même pas à quoi s'occupait Dermot au club. J'avais simplement accepté le fait qu'il partait à Monroe lorsque Claude y allait, mais je n'avais jamais été suffisamment curieuse pour m'enquérir de ce qu'il y faisait. Et si son sang faé était la seule et unique chose qu'il avait en commun avec mon cousin égocentrique ?

Les mots sont sortis de ma bouche sans que j'y réfléchisse :

— Si tu penses avoir le temps de faire tout ça, je serais heureuse d'acheter tout ce qu'il faut. Et d'ailleurs, si tu pouvais poncer, sous-coucher et peindre le tout – et monter la cloison aussi, ça m'arrangerait vraiment. Et je serais contente de te payer. Tu veux qu'on passe à la scierie de Clarice, quand je prendrai ma prochaine journée de congé ? Tu pourrais calculer les quantités de bois et de peinture qu'il nous faut ?

Le visage de Dermot s'est éclairé tel un sapin de Noël.

— Je peux essayer – et je sais comment louer une ponceuse. Tu me fais confiance pour tout cela ?

— Mais absolument, ai-je répliqué aussitôt.

À vrai dire, ce n'était pas tout à fait vrai. Mais après tout, l'état du grenier ne pouvait pas être pire. L'enthousiasme a fini par me gagner à mon tour.

— Ce serait vraiment sympa, si cette pièce était refaite. Il faudra que tu me dises combien je te dois.

— Il n'en est pas question. Tu m'as donné un foyer et le réconfort de ta présence. C'est le moins que je puisse faire pour toi.

Ça, je ne pouvais pas le nier. On a parfois tort de s'entêter à refuser un cadeau. J'ai estimé que, dans le cas présent, j'aurais eu tort.

En fin de matinée, après toutes ces surprises, je me lavais les mains et le visage pour effacer les dernières traces de poussière lorsque j'ai entendu une voiture qui remontait l'allée. C'était une grande camionnette blanche, dont le côté portait le logo « Splendide » en énormes lettres gothiques.

Brenda Hesterman et son associé en sont descendus. Son compagnon était un homme petit et compact, en pantalon de toile et polo bleu, avec des mocassins cirés. Il portait ses cheveux poivre et sel coupés court.

Je suis sortie sur la véranda de devant pour les accueillir.

— Bonjour, Sookie, s'est écriée Brenda comme si nous étions de vieilles connaissances. Je vous présente Donald Callaway, copropriétaire de la boutique.

— Enchantée, monsieur Callaway, ai-je répondu en inclinant la tête. Entrez, je vous en prie. Voulez-vous quelque chose à boire ?

Ils ont décliné tous deux tandis qu'ils grimpaient les marches. Une fois à l'intérieur, ils ont examiné toute la pièce encombrée avec un plaisir que mes faé n'avaient pas manifesté.

— J'adore le plafond en bois ! s'est exclamée Brenda. Et regarde-moi les lambris des murs !

— Elle est ancienne, a renchéri Donald Callaway. Félicitations, mademoiselle Stackhouse. Vous habitez là une demeure historique de toute beauté.

J'ai caché ma surprise à grand-peine. Ce type de réaction n'était pas habituel pour moi. On avait généralement tendance à me plaindre de vivre dans un endroit si vétuste et démodé. Les sols n'étaient pas plans et les fenêtres loin d'être aux normes.

Un peu méfiante, je l'ai remercié avant de continuer :

— Eh bien, voici tout ce que nous avons descendu du grenier. Regardez donc si vous trouvez quelque chose qui vous plaît. Appelez-moi si vous avez besoin de quoi que ce soit.

J'estimais que ma présence serait inutile et en outre qu'il serait un peu grossier de les surveiller pendant leur travail. Je me suis rendue dans ma chambre pour faire la poussière et du rangement, et j'en ai profité pour trier le contenu d'un ou deux tiroirs. En principe, j'aurais écouté la radio mais je voulais pouvoir entendre les associés au cas où ils auraient voulu me poser une question. Ils se parlaient à voix basse de temps en temps et la curiosité commençait à me gagner. Qu'allaient-ils décider ? En entendant Claude descendre l'escalier, je suis sortie de ma

122

chambre pour dire au revoir à mes locataires avant qu'ils ne partent.

Brenda est restée la bouche ouverte en voyant ces deux hommes sublimes, tandis que les faé traversaient la salle de séjour. Je les ai forcés à ralentir suffisamment longtemps pour pouvoir les présenter – ce n'était que pure politesse. Je n'ai pas été surprise de constater qu'après avoir rencontré mes « cousins », le regard que me portait Donald avait changé…

Je récurais plus tard le sol de la salle de bains lorsque Donald a lâché une exclamation. J'ai dérivé vers le salon en prenant l'air aussi détaché que possible.

Il s'était mis à examiner le bureau de mon grand-père, une monstruosité lourde et hideuse que les faé, suant sang et eau, avaient maudite en jurant tous les diables tandis qu'ils luttaient pour la descendre.

Le petit homme était accroupi devant, la tête passée sous le tiroir central.

— Vous avez un compartiment secret, mademoiselle Stackhouse, a-t-il annoncé tandis qu'il reculait avec précaution. Venez, je vais vous montrer.

Je me suis baissée à côté de lui, pleine de curiosité. Compartiment secret ! Trésor de pirates ! Tour de magie ! À les imaginer, on replonge dans l'enfance avec délices.

Grâce à la torche de Donald, qui éclairait l'espace réservé aux genoux, j'ai pu apercevoir la paroi du fond, qui comportait un panneau supplémentaire. On y voyait de minuscules charnières, placées suffisamment haut pour que jamais des jambes ne puissent les effleurer, et de façon à permettre à la porte de s'ouvrir vers le haut.

L'énigme consistait à trouver comment l'ouvrir.

Après m'avoir laissé regarder tout mon soûl, Donald a suggéré :

— Je vais faire une tentative avec mon canif, mademoiselle Stackhouse, si vous n'y voyez pas d'inconvénient.

— Pas du tout !

Il a sorti l'instrument de sa poche – il était d'une taille très respectable – et, après l'avoir ouvert, a glissé la lame délicatement le long de l'interstice. Comme je m'y attendais, il a rencontré de la résistance à peu près à mi-chemin. Il a appuyé tout doucement, d'un côté puis de l'autre, mais rien ne s'est passé.

Puis il a commencé à tapoter le bois tout autour de l'espace destiné aux genoux. Il y avait une mince bande de bois au point de contact entre les parois latérales et celle du haut. Donald appliquait toujours de petites poussées et j'étais prête à abandonner, lorsqu'il y a eu une sorte de déclic rouillé. Le panneau s'est ouvert.

— À vous l'honneur, a dit Donald. C'est votre bureau.

Rationnel et vrai. Il s'est reculé pour me laisser prendre sa place. J'ai soulevé la porte et l'ai tenue en place tandis que Donald m'éclairait – mon corps bloquait toutefois la lumière et j'ai mis du temps à repérer le contenu du compartiment.

Dès que j'ai senti les contours du paquet, je l'ai tiré lentement pour le sortir. Je me suis glissée en arrière – tout en essayant de ne pas penser au point de vue que j'offrais ainsi à Donald. Une fois dégagée, je me suis levée pour me diriger vers la fenêtre avec mon chargement poussiéreux et l'inspecter.

Je tenais une petite aumônière de velours. Il avait dû être grenat – autrefois. Il y avait également une enveloppe jaunie, d'environ quinze centimètres sur vingt, qui portait des illustrations. En l'aplatissant soigneusement, j'ai compris qu'elle avait contenu des patrons de couture. Un violent flot de souvenirs m'a brusquement noyée. Je me rappelais la boîte dans laquelle étaient rangés tous les patrons – Vogue, Simplicity, Butterick... Pendant de longues années, ma grand-mère avait beaucoup aimé la couture. Puis un doigt cassé de sa main droite s'était « mal remis », et il était devenu trop douloureux pour elle de manier les papiers de soie et les tissus. Le patron de cette enveloppe-ci était une robe à jupe large retenue à la taille. Les trois mannequins dessinées, aux attitudes très tendance, avec leurs épaules un peu trop relevées, leurs visages minces et leurs cheveux courts, la portaient différemment : mi-long, robe de

124

mariée, et costume folklorique de quadrille – quelle polyvalence !

J'ai soulevé le rabat, pensant trouver le papier de soie brun si familier, avec ses habituels symboles noirs et mystérieux. Il y avait une lettre à l'intérieur. Le papier passé était couvert d'une écriture que je reconnaissais.

Les larmes me sont montées brusquement aux yeux. J'ai écarquillé les paupières pour ne pas les laisser couler, et j'ai rapidement quitté la pièce. Je ne pouvais pas ouvrir cette lettre en présence d'autres personnes dans ma maison. Je l'ai donc rangée dans mon chevet, avec la petite aumônière, et suis retournée dans le séjour après avoir séché mes yeux.

Les antiquaires ont eu la délicatesse de ne poser aucune question, ce dont je leur étais reconnaissante. J'ai préparé du café, que je leur ai apporté sur un plateau, avec du lait, du sucre et quelques tranches de quatre-quarts – car j'étais bien élevée. Ce que je tenais de ma grand-mère, feu ma grand-mère, dont j'avais reconnu l'écriture sur la lettre dans l'enveloppe à patrons.

5

Je n'ai finalement pu me concentrer sur l'enveloppe que le jour suivant.

Après l'ouverture du compartiment secret, Brenda et Donald ont passé une heure de plus à fouiller le contenu de mon grenier. Puis nous nous sommes assis ensemble pour discuter de ce qui leur plaisait dans mon assortiment éclectique et de la somme qu'ils me verseraient. Au début, j'avais simplement envie de dire oui à tout, mais ensuite, je me suis sentie obligée d'obtenir le plus d'argent possible, pour faire honneur à ma famille. Les négociations ont duré un temps fou, provoquant ainsi mon impatience.

Pour résumer, ils voulaient quatre meubles de grande taille, dont le bureau, les mannequins de couture, un petit coffre, quelques cuillères et deux tabatières à priser en corne. Il y avait également quelques sous-vêtements d'époque en assez bon état. Brenda disait qu'elle connaissait une méthode de nettoyage qui éliminait les taches et que les habits seraient comme neufs – mais ils n'avaient pas grande valeur. La liste comprenait également un fauteuil d'allaitement – trop bas toutefois pour une femme de ma génération, et Donald voulait une boîte de bijoux fantaisie des années 1930 et 1940. Les antiquaires accordaient naturellement beaucoup de prix au patchwork de mon arrière-grand-mère, qu'elle avait réalisé en utilisant le fameux motif de la roue de chariot. Ce n'était pas mon dessin préféré, et je n'ai pas hésité à le leur laisser.

En fait, j'étais heureuse de savoir que ces articles partiraient chez des gens qui les aimeraient, les entretiendraient et les chériraient au lieu de les laisser croupir dans un grenier.

Je voyais bien que Donald mourait d'envie de trier le contenu du coffre bourré de photos et de papiers, auquel je ne m'étais pas encore intéressée. Mais je n'allais certainement pas le laisser faire avant d'avoir vérifié le tout. Et c'est ce que je lui ai dit – très poliment, naturellement. Nous sommes convenus que s'ils trouvaient encore un quelconque tiroir secret dans les meubles que je leur vendais, j'aurais un droit de préemption pour racheter les objets à l'intérieur, s'ils avaient une valeur marchande.

Après avoir rédigé un chèque et appelé la boutique pour organiser l'enlèvement du mobilier, ils sont partis avec quelques objets de taille plus réduite, apparemment aussi satisfaits de leur journée que je l'étais moi-même.

Dans l'heure, une grosse camionnette Splendide est arrivée dans l'allée, avec deux jeunes hommes costauds à bord. En trois quarts d'heure, le mobilier était capitonné et chargé à l'arrière. Après leur départ, il était déjà temps de me préparer pour aller travailler. Malheureusement, j'allais donc devoir reporter l'étude du mystérieux paquet dans ma table de chevet.

Je devais me dépêcher mais malgré tout, tout en me maquillant et en enfilant mon uniforme, je me suis délectée du silence de ma maison, que j'avais enfin pour moi. J'ai même décidé que la température m'autorisait à porter un de mes nouveaux shorts.

J'en avais acheté deux chez Wal-Mart la semaine précédente. En l'honneur de leur première sortie, je me suis assuré que mes jambes étaient toutes douces. J'étais déjà bien bronzée, et en contemplant mon reflet dans le miroir, je me sentais plutôt satisfaite.

Je suis arrivée au *Merlotte* vers 17 heures. La première personne que j'ai vue était India, la nouvelle serveuse. Avec sa jolie peau chocolat, ses tresses incrustées et sa boucle dans le nez, c'était la personne la plus joyeuse que j'aie rencontrée depuis bien longtemps. Elle m'a adressé un franc sourire, comme si j'étais justement la personne qu'elle attendait – ce qui était d'ailleurs le cas, puisque je la remplaçais.

— Fais attention au mec de la cinq, il a une sacrée descente – il a dû se disputer avec bobonne.

Je saurais si c'était le cas dès que j'aurais eu le temps de faire une incursion dans son esprit.

— Merci, India. Autre chose ?

— Le couple de la onze : ils aiment leur thé sans sucre avec plein de citrons à côté. Leurs plats ne vont pas tarder à arriver – beignets de légumes et burgers pour tous les deux. Avec du fromage en extra pour lui.

— D'acco-d'ac. Alors passe une bonne soirée.

— J'en ai bien l'intention, je sors avec quelqu'un.

— Ah bon, avec qui ?

— Lola Rushton.

Avec Lola ?

— Je crois bien que j'étais au lycée avec Lola, ai-je répondu presque aussitôt.

— Elle se souvient très bien de toi, a répondu India en riant.

Rien d'étonnant, car j'étais bien la personne la plus étrange de ma classe, dans mon petit lycée.

— Eh oui, ai-je répliqué un peu tristement, tout le monde se souvient de moi ; on m'appelait Sookie la Cinglée.

— Elle a eu le béguin pour toi pendant longtemps, m'a précisé India.

— J'en suis flattée, ai-je réagi, étrangement fière, avant de me dépêcher de prendre mon service.

J'ai fait le tour de mes tables rapidement, pour m'assurer que tout le monde était content, puis j'ai servi les beignets de légumes et les burgers et j'ai observé Monsieur le Grognon Largué avec soulagement : il a avalé son dernier verre avant de quitter le bar. Il n'était pas ivre, mais il mourait d'envie d'une belle bagarre et j'étais bien contente qu'il parte. Ce genre d'ennuis, nous pouvions franchement nous en passer.

Le type n'était pas le seul à se sentir d'humeur maussade, au *Merlotte*. Sam remplissait des papiers pour les assurances. Il déteste la paperasse, mais il est obligé de s'en occuper tout le temps, ce qui l'agace plus qu'un peu. Les formulaires étaient empilés sur le bar et, pendant un moment de calme, je les ai étudiés. Je les ai lus lentement, avec soin, et ce n'était pas si difficile à comprendre. J'ai commencé à cocher les cases et à remplir les blancs. Puis j'ai appelé le poste de police pour leur demander une copie du rapport sur l'incendie. J'ai fourni le numéro de fax de Sam, et Kevin a promis de nous l'envoyer.

Puis j'ai levé les yeux : mon boss se tenait à côté de moi, une expression ébahie sur le visage.

— Je suis désolée, me suis-je exclamée immédiatement. Ça semblait tellement te stresser, et moi ça ne m'embêtait pas de m'en occuper. Tiens, je te les rends.

J'ai attrapé la pile pour la tendre à Sam.

— Non, non, non ! a-t-il dit en reculant, les mains levées. Au contraire, merci, Sookie. Je n'avais même pas pensé à demander de l'aide.

Il a baissé le regard pour examiner les feuilles.

— Tu as appelé le poste de police ?

— Oui, j'ai eu Kevin Pryor. Il va envoyer le rapport que tu dois mettre avec le dossier.

— Oh ! merci, Sookie !

On aurait dit que le père Noël venait juste d'apparaître au *Merlotte*.

— Ça ne me gêne pas, de remplir des formulaires, lui ai-je dit en souriant. Ils ne répondent jamais. Tu ferais mieux de vérifier que je ne me suis pas trompée, maintenant.

Sam m'a adressé un large sourire, sans un seul regard pour les papiers.

— Beau boulot, mon amie !

— Pas de souci.

J'étais contente de pouvoir m'occuper sans penser au contenu de ma table de chevet. Puis j'ai entendu la porte s'ouvrir et me suis retournée, soulagée à la perspective de recevoir un nouveau client.

Je me suis efforcée de garder mon expression accueillante : Jannalynn Hopper venait de faire son entrée.

Sam se montre, disons, quelque peu téméraire, dans son choix de compagnes. Jannalynn n'était pas la première femme de caractère (ou même franchement terrifiante) qui retenait son attention. Maigre et petite, Jannalynn faisait preuve d'un certain sens de la mode relativement agressif, et montrait une joie féroce d'avoir été choisie comme Second par la meute des Longues Dents, basée à Shreveport.

Ce soir-là, Jannalynn portait un short en jean minimaliste et des spartiates lacées haut, le tout assorti d'un débardeur moulant et bleu, porté sans soutien-gorge. Elle avait mis les boucles d'oreilles que Sam lui avait achetées chez Splendide. Une bonne demi-douzaine de pendentifs luisait à son cou sur des chaînes en argent de longueurs différentes. Ses courts cheveux brillants et hérissés étaient platine, cette fois-ci. Elle me rappelait un cadeau que Jason m'avait offert, un joli panneau de vitrail multicolore à suspendre devant ma fenêtre de cuisine, pour attraper les rayons du soleil.

— Bonsoir, chéri, a-t-elle murmuré à Sam tandis qu'elle passait devant moi comme si je n'existais pas.

Elle l'a attrapé dans une étreinte passionnée, pour l'embrasser fougueusement.

Il a répondu, même si les signaux qu'émettait son cerveau indiquaient qu'il était un peu gêné. De son côté, Jannalynn n'éprouvait naturellement aucun scrupule. Je me suis détournée rapidement pour aller vérifier le niveau des salières et poivrières sur les tables – je savais pourtant que tout allait bien de ce côté-là.

À vrai dire, Jannalynn m'avait toujours perturbée, pour ne pas dire effrayée. Elle était pleinement consciente du fait que Sam et moi étions amis. Elle savait que j'avais rencontré la famille de Sam lors du mariage de son frère, et qu'on pensait là-bas que j'étais la petite amie de Sam. Je ne pouvais pas lui en vouloir de ses soupçons. À la place, j'aurais ressenti la même chose.

Jannalynn était une jeune femme soupçonneuse de par sa nature et sa profession. Son travail consistait en partie à évaluer les menaces et à les éliminer avant qu'elles ne puissent atteindre Alcide et la meute. Elle gérait également le *Hair of the Dog*, un petit bar essentiellement fréquenté par les membres de la meute des Longues Dents ainsi que par les autres hybrides des environs de Shreveport. Pour une personne aussi jeune, il s'agissait là de lourdes responsabilités, mais elle semblait née pour relever ce défi.

J'avais épuisé tout ce que je pouvais faire comme travail quand j'ai remarqué que Jannalynn et Sam discutaient maintenant à voix basse. Elle était perchée sur son tabouret, ses longues jambes musclées croisées avec élégance, et lui se tenait à son poste habituel, derrière le bar. Leurs visages très attentifs indiquaient que leur sujet de conversation devait être sérieux. J'ai soigneusement évité d'écouter leurs pensées.

Les clients faisaient de leur mieux pour ne pas jeter des regards ébahis à la jeune louve. Danielle, l'autre serveuse, lui lançait un coup d'œil de temps à autre tout en chuchotant avec son ami. Ce dernier faisait durer le verre qu'il avait commandé tout en surveillant Danielle tandis qu'elle passait de table en table.

Jannalynn avait certes des défauts, mais personne ne pouvait nier qu'elle avait un charisme impressionnant. Lorsqu'elle arrivait dans une pièce, on ne pouvait que la remarquer. À mon avis toutefois, c'était dû au moins en partie aux ondes carrément terrifiantes qu'elle dégageait.

Un couple est arrivé alors, jetant un regard circulaire avant de choisir une table dans mon secteur. Je leur trouvais un air vaguement familier. Puis je les ai reconnus : Jack et Lily Leeds. Les deux détectives privés venaient de l'Arkansas. La dernière fois que je les avais vus, ils avaient été engagés par les parents de Debbie Pelt. Ils étaient venus à Bon Temps pour enquêter sur la disparition de leur fille. J'avais compris depuis qu'à l'époque, j'avais répondu à leurs questions comme une vrai faé : j'avais dit la vérité, mais pas toute la vérité. En fait, c'était moi qui avais tiré sur Debbie Pelt et l'avais tuée. C'était de la légitime défense et je n'avais aucune intention de passer le reste de ma vie en prison.

L'histoire avait eu lieu un an auparavant. Lily Bard Leeds était toujours aussi pâle, silencieuse et tendue, et son époux toujours aussi attirant et plein de vitalité. Les yeux de Lily ont immédiatement trouvé les miens. Impossible de faire comme si je ne l'avais pas remarquée. Je me suis dirigée vers leur table à contrecœur. À chaque pas que je prenais, mon sourire devenait plus figé.

— Bienvenue chez *Merlotte*, leur ai-je dit d'un ton faussement enjoué. Que puis-je vous servir à tous deux, ce soir ? Aujourd'hui, nous avons des beignets de légumes, et nos burgers Lafayette sont vraiment super.

Pour Lily, c'était manifestement comme si je lui avais proposé des vers de terre panés. Jack au contraire se serait très clairement bien laissé tenter par les beignets.

— Bon, alors, un burger Lafayette pour moi, a annoncé Lily sans grand enthousiasme.

Quand elle s'est tournée de nouveau vers son compagnon, son tee-shirt s'est soulevé et j'ai pu apercevoir de vieilles cicatrices qui auraient pu rivaliser avec les miennes, toutes neuves.

Nous avions toujours eu certaines choses en commun.

— Pour moi aussi, a ajouté Jack à son tour. Et si vous avez un moment, nous souhaiterions vous parler.

Il m'a souri et la mince cicatrice qui barrait son visage a bougé tandis que ses sourcils se levaient. Une petite soirée mutilation peut-être ? Je me demandais si sa veste, légère mais néanmoins inutile par cette chaleur, ne recouvrait pas des horreurs encore pires.

— Oui, on peut parler. Je me doutais bien que vous n'étiez pas revenus au *Merlotte* simplement pour la cuisine gastronomique.

J'ai pris leur commande de boissons avant d'aller la transmettre à Antoine.

Puis je suis revenue à leur table avec leur thé glacé et une assiette de tranches de citron. J'ai vérifié que personne n'avait besoin de moi sur mon secteur et me suis assise en face de Jack, avec Lily à ma gauche. Elle était jolie,

132

incroyablement sûre d'elle et musclée, solide comme un roc. Même son esprit semblait strict et ordonné.

— Alors, de quoi allons-nous parler, ai-je commencé tout en levant mes barrières en grand pour pouvoir les écouter.

Jack pensait à Lily et s'inquiétait au sujet de sa santé – non, de celle de sa mère. Une rechute, cancer du sein. Et Lily pensait à moi et réfléchissait. Elle me soupçonnait d'être une tueuse.

Ça m'a fait mal.

Mais c'était vrai.

— Sandra Pelt est sortie de prison, a annoncé Jack.

J'avais entendu les paroles dans son esprit avant qu'il ne les prononce, mais la surprise sur mon visage n'était pas feinte.

— Alors elle était en tôle ? C'est pour ça, que je ne l'avais pas vue depuis la mort de ses parents...

Les parents Pelt avaient promis de contrôler leur fille. Quand j'avais appris leur décès, j'avais cru qu'elle ferait une apparition. Mais il n'y avait eu aucun signe d'elle et je m'étais détendue.

— Et vous me dites ça parce que... ai-je articulé avec peine.

— Parce qu'elle vous déteste plus que tout, a dit Lily très calmement. Et qu'aucun tribunal ne vous a jamais déclarée coupable de la disparition de sa sœur. Vous n'avez même pas été arrêtée. Je pense que vous ne le serez jamais. Vous pourriez même être innocente, même si je suis convaincue du contraire. Sandra Pelt est tout simplement folle à lier. Et son obsession, c'est vous. Je crois que vous devriez faire attention. Vraiment.

— Pourquoi était-elle en prison ?

— Coups et blessures à l'encontre d'un de ses cousins. Le cousin en question avait reçu une part de l'héritage de ses parents, et manifestement, ça n'a pas plu à Sandra.

Là, j'étais franchement inquiète. Sandra Pelt était une jeune femme violente et amorale. Elle n'avait même pas vingt ans, j'en étais certaine. Elle avait pourtant tenté de me tuer plusieurs fois. À présent, il ne restait plus personne pour la contrôler. De plus, d'après les privés, son état mental avait empiré.

— Mais pourquoi avoir fait tout ce chemin pour me le dire ? Je veux dire... je trouve ça très gentil, mais vous n'étiez pas obligés. Et vous auriez pu me le dire par téléphone. Les privés, ça ne travaille pas gratuitement, si ? Quelqu'un vous a payés pour m'avertir ?

Après un court silence, Lily m'a répondu.

— Il s'agit de la succession Pelt. Le tribunal a nommé un certain avocat pour être le tuteur légal de Sandra jusqu'à sa majorité, à vingt et un ans. Il habite à La Nouvelle-Orléans.

— Son nom ?

Elle a tiré un morceau de papier de sa poche.

— C'est un nom à consonance balte. Et je ne le prononce peut-être pas bien.

— Cataliades, ai-je prononcé immédiatement, en plaçant l'accent tonique américain sur la seconde syllabe, comme il se devait.

— Mais oui ! s'est exclamé Jack, surpris. C'est bien lui. C'est un grand bonhomme.

J'ai hoché la tête. Maître Cataliades et moi étions en bons termes. Il était majoritairement démon. Mais le couple Leeds ne le savait apparemment pas. D'ailleurs, ils ne savaient manifestement rien ou presque du monde parallèle à celui des humains.

— Bien. Maître Cataliades vous a donc envoyé tous deux ici pour m'alerter. C'est lui l'exécuteur testamentaire ?

— Ouaip. Il allait devoir s'absenter quelque temps, et il voulait être certain que vous sachiez que la fille était en liberté. Il semble avoir l'impression de vous devoir quelque chose.

Ça, c'était curieux. Je n'avais rendu service à l'avocat qu'en une seule occasion. Je l'avais aidé à sortir des décombres de l'hôtel à Rhodes, alors qu'il s'effondrait. C'était plutôt sympa, de connaître une personne qui soit sincère en déclarant « j'ai une dette envers vous ». Je trouvais assez ironique que ce soit la succession Pelt qui paie le couple Leeds pour venir me mettre en garde contre le dernier membre de la famille Pelt. Ironique dans le sens amer, sans satisfaction aucune.

— Pardon si je vous vexe, mais comment se fait-il qu'il vous ait contactés, vous ? Je veux dire... je suis certaine qu'il y a toute une foule de détectives à La Nouvelle-Orléans, par exemple. Vous êtes toujours basés à Little Rock, c'est bien ça ?

Avec un geste indifférent, Lily a expliqué.

— Il nous a appelés, il a demandé si nous étions disponibles, et il a envoyé un chèque. Ses instructions étaient formelles : nous deux, au bar, aujourd'hui. Et même, a-t-elle rajouté en consultant sa montre, à la minute près.

Leurs regards s'étaient faits interrogateurs. Ils attendaient que je leur explique le comportement étrange de l'avocat.

De mon côté, je réfléchissais à toute vitesse. Si Maître Cataliades avait envoyé deux personnes aussi compétentes et redoutables au bar, à une heure bien précise, c'était certainement parce qu'il savait qu'ils allaient s'avérer utiles. Dans quels cas le besoin de deux gorilles qualifiés se fait-il ressentir ?

Quand on attend des ennuis.

Instinctivement, je me suis levée et me suis tournée vers l'entrée. Naturellement, les Leeds ont suivi mon regard et nous regardions tous la porte lorsque les ennuis sont entrés.

Quatre gros durs ont fait leur apparition. Ma grand-mère aurait dit qu'ils étaient « prêts à en découdre ». Ils auraient pu porter un tatouage qui disait « vermine et fier de l'être ». Remontés à bloc, complètement défoncés, ils débordaient d'agressivité. Et ils étaient armés.

J'ai risqué une brève incursion dans leur esprit et j'ai su qu'ils avaient pris du sang de vampire. C'était la drogue la plus imprévisible du marché. La plus chère également, car il était plus que dangereux de la récolter. Les gens qui buvaient du sang de vampire devenaient incroyablement forts et perdaient toute conscience du danger. Et ce pour un laps de temps indéterminé. Ou alors, ils devenaient totalement cinglés.

Jannalynn leur tournait le dos. J'ai eu l'impression qu'elle les avait sentis malgré tout. Elle a pivoté sur son tabouret et s'est concentrée sur eux, comme quelqu'un qui vient de tendre son arc et qui vise avec la flèche. Elle dégageait une odeur animale. Une senteur féroce et sauvage flottait dans l'air, et j'ai compris qu'elle venait de Sam également. Jack Leeds a passé la main sous sa veste – il était armé lui aussi. Les mains de Lily s'étaient immobilisées en l'air, comme si elle avait esquissé un geste, brusquement interrompu.

— Salut, salut, les nazes ! a claironné le plus grand à la ronde.

Il portait une barbe épaisse et des cheveux bruns touffus mais paraissait très jeune. Il ne pouvait pas avoir plus de dix-neuf ans.

— On est venus s'amuser un peu avec vous, bande de tarés.

— Pas de tarés ici, a dit Sam d'un ton calme et égal. Si vous voulez un verre, les gars, pas de problème. Et ensuite, je crois qu'il vaut mieux partir. C'est un endroit calme ici, on n'a que des habitués et on n'a pas besoin d'avoir des problèmes.

— Ouais, mais les problèmes sont déjà là ! s'est vanté le dégénéré le plus petit.

Robuste et lourd, il avait le visage rasé et le crâne tondu, avec des cicatrices apparentes sous ses cheveux blonds presque inexistants. Le troisième gamin était maigre et brun, peut-être hispanique. Ses cheveux noirs étaient gominés en arrière et ses lèvres avaient un pli naturellement boudeur, ce qu'il tentait de contrer en affichant un sourire méprisant. Le quatrième était encore plus atteint que les autres par le sang de vampire : perdu dans son propre monde, il ne pouvait même plus parler. Ses yeux s'agitaient en tous sens, comme s'il suivait des choses que personne d'autre ne pouvait voir. Il était grand, lui aussi. Je pensais que la première attaque viendrait de lui. J'étais certainement la moins éprouvée des combattants ici présents, mais j'ai commencé à me déplacer insensiblement vers ma droite, dans l'intention de l'attaquer de côté.

Sam continuait.

— On se calme, ça va aller.

Il essayait toujours, mais je voyais bien qu'il savait que nous ne pourrions pas échapper à la violence. Il gagnait du temps, afin que tout le monde au *Merlotte* puisse comprendre la situation.

C'était une bonne idée. En quelques secondes, même les plus lents des clients s'étaient éloignés dans la mesure du possible du centre de l'action. À l'exception de Danny Prideaux et d'Andy Bellefleur, qui jouaient ensemble aux fléchettes lors de l'intrusion. Danny tenait toujours une fléchette. Pour sa part, Andy n'était pas en service, mais il portait son arme sur lui. En scrutant les yeux de Jack Leeds, j'ai vu qu'il avait compris, lui aussi, d'où viendrait le pire. Et de fait, l'abruti défoncé se balançait sur ses talons, d'avant en arrière.

Jack avait un pistolet, mais pas moi. Je me suis donc glissée en arrière avec précaution, pour ne pas gêner son tir. Les yeux glacés de Lily ont repéré la manœuvre et elle m'a fait un signe de tête infime. J'avais donc bien fait.

— Mais on veut pas se calmer, a grogné Caïd Barbu. On veut la blonde.

Et il a fait un geste vers moi de la main gauche, tandis qu'il sortait un couteau de la droite. Il faisait plus d'un mètre de long – ou alors, c'était ma peur qui jouait les loupes.

— On va bien s'occuper d'elle, a renchéri Blondinet Tondu.

— Et après, p't-être de vous tous, a ajouté Lippe Boudeuse.

Dingo le Défoncé souriait simplement.

— Ah. Ça ne va pas être possible, a dit Jack Leeds.

Il a sorti son arme d'un geste fluide. Il l'aurait certainement fait dans tous les cas, mais le fait que sa femme, qui se tenait tout près de moi, soit blonde, y était certainement pour quelque chose. Il ne pouvait être totalement certain qu'ils parlaient de moi, l'autre blonde.

— Je suis plutôt d'accord, a repris Andy Bellefleur.

Il visait l'homme au couteau de son propre Sig Saueur, et son bras ne tremblait pas.

— Tu lâches ton surin, et on va trouver une solution.

Ils avaient beau être en plein trip, trois des délinquants ont réussi à comprendre qu'il n'était pas judicieux de résister devant des armes à feu.

Troublés, hésitants, ils se sont lancé de rapides regards incertains pendant quelques instants. La marche du temps s'était interrompue.

Malheureusement, Dingo le Défoncé a soudain perdu tout contrôle. Il a chargé Sam, nous entraînant tous avec lui dans sa stupidité. Aussi rapide qu'un loup-garou, Lippe Boudeuse a sorti son arme, visant et tirant presque instantanément. Je ne sais pas vraiment qui il avait l'intention de toucher, mais sa balle a frappé Jack Leeds, dont le tir de riposte a manqué son but tandis qu'il s'effondrait.

Au même moment, Lily Leeds s'était mise en mouvement, magistrale. Après deux pas rapides, elle a pivoté sur son pied gauche, projetant son pied droit en l'air pour percuter la tête de Lippe Boudeuse avec une violence inouïe. Elle était sur lui avant même qu'il ne touche terre, faisant valser son arme vers le comptoir et brisant son bras dans un flot de mouvements quasiment hypnotiques. En entendant glapir leur comparse, Caïd Barbu et Blondinet Tondu se sont retournés vers Lily pour la fixer d'un regard médusé.

Cette seconde d'inattention allait leur coûter cher. Jannalynn a bondi de son tabouret, décrivant un arc faramineux dans les airs, pour atterrir sur Dingo le Défoncé, que Sam venait de plaquer au sol. DD glapissait, claquait des mâchoires et tentait de la déloger, mais rien n'y faisait. Elle s'est redressée pour prendre son élan et lui décocher un violent coup de poing dans la mâchoire. J'ai très distinctement entendu l'os se briser. Puis Jannalynn s'est élancée de nouveau pour s'abattre pieds joints sur son fémur. Nouveau craquement.

— Stop ! a hurlé Sam, qui le maintenait toujours au sol.

Lorsqu'il s'était retourné pour observer Lily, Caïd Barbu avait ainsi tourné le dos à Andy, et c'est à ce moment-là qu'Andy s'est précipité vers lui. Lorsqu'il a senti l'arme pointée dans son dos, il s'est figé.

— Lâche le couteau, a dit Andy d'un ton on ne peut plus menaçant.

Blondinet Tondu a levé le poing, prenant son élan pour frapper, et Danny Prideaux a lancé sa fléchette. Elle a atteint le malfrat en plein dans le biceps et il s'est mis à braire comme un âne. Sam a lâché DD pour cogner Blondinet Tondu en pleine poitrine. Il s'est abattu comme un arbre sous les assauts d'une tronçonneuse.

Caïd Barbu, constatant que ses copains étaient tombés et hors d'état de nuire, a eu la présence d'esprit de lâcher son couteau.

Enfin.

Le combat n'avait pas pris plus de deux minutes.

J'ai arraché mon tablier blanc et propre pour panser la blessure de Jack. Le visage aussi blafard que celui d'un vampire, Lily lui maintenait le bras pour que je puisse travailler. Elle aimait son mari d'une passion dévorante, et de tout son être, elle aurait voulu massacrer Lippe Boudeuse. La violence de ses émotions a failli me submerger. Sous son apparence glaciale, Lily brûlait comme le Vésuve.

Dès que le sang de Jack s'est arrêté de couler si abondamment, elle s'est tournée vers le type, son visage de marbre.

— Tu fais un seul mouvement, et je te défonce, a-t-elle énoncé très distinctement, sans aucune expression.

Perdu dans sa douleur, le jeune voyou gémissait sans discontinuer et n'a certainement pas compris les paroles de Lily. Ayant néanmoins discerné le ton qu'elle employait, il a tenté de s'écarter d'elle aussi discrètement que possible.

Andy avait déjà appelé les secours et j'ai rapidement entendu le bruit désagréablement familier des sirènes. À ce train-là, il serait peut-être intéressant de louer une ambulance qui resterait à demeure dans le parking.

La jambe et la mâchoire cassées, Dingo le Défoncé émettait de faibles cris de douleur. En fait, Sam lui avait sauvé la vie : pantelante, Jannalynn était pratiquement en train de se transformer, surexcitée par la violence de la bagarre.

La structure osseuse de son visage glissait sous sa peau. Le relief maintenant bosselé de son crâne s'allongeait dangereusement.

Mes neurones ne fonctionnaient pas particulièrement bien, mais je savais néanmoins qu'il serait pour le moins gênant que la police trouve une louve en arrivant.

— Hé ! Jannalynn !

Elle a plongé les yeux dans les miens. Les siens changeaient de forme et de teinte. Sa mince silhouette se tordait dans tous les sens.

— Il faut que tu t'arrêtes, ai-je poursuivi.

L'atmosphère saturée de peur et d'énervement était remplie de cris excités. Rien de bon pour une jeune loup-garou.

Je n'ai pas lâché ses yeux. Il fallait qu'elle continue de me regarder.

— Respire avec moi…

Elle s'est efforcée de m'obéir. Petit à petit, sa respiration s'est calmée. Très graduellement, son visage a retrouvé ses contours naturels. Son corps a cessé de s'agiter, et ses yeux ont repris leur couleur noisette habituelle.

— Ça va, a-t-elle conclu.

Posant les mains sur ses épaules maigres, Sam l'a serrée dans ses bras.

— Merci, ma puce, merci. Tu es la meilleure.

Je percevais cependant dans son esprit une pointe d'exaspération.

— Heureusement que j'étais là, hein ? a-t-elle répondu avec un rire épuisé. Ça, c'était un sacré saut, non ? Attends un peu que je raconte ça à Alcide !

— Tu es la plus rapide, a murmuré Sam. Je n'ai jamais rencontré un tel Second de meute.

Elle s'est rengorgée fièrement, comme s'il lui avait dit qu'elle était aussi sexy que Heidi Klum.

Puis la police et les secours sont arrivés, et tout a recommencé, encore une fois.

Lily et Jack Leeds sont partis pour l'hôpital. Lily a expliqué aux ambulanciers qu'elle emmènerait son mari elle-même dans leur propre voiture. J'entendais son raisonnement dans son esprit. Leur assurance ne couvrirait pas la totalité du coût du transfert en ambulance. Les urgences n'étaient pas loin, Jack pouvait parler et marcher – sa décision était donc logique et je la comprenais très bien.

En fin de compte, ils n'ont jamais pris le dîner commandé et je n'ai jamais pu les remercier d'avoir si bien respecté les ordres de Maître Cataliades. Quant à ce dernier, je me demandais bien comment il avait pu les diriger ainsi vers le bar, et juste au bon moment.

Andy, lui, était fier de son intervention et c'était parfaitement justifié. Ses collègues lui ont administré force tapes dans le dos pour le féliciter. Tous considéraient Jannalynn avec un mélange à peine dissimulé de méfiance et de respect. Et tous les clients, qui avaient fait de leur mieux pour ne pas gêner le combat, se précipitaient pour décrire le coup de pied stupéfiant de Lily ainsi que le bond prodigieux de Jannalynn.

Ce que la police a réussi à comprendre, c'était que ces quatre étrangers avaient déclaré leur intention de prendre Lily en otage et de dépouiller le *Merlotte*. Je ne sais pas vraiment comment cette impression s'est installée, mais j'en étais soulagée. Si les clients croyaient que la fameuse blonde était Lily Leeds, tant mieux. Elle était d'une beauté saisissante, et les délinquants pouvaient très bien l'avoir suivie. Ils pouvaient également avoir décidé de braquer le bar et de prendre Lily en prime.

Grâce à cette idée fausse, j'ai échappé à un interrogatoire plus poussé que celui des autres.

Et vu ma situation globale, je trouvais qu'il était grand temps pour moi d'avoir un peu de répit.

6

En me réveillant dimanche matin, je me sentais inquiète.

En rentrant la veille, j'avais trop sommeil pour réfléchir à ce qui venait de se passer au bar. Manifestement, cependant, mon subconscient s'en était occupé pour moi pendant que je dormais. Mes yeux se sont ouverts brusquement et j'ai eu un hoquet de terreur, en dépit du calme qui régnait dans la chambre ensoleillée.

J'étais sur le point de succomber à la panique. Ce n'était pas encore tout à fait le cas, mais mentalement et physiquement, j'y étais presque. Vous connaissez ce sentiment ? Quand on croit que notre cœur va s'emballer, que notre pouls s'accélère et que nos paumes de main vont commencer à transpirer...

Sandra Pelt était à ma poursuite, et je ne savais ni où elle se trouvait ni ce qu'elle complotait exactement.

Victor en avait après Eric, et donc, indirectement, après moi.

J'étais certaine que c'était moi, la blonde que les quatre malfrats avaient voulu embarquer, et je n'avais aucune idée de qui les avait envoyés ou de ce qu'ils m'auraient fait s'ils avaient réussi – probablement rien d'agréable.

Eric et Pam étaient en froid et leur dispute me concernait certainement, d'une façon ou d'une autre.

En outre, j'avais toute une liste de questions à poser. Tout en haut de la liste : comment Maître Cataliades avait-il su que j'aurais besoin d'aide à ce moment précis, en cet endroit-là ? Qu'est-ce qui l'avait poussé à envoyer les deux détectives

142

privés de Little Rock ? Bien sûr, s'il était vraiment l'avocat de la famille Pelt, il avait pu apprendre que les parents avaient envoyé Lily et Jack Leeds enquêter sur la disparition de Debbie. Il aurait su dans ce cas qu'ils connaissaient déjà le dossier et qu'ils savaient se battre.

Quant aux quatre malfrats, allaient-ils avouer à la police la véritable raison de leur visite au bar ? Ainsi que l'identité de leur commanditaire ? Expliqueraient-ils où ils s'étaient procuré le sang de vampire ? Ce dernier point était un indice important.

Quelles pièces manquantes les objets que j'avais retirés du compartiment secret me révéleraient-ils sur mon passé ?

— Quel micmac ! me suis-je exclamée à voix haute.

Tirant le drap sur ma tête, j'ai fouillé mentalement la maison. Il n'y avait personne d'autre que moi. Après toutes leurs révélations, Dermot et Claude avaient sans doute eu besoin de calme. Ils avaient dû rester à Monroe. Rejetant le drap, je me suis assise avec un soupir. Inutile de tergiverser. Je devais affronter mes problèmes en face. Le mieux à faire, c'était de tenter d'accorder une priorité à chaque point de crise et de voir ce que je pouvais glaner comme informations.

Le plus important, celui qui me tenait le plus à cœur, était là, tout près de moi. Et sa solution aussi.

Ouvrant le tiroir de ma table de chevet, j'en ai doucement extrait l'enveloppe et l'aumônière de velours usé. Outre un assortiment d'objets à but pratique (une lampe torche, une bougie et des allumettes), ce tiroir contenait des souvenirs bizarres de ma vie étrange. Mais aujourd'hui, seuls les deux nouveaux articles si précieux retenaient mon attention. Je les ai emportés dans la cuisine avant de les poser sur le comptoir avec précaution, bien à l'écart de l'évier. Puis j'ai préparé du café.

Pendant qu'il filtrait, j'ai presque soulevé le rabat de l'enveloppe. Mais j'ai retiré ma main juste à temps. J'avais peur. J'ai cherché mon carnet d'adresses puis rangé soigneusement le cordon du chargeur de mon portable, que j'avais mis à recharger pendant la nuit – tout pour retarder le moment fatidique. Puis j'ai respiré un grand coup et composé le

143

numéro de Maître Cataliades. Après trois sonneries, je suis tombée sur la messagerie vocale.

— Vous êtes bien sur la messagerie de Desmond Cataliades, a retenti sa riche voix de basse. Je suis en voyage et actuellement indisponible, mais si vous le souhaitez, vous pouvez laisser un message et je vous rappellerai. Peut-être. Ou peut-être pas.

Et merde. J'ai fait une grimace au téléphone mais après le bip, j'ai sagement enregistré un message circonspect. J'espérais qu'il était suffisamment clair pour que l'avocat comprenne que j'avais besoin de lui parler d'urgence. Puis j'ai rayé Maître Cataliades de ma liste mentale (Desmond… n'importe quoi !) et suis passée à ma seconde approche, qui concernait la question de Sandra Pelt.

Sauf décès de ma part ou de la sienne, Sandra ne lâcherait pas l'affaire. J'avais une véritable ennemie personnelle bien à moi. Il était difficile d'admettre que chaque membre de la famille soit devenu si immonde – d'autant que Debbie et Sandra avaient toutes deux été adoptées – mais il fallait bien se rendre à l'évidence. Tous les Pelt étaient égoïstes, bornés et rongés par la haine. Les filles n'étaient que le fruit de l'arbre vénéneux. Il me fallait découvrir où se trouvait Sandra, et je connaissais quelqu'un qui pourrait m'aider.

— Allô ? a fait la voix dynamique d'Amelia.

— Alors ? Comment ça se passe, à La Nouvelle-Orléans ?

— Sookie ! Oh ! mon Dieu, que c'est bon d'entendre ta voix ! Eh bien ça se passe super bien, pour moi, figure-toi.

— Raconte…

— Bob s'est pointé devant ma porte la semaine dernière.

Une fois retransformé en Mormon humain par Octavia, le mentor d'Amelia, Bob était tellement furieux contre Amelia qu'il avait immédiatement décampé, comme… un chat échaudé. Dès qu'il s'était adapté de nouveau à sa forme humaine, il avait quitté Bon Temps pour rechercher sa famille, qui se trouvait à La Nouvelle-Orléans quand Katrina avait frappé. Puis, avec le temps, il s'était calmé au sujet de sa transformation intempestive.

— Il a retrouvé sa famille ?

144

— Eh oui ! Son oncle et sa tante, ceux qui l'ont élevé. Ils s'étaient trouvé un appartement minuscule à Natchez. Il voyait bien qu'ils n'avaient pas de place pour lui alors il a bourlingué un peu, rendu visite à quelques membres de notre clan et il a fini par atterrir dans les parages. Il s'est trouvé un boulot chez un coiffeur à trois pas de chez moi ! Il est venu à la boutique de magie pour demander de mes nouvelles.

Les sorcières du clan d'Amelia tenaient la boutique Genuine Magic[1] dans le Quartier Français.

— J'étais franchement surprise de le voir, mais c'était un vrai bonheur. Et d'ailleurs, il te dit bonjour, Sookie.

Bob avait dû entrer dans la pièce et elle ronronnait presque…

— Pareil. Écoute, Amelia, je suis désolée de te déranger en plein romantisme, mais j'ai un service à te demander.

— Vas-y.

— J'ai besoin de savoir où une certaine personne se trouve.

— Un annuaire, peut-être ?

— Très drôle. Ce n'est pas si simple. Sandra Pelt est sortie de tôle et elle veut ma peau. On a incendié le bar, et hier, quatre gros bras shootés sont venus pour me prendre. Je crois que Sandra y est pour quelque chose dans les deux cas. C'est ma seule ennemie – que je sache.

Amelia a pris une inspiration.

— Non, pas de commentaire, l'ai-je coupée immédiatement. Bon, elle a échoué par deux fois. Alors j'ai peur qu'elle accélère les choses et qu'elle envoie quelqu'un ici, chez moi. Je serai seule et ça va mal se terminer pour moi.

— D'ailleurs, pourquoi n'a-t-elle pas commencé par là ?

— J'ai fini par comprendre. J'aurais dû y penser bien avant : tu crois que tes sorts de protection sont toujours actifs ?

— Ah ! Euh… oui, je pense.

---

1. Magie Authentique *(N.d.T.)*

Amelia semblait franchement contente. Elle était très fière de ses prouesses de sorcière – et elle pouvait l'être, d'ailleurs.

— Tu crois vraiment ? Réfléchis quand même : ça fait maintenant... Hé ! Trois mois, que tu n'as pas mis les pieds ici.

Amelia avait chargé sa voiture pour partir pendant la première semaine de mars.

— C'est vrai, mais j'ai renforcé les boucliers avant de partir.

— Alors ils fonctionnent même en ton absence.

Je voulais en être certaine. Ma vie en dépendait.

— Pendant un certain temps, oui. N'oublie pas, je quittais la maison pendant des heures, et les boucliers tenaient toujours. Mais il faudrait quand même que je les renouvelle, sinon ils vont s'estomper. Écoute, j'ai trois jours de congé qui se suivent bientôt. Je crois que je vais monter te voir pour vérifier tout ça.

— Ça me soulagerait vraiment, tu sais... mais je ne veux pas t'embêter.

— Penses-tu ! Pas de problème. Je crois bien que Bob et moi, on va se faire une balade en voiture. Je vais demander à certains membres du clan comment ils font pour trouver les gens. On va s'occuper des boucliers, et on fera tout pour retrouver la pétasse.

— Tu crois que Bob acceptera de revenir ici ?

Bob avait passé tout son séjour chez moi sous sa forme féline. J'avais donc quelques doutes.

— Je vais lui demander, mais si je ne te rappelle pas, c'est que je viens.

— Merci du fond du cœur !

Mes muscles se sont enfin relâchés – je n'avais pas remarqué à quel point j'étais tendue. Amelia allait venir. Ouf.

C'était étrange. La présence de mes deux faé aurait dû me rassurer. Ils étaient de ma famille et je me sentais heureuse et détendue lorsqu'ils étaient présents. Je faisais pourtant plus confiance à Amelia.

146

Il fallait bien avouer que je ne savais jamais quand Claude et Dermot allaient passer la nuit sous mon toit. Ils dormaient de plus en plus souvent à Monroe.

Comme ils occupaient le premier étage, j'allais devoir installer Amelia et Bob dans la chambre de l'autre côté du couloir. Le lit de mon ancienne chambre était étroit, mais ils étaient plutôt minces tous les deux.

Toutes ces considérations n'étaient qu'un prétexte pour occuper mon esprit. Je me suis versé une tasse de café avant de saisir l'enveloppe et le sachet de velours. Je me suis assise à la table de cuisine et les ai posés devant moi. Pendant un instant, j'ai eu l'affreuse tentation d'ouvrir la poubelle et de les jeter dedans, sans les ouvrir, sans avoir pu apprendre ce qu'ils allaient me révéler.

Mais ça ne se fait pas. On se doit d'ouvrir ce qui doit être ouvert.

J'ai soulevé le rabat et vidé l'enveloppe. La mariée avec sa robe imposante me fixait sans expression tandis qu'une lettre jaunie apparaissait. Elle me semblait poussiéreuse, comme si les années passées dans le grenier s'étaient infiltrées dans les fissures microscopiques du papier. En soupirant, j'ai fermé les yeux tout en me préparant. Puis j'ai déplié le papier et baissé les yeux sur les mots écrits par ma grand-mère.

La douleur m'a frappée sans prévenir quand j'ai vu l'écriture tant aimée de Gran – pointue, serrée, avec son orthographe et sa ponctuation parfois fantaisistes. J'avais lu je ne sais combien de choses écrites de sa main : listes de courses, consignes, recettes, et même quelques lettres à mon intention. J'en avais encore une liasse dans ma table de nuit.

Sookie, je suis tellement fière que tu aies eu ton diplôme de fin d'année au lycée. J'aurais tant aimé que ton père et ta mère soient présents pour te voir avec ta toque et ta robe.

Sookie, range ta chambre. Je ne peux pas passer l'aspirateur si je ne vois pas le sol.

Sookie, c'est Jane qui passera te prendre après l'entraînement de softball, je vais à une réunion du club de jardinage.

J'étais certaine que cette lettre-ci serait bien différente. J'avais raison. Elle commençait sur un ton assez formel.

Ma chère Sookie,
Je pense que si quelqu'un peut trouver ceci, ce sera toi. Je ne peux laisser ceci nulle part ailleurs, et quand j'estimerai que tu es prête, je te dirai où je l'ai mis.

Les larmes me sont montées aux yeux. Elle avait été assassinée avant. Peut-être n'aurais-je jamais été prête.

Tu sais que j'aimais ton grand-père plus que tout au monde.

En tout cas, c'est ce que j'avais cru. Je pensais que leur couple était solide comme un roc. Certains éléments suggéraient toutefois que ce n'était pas le cas.

Mais je voulais tellement, tellement avoir des enfants. Je pensais que si j'en avais, ma vie deviendrait parfaite. Je n'avais pas compris que le fait de demander à Dieu de nous donner une vie parfaite était stupide. J'ai été tentée, au-delà de mes capacités à résister. Je crois que Dieu m'a punie pour ma convoitise.
Il était si beau. Mais quand je l'ai vu, je savais déjà qu'il n'était pas une véritable personne. Il m'a dit plus tard qu'il était en partie humain, mais je n'ai jamais vu beaucoup d'humanité en lui. Ton grand-père était parti pour Baton Rouge. À l'époque, c'était un long trajet. Plus tard dans la matinée, il y avait eu une tempête qui avait abattu un grand pin sur l'allée. J'essayais de scier le pin pour que ton grand-père puisse ramener le camion vers la maison à son retour. J'ai fait une pause et je suis allée vers l'arrière de la maison pour voir si le linge sur le fil était sec. Et il est sorti des bois. Quand il m'a aidée à bouger l'arbre – en fait, il l'a bougé tout seul – j'ai dit « Merci », naturellement. Je ne sais pas si tu le sais, mais quand on remercie l'un

d'eux, on a une obligation envers lui. Je ne sais pas pourquoi, c'est juste de la politesse.

Claudine me l'avait effectivement expliqué un jour en passant, dans les débuts. J'avais cependant cru qu'il s'agissait simplement de protocole faé. Attachée à être polie, j'avais toujours fait attention de ne jamais remercier Niall en ces termes, même lorsque nous avions échangé nos cadeaux pour Noël. J'avais d'ailleurs dû me contrôler sévèrement pour ne pas dire « Merci ». Au lieu de cela, je prononçais plutôt des phrases telles que : « Oh, vous avez pensé à moi ! Ça me fait très plaisir ! » avant de serrer les lèvres fermement. Claude par contre... Je le voyais si souvent que j'étais certaine de l'avoir remercié de sortir la poubelle ou de me passer le sel. Et merde.

Bref, je lui ai demandé s'il voulait quelque chose à boire et il avait soif. Et moi je me sentais si seule, et je voulais un bébé. Ton grand-père et moi, on était mariés depuis cinq ans à l'époque. Et toujours pas de bébé. J'avais compris que quelque chose n'allait pas, mais on a su que plus tard, quand le médecin nous a dit que les oreillons avaient... enfin bon. Pauvre Mitchell. C'était pas sa faute, c'était la maladie. Je lui ai simplement dit que c'était un miracle d'en avoir eu deux et que ce n'était pas grave, si on n'avait pas les cinq ou six qu'il avait espérés. Et il ne s'est même pas étonné. Il était tellement certain que je ne l'avais jamais trompé. La culpabilité me brûlait comme un sac de braises sur le crâne. Que je l'aie fait une fois, c'était déjà mal. Mais deux ans plus tard, Fintan est revenu, et je l'ai refait. Et à d'autres occasions aussi. C'était si étrange. Parfois, j'avais l'impression de sentir son odeur ! Je me retournais, mais finalement c'était Mitchell.
Mais le fait d'avoir ton papa et Linda, ça compensait toute ma culpabilité. Je les aimais si fort. J'espère que ce n'est pas mon péché qui les a fait mourir tous les deux si jeunes. Au moins, Linda a eu Hadley, où qu'elle soit maintenant, et Corbett vous a eus, toi et Jason. Ça a été une bénédiction et un

grand privilège, que de vous regarder grandir. Les mots me manquent pour dire combien je vous aime tous les deux.

Bon, j'écris bien longuement. Je t'aime, ma chérie. Maintenant, je dois te parler de l'ami de ton grand-père. C'était un homme très grand et très brun. Il parlait drôlement bien. Il disait qu'il était un peu votre champion, comme une sorte de parrain. Mais je ne lui faisais pas confiance pour deux sous. C'était sûrement pas un bon croyant. Il est passé après la naissance de Corbett et Linda. Et après la vôtre. Je pensais qu'il reviendrait peut-être, et effectivement, il est apparu sans prévenir, une fois quand je gardais Jason et une fois quand je te gardais, toi. Vous étiez au berceau, à l'époque. D'après lui, il vous a donné un cadeau à chacun. Si c'est le cas, ce n'était pas le genre de cadeau que je pouvais mettre à la banque, et ça m'aurait pourtant bien arrangée, quand vous êtes venus vivre avec moi.

Et puis il est revenu encore une fois, il y a quelques années. Il m'a donné ce truc vert. Il a dit que les faé se l'offrent quand ils sont amoureux, et que Fintan lui avait demandé de me l'apporter s'il mourait avant moi. Il a dit que c'était un objet enchanté. Et puis il a dit qu'il espérait que je n'aurais jamais besoin de l'utiliser. Mais si on doit l'utiliser malgré tout, il faut savoir qu'on ne peut s'en servir qu'une seule fois. Ce n'est pas comme la lanterne dans le conte, on ne peut pas faire plein de vœux. Il a dit que c'était un cluviel dor, et il m'a montré comment déclencher le sort.

Alors je crois que Fintan est mort, mais j'avais peur de poser des questions à cet homme. Je n'ai pas vu Fintan depuis la naissance de ton papa et de Linda. Il les a tenus dans ses bras, et puis il est parti. Il a dit qu'il ne pourrait plus jamais revenir. Jamais. Que c'était trop dangereux pour moi et pour les gamins. Que ses ennemis le suivraient ici, s'il continuait de venir, même s'il se déguisait. Je crois que c'était sa façon d'avouer qu'il était déjà venu en déguisement, et ça m'inquiète. Et pourquoi il avait des ennemis ? Je crois que les faé ne s'entendent pas toujours très bien entre eux, comme les humains. À vrai dire, je me sentais de plus en plus coupable vis-à-vis de ton grand-père, chaque fois que je voyais Fintan.

150

Alors quand il a dit qu'il partait pour de bon, en fait, je me suis sentie plutôt soulagée. Je me sens toujours rudement coupable, mais quand je pense à ton père et à Linda, que j'ai élevés, je suis tellement heureuse de les avoir eus. Et de vous élever, Jason et toi, ça a été un grand bonheur.

Bref. Cette lettre t'appartient maintenant, car je te laisse la maison et le cluviel dor. Ça peut sembler injuste, que Jason ne reçoive rien de magique, mais l'ami de ton grand-père a expliqué que Fintan vous avait observés tous les deux, et que c'était à toi qu'il devait revenir. J'espère que tu n'auras jamais besoin de savoir tout ceci. Je me suis toujours demandé si ton problème venait du fait que tu as du sang faé, mais à ce moment-là, pourquoi est-ce que ce n'est pas pareil pour Jason ? Ou pour ton papa et Linda, d'ailleurs ? Ou alors, le fait que tu « saches » certaines choses, c'est peut-être juste un hasard. J'aurais tellement aimé te guérir de ça, pour que tu aies une vie normale, mais il faut prendre ce que Dieu nous donne, et tu t'es montrée très forte là-dessus.

Fais bien attention à toi. J'espère que tu n'es pas en colère contre moi, et que tu ne me méprises pas. Les enfants de Dieu sont tous des pécheurs. Au moins, mon péché a entraîné ta vie, celle de Jason et celle de Hadley.

Adele Hale Stackhouse (ta grand-mère)

J'étais assaillie par tant d'informations et d'émotions que je ne savais plus par où commencer.

Tout à la fois assommée, stupéfaite, désorientée et avide d'en savoir plus, je me suis emparée sans réfléchir de ma seconde relique, le petit sachet de velours défraîchi. J'ai défait le lien, qui s'est effrité sous mes doigts, ouvert l'aumônière et laissé tomber l'objet dur – le cluviel dor, le cadeau de mon grand-père faé – dans la paume de ma main.

Je suis tombée sous son charme, instantanément.

Il était d'un vert pâle et crémeux, ourlé d'or. Il me rappelait les tabatières de la boutique d'antiquités, mais rien chez Splendide n'était aussi beau. Je ne voyais ni fermoir, ni serrure. Rien ne s'est ouvert brusquement lorsque j'ai doucement appuyé sur le couvercle puis essayé de le dévisser. Il y avait pourtant bien un couvercle serti d'or. Hmm. Le coffret rond n'était donc pas encore prêt à révéler son secret.

Très bien. J'allais sans doute devoir effectuer quelques recherches. J'ai placé l'objet sur le côté et suis restée assise à regarder dans le vide, les mains jointes sur la table. Les pensées se bousculaient dans mon esprit.

De toute évidence, Gran était très émue lorsqu'elle avait écrit la lettre. Si notre « parrain » en avait dit plus à Gran sur ce présent, soit elle avait négligé de le mentionner, soit elle avait tout simplement oublié le détail. Je me demandais à quel moment elle s'était forcée à écrire cette confession. En toute logique, c'était après le décès de Tante Linda, survenu alors que Gran avait dans les soixante-dix ans. Quant à l'ami de mon grand-père biologique, j'étais presque certaine de l'avoir reconnu à sa description. Le « parrain » devait être Maître Cataliades, avocat et démon. Il avait dû en coûter beaucoup à Gran d'avouer – et sur papier, en plus – qu'elle avait couché avec quelqu'un d'autre que son mari. Ma grand-mère avait certes un tempérament très marqué, mais elle était également très croyante et pratiquante. Cet aveu avait dû la hanter.

Elle se jugeait certainement sévèrement. Toutefois, maintenant que je m'étais remise du choc d'avoir compris que ma grand-mère était également femme, je me sentais incapable de la juger. Comment aurais-je pu lui jeter la pierre ? Le pasteur m'avait expliqué que tous les péchés sont égaux devant Dieu. Cependant, je ne pouvais m'empêcher d'estimer, par exemple, qu'un pédophile était bien pire que quelqu'un qui fraudait le fisc, ou qu'une femme esseulée qui s'abandonnait parce qu'elle voulait un enfant. J'avais certainement tort, parce que nous ne sommes pas censés choisir les règles auxquelles nous voulons bien obéir. C'était néanmoins ma propre conception des choses.

J'ai repoussé mes réflexions confuses dans un coin de ma tête et repris le cluviel dor. Son toucher incroyablement doux n'était que pur plaisir. Il provoquait en moi autant de bonheur que lorsque je serrais mon arrière-grand-père dans mes bras – mais puissance mille. Le cluviel dor faisait la même taille que deux biscuits Oreo l'un sur l'autre. Je l'ai frotté contre ma joue. J'avais envie de ronronner.

Fallait-il un mot magique pour l'ouvrir ?

— Abracadabra, merci, et s'il te plaît.

Rien. Ça n'a pas marché, et en plus, je me suis sentie très bête.

— Sésame, ouvre-toi, ai-je murmuré. Go-go, gadget à l'ouverture.

Toujours rien.

Mais toutes ces formules magiques ont fait naître une idée. J'ai décidé d'envoyer un mail à Amelia, car le message était difficile à formuler. Je sais que la messagerie n'est pas un moyen de communication tout à fait sûr, mais je ne pensais pas que mes rares courriers puissent représenter grand-chose aux yeux de quiconque. Voici ce que j'ai écrit :

« Je suis désolée de t'embêter, mais en plus de cette recherche que tu fais pour moi sur le lien de sang, est-ce que tu pourrais te renseigner au sujet d'un truc de faé ? Initiales : cd. »

Je n'ai rien trouvé de plus subtil.

Puis j'ai repris ma contemplation du cluviel dor. Fallait-il être faé pure souche, pour obtenir son ouverture ? Non, c'était impossible. Il avait été offert à ma grand-mère, probablement pour qu'elle l'emploie en cas de nécessité absolue, et elle était bien un être humain, et rien d'autre.

Si seulement l'objet ne s'était pas trouvé si loin, dans le grenier, lorsqu'on l'avait attaquée ! Chaque fois que je repensais à la façon dont elle avait été jetée et abandonnée par terre, comme un simple déchet de viande morte, noyée dans son sang, j'étais secouée de fureur, et il me prenait l'envie de vomir. Peut-être qu'elle aurait pu sauver sa propre vie, si elle avait eu le temps d'aller chercher le cluviel dor.

À cette pensée, j'en ai soudain eu assez. J'ai rangé le cluviel dor dans son petit sac et glissé la lettre de Gran dans l'enveloppe à patrons. J'avais eu mon content de bouleversements pour l'instant.

Il me fallait maintenant dissimuler ces objets. Malheureusement, leur excellente cachette initiale était partie pour une boutique de Shreveport.

Pourquoi ne pas appeler Sam ? Il pourrait les placer dans son coffre, au *Merlotte*. Mais non. Avec tout ce qui s'était passé là-bas, le bar n'était pas un bon endroit pour des choses qui me tenaient tant à cœur. Elles n'y seraient pas en sécurité. Je pouvais également aller à Shreveport et utiliser ma clé personnelle pour pénétrer chez Eric et y rechercher un emplacement sûr. D'ailleurs, il était fort probable qu'Eric possède également un coffre-fort. Il n'avait certainement jamais eu l'occasion de me le montrer, tout simplement. Après y avoir réfléchi, cependant, cette solution ne m'a pas séduite non plus.

Je me suis demandé si mon désir de conserver ces articles chez moi ne tenait pas du fait que je ne voulais pas être séparée du cluviel dor. D'où me venait cet étrange sentiment ? J'ai haussé les épaules. Dans tous les cas, j'étais certaine que c'était chez moi qu'ils seraient le plus en sécurité, du moins pour l'instant. J'ai pensé à ranger la boîte lisse et verte dans ma cachette à vampires, au fond du placard de la chambre d'amis. Mais il n'y avait rien, à l'intérieur, et le cluviel dor ne serait pas véritablement dissimulé. Par ailleurs, Eric pouvait décider d'y passer la journée.

Après encore bien des hésitations, j'ai finalement glissé l'enveloppe à patrons dans la boîte de papiers du grenier. Personne ne s'y intéresserait. Le cluviel dor me causait toujours plus de difficultés, et ce au moins en partie parce que je devais constamment résister à la tentation de le ressortir du sachet. Obnubilée de la sorte, je commençais à ressembler à Gollum...

— Mon précieux... ai-je chuchoté en sifflant.

Dermot et Claude devineraient-ils la présence du talisman ? Non, certainement pas. Il s'était trouvé dans le grenier pendant tout ce temps, et ils ne l'avaient jamais trouvé.

Ah. Et s'ils étaient venus vivre ici justement dans ce but ? Soupçonnaient-ils qu'il se trouvait en ma possession ? Ou

154

alors – hypothèse plus probable d'ailleurs – ils habitaient ici parce que sa présence les réconfortait…

Ce n'était qu'une ébauche de raisonnement mais très rapidement, j'étais sûre de moi : ce n'était pas mon sang faé, qui les attirait. C'était le cluviel dor.

Tu es complètement parano, arrête ça ! me suis-je dit fermement. Et j'ai risqué un nouveau regard sur la surface verte et crémeuse. Ce cluviel dor ressemblait à… un petit poudrier. Et voilà : j'avais trouvé la cachette idéale. Je l'ai sorti de la poche de velours et l'ai glissé dans le tiroir à maquillage de ma coiffeuse. Puis j'ai éparpillé un peu de poudre libre sur la surface luisante. J'y ai même rajouté un cheveu de ma brosse. Parfait ! J'étais ravie du résultat. Ensuite, j'ai fourré le petit sac de velours, qui se désagrégeait petit à petit, avec mes collants et mes ceintures dans un tiroir. Ma raison m'expliquait qu'il s'agissait simplement d'un vieux bout de tissu en lambeaux, mais mon cœur m'assurait qu'il était important, parce que ma grand-mère et mon grand-père l'avaient touché.

Mon esprit avait tellement bouillonné qu'il a décidé de faire grève pour le reste de la journée. Après avoir fait un peu de ménage, je me suis assise devant la télévision pour regarder le tournoi universitaire de softball World Series, sur ESPN. J'adore le softball, et j'y jouais à l'époque du lycée. J'aime bien voir toutes ces jeunes femmes vigoureuses accourir des quatre coins de l'Amérique. J'adore les regarder jouer, avec tout ce qu'elles ont, à fond, sans aucune retenue.

Soudain, une pensée m'a frappée. Je connaissais deux jeunes femmes de ce style précis : Sandra Pelt ; et Jannalynn Hopper.

Je sentais qu'il y avait là une conclusion à tirer, mais je ne parvenais pas à mettre le doigt dessus…

7

Dimanche soir, j'ai entendu mes deux colocataires rentrer. Il n'était pas très tard. Le *Hooligans* étant fermé le dimanche, j'ai essayé de ne pas me préoccuper de ce qu'ils avaient bien pu faire toute la journée. Ils dormaient encore, lorsque j'ai préparé mon café lundi matin. Je me déplaçais dans la maison en faisant le moins de bruit possible, tout en m'habillant et en vérifiant ma messagerie : Amelia m'a écrit pour dire qu'elle était en chemin, rajoutant mystérieusement qu'elle avait quelque chose d'important à me dire. Avait-elle déjà trouvé des informations sur mon « cd » ?

Tara avait envoyé un message groupé, avec une photo d'elle et de son gros ventre. Ce qui m'a rappelé que la Baby Shower que je donnais pour elle était prévue pour le week-end prochain. Panique à bord ! Mais je me suis calmée presque immédiatement. Les invitations étaient parties, j'avais acheté son cadeau, et j'avais tout organisé pour la nourriture. Je ne pouvais pas être plus prête. Il ne restait plus qu'une tornade de ménage à faire au dernier moment.

Aujourd'hui, je prenais le premier service. Pendant que je me maquillais, j'ai sorti le cluviel dor pour le tenir contre mon cœur. Il paraissait important de le toucher, et mon contact semblait lui donner de la vitalité, ma peau le réchauffer très rapidement. Quelque chose au sein de ce petit volume vert et lisse semblait prendre vie. Moi aussi, je me sentais plus vivante. En frémissant, j'ai pris une inspiration profonde avant de le replacer dans son tiroir, sans

156

oublier de le poudrer de nouveau, pour donner l'impression qu'il n'avait jamais bougé de là. Puis j'ai refermé le tiroir à regret.

Ce jour-là, je me suis sentie très proche de ma grand-mère. En chemin pour le travail, j'ai beaucoup pensé à elle. Pendant que je préparais ma salle aussi, ainsi que de façon inattendue, par-ci, par-là, alors que je m'affairais pour mon service.

Andy Bellefleur est venu déjeuner avec le Shérif Dearborn. J'étais un peu surprise qu'Andy revienne s'asseoir au *Merlotte* après l'invasion qui avait eu lieu deux jours auparavant. Mais mon policier nouvellement préféré semblait plutôt joyeux d'être là, échangeant des plaisanteries avec son patron tout en mangeant une salade avec une vinaigrette allégée. Ces jours-ci, Andy semblait plus jeune et mince. Le mariage et la perspective d'être bientôt père lui convenaient visiblement très bien. Je lui ai demandé comment se portait Halleigh.

— Elle dit que son bidon est gigantesque, mais ce n'est pas vrai, a-t-il répondu en souriant. Je crois qu'elle est contente que l'année scolaire soit terminée. Elle est en train de faire des rideaux pour la chambre du bébé.

Halleigh était institutrice.

— Mlle Caroline serait tellement fière, ai-je fait remarquer.

Caroline Bellefleur, la grand-mère d'Andy, avait quitté ce monde quelques semaines plus tôt.

— Je suis content qu'elle ait su avant de partir, a dit Andy. Au fait, tu savais que ma sœur est enceinte aussi ?

J'ai tenté de cacher ma surprise. Andy et Portia avaient organisé leurs mariages en simultané, dans le jardin de leur grand-mère. Je ne m'étais pas étonnée d'apprendre que l'épouse d'Andy attendait un bébé, mais je n'aurais jamais pensé que Portia, plus âgée, soit quelqu'un qui souhaitait devenir mère. J'ai dit à Andy à quel point j'étais contente, et c'était même vrai.

— Tu veux bien le dire à Bill ? a demandé Andy presque timidement. Je ne suis toujours pas très à l'aise, à l'idée de l'appeler.

Bill Compton, mon voisin et ex-petit ami, était de plus un vampire. Juste avant le décès de Mlle Caroline, il avait fini par révéler aux Bellefleur qu'il était leur ancêtre. Mlle Caroline avait été enchantée de cette nouvelle pour le moins étrange. Mais pour Andy, un homme fier qui n'était pas particulièrement attaché aux morts-vivants, il avait été plus difficile de digérer l'information. Portia était même sortie avec Bill à plusieurs occasions – à l'époque, il n'avait pas encore compris leur lien de parenté. Plutôt gênant… Elle et son époux avaient pourtant mis leurs doutes de côté et accepté la présence de ce nouvel ancêtre avec une grande dignité – ce qui m'avait d'ailleurs agréablement étonnée.

— Je suis toujours contente de transmettre de bonnes nouvelles, mais il serait content de l'entendre de toi.

— J'ai, euh, j'ai appris qu'il avait une nouvelle petite amie vampire ?

Je me suis efforcée de prendre un air enjoué.

— Oui, ça fait quelques semaines qu'elle est chez lui. On n'en a pas tellement parlé.

Pas du tout, en fait.

— Tu l'as rencontrée, alors.

— Oui, elle a l'air sympa.

En fait, c'était moi qui les avais réunis. Mais je n'avais aucune envie de partager quoi que ce soit à ce sujet.

— Si je le vois, Andy, je le lui dirai pour toi. Et je sais qu'il voudra être averti de la naissance du bébé. Vous savez si c'est un garçon ou une fille ?

— C'est une fille, a-t-il répondu avec un sourire à se décrocher la mâchoire. On va l'appeler Caroline Compton Bellefleur.

— Oh ! Andy. C'est vraiment formidable, ça !

C'était ridicule, mais j'étais vraiment heureuse de l'apprendre – parce que je savais que Bill le serait également.

Andy a pris l'air gêné. Lorsque son portable a sonné, il était manifestement soulagé. Après avoir jeté un œil au numéro qui s'affichait, il a ouvert son téléphone en souriant.

— Salut, chérie... Oui, bien sûr, je t'apporte un milk-shake. À tout à l'heure.

Bud revenait à la table et Andy a regardé la note avant de poser un billet de dix sur la table.

— Voilà ma part, garde la monnaie. Bud, il faut que je passe à la maison. Halleigh veut que je pose la tringle dans la chambre du bébé et, en plus, il lui faut absolument un milk-shake au caramel. J'en ai pour dix minutes maxi.

Puis il est sorti, sans quitter son grand sourire.

Bud a repris sa place, tandis qu'il sortait lentement ses propres billets de son vieux portefeuille usé.

— Halleigh va en avoir un, Portia aussi, et il paraît que Tara en attend deux. Sookie, toi aussi, il te faut un petit, m'a-t-il fait remarquer avant de prendre une gorgée. Très bon, ce thé glacé.

Il a reposé son verre vide, qui a fait un petit bruit sourd en heurtant la table.

— Je ne suis pas obligée d'avoir un bébé juste pour imiter les autres femmes. J'en aurai un quand je serai prête.

— Eh ben tu ne risques pas d'en avoir si tu continues à sortir avec de la viande froide. Et ta grand-mère, tu crois qu'elle dirait quoi ?

Le tact ne faisait pas partie de ses qualités.

J'ai pris l'argent et j'ai tourné les talons avant de m'éloigner. J'ai demandé à Danielle de rapporter sa monnaie à Bud. Je n'avais plus envie de lui parler.

Je sais, c'était franchement stupide. Il allait falloir que je me blinde un peu plus. Et Bud n'avait dit que la vérité. Évidemment, pour lui, toute jeune femme veut des enfants, et il ne faisait que me démontrer que je m'y prenais mal. Comme si je n'en étais pas consciente ! Et effectivement, qu'en aurait dit Gran ?

Quelques jours plus tôt, j'aurais pu répondre à cette question sans hésiter. Mais maintenant, j'avais quelques hésitations. Il y avait tellement de choses que je n'avais pas sues, à son sujet. À mon avis, pourtant, elle m'aurait conseillé d'écouter mon cœur. Et Eric, je l'aimais.

Tandis que j'apportais un panier menu burger à la table de Maxine Fortenberry, qui déjeunait avec Elmer Claire Vaudry, je me suis surprise à attendre la tombée de la nuit avec une impatience presque désespérée. C'est à ce moment-là qu'il se réveillerait. J'avais besoin d'être rassurée par sa présence, d'être assurée qu'il m'aimait lui aussi, de ressentir cette passion qui s'animait entre nous au contact l'un de l'autre.

Alors que j'attendais une commande au passe-plat, je regardais Sam tirer une pression. Je me demandais s'il ressentait la même chose pour Jannalynn. Il sortait avec elle depuis plus longtemps qu'avec aucune autre depuis que je le connaissais. Je me disais que cela devait être plus sérieux pour lui cette fois-ci, car il s'organisait pour avoir des nuits, pour la voir plus souvent. Il n'avait jamais fait cela auparavant. Sam m'a souri quand son regard a accroché le mien. C'était vraiment bien, de le voir heureux.

Même si Jannalynn n'était franchement pas assez bien pour lui.

Surprise par cette pensée, j'ai failli mettre la main sur ma bouche. C'était presque comme si je l'avais formulée tout haut et je me suis sentie envahie par la culpabilité. Je me suis tancée sévèrement : leur relation ne me regardait absolument pas. Mais une voix plus douce me disait que Sam était mon ami, et que Jannalynn était trop violente et impitoyable pour le rendre heureux sur la durée.

Jannalynn avait certes tué, mais moi aussi. Peut-être que j'estimais qu'elle était violente parce qu'il me semblait qu'il lui arrivait de trouver du plaisir à tuer. L'idée que je puisse finalement ressembler à Jannalynn m'a déprimée – combien de personnes aurais-je souhaité voir mortes ?

Mais cette journée allait bien finir par s'éclairer, non ?

Espoir fatal, comme presque toujours.

Sandra Pelt a fait son entrée dans le bar d'un pas énergique. Je ne l'avais pas vue depuis longtemps – et la dernière fois, elle essayait de me tuer. À l'époque, ce n'était qu'une

160

adolescente et j'avais l'impression aujourd'hui qu'elle n'avait toujours pas atteint la vingtaine. Elle paraissait cependant plus âgée, son corps avait mûri, et sa coupe hirsute toute mignonne offrait un contraste saisissant avec la grimace de rage qui la défigurait. Une véritable aura de haine l'environnait. Sa minceur était convenablement couverte d'un jean et d'un débardeur porté sous une chemise ouverte, mais son visage ne cachait rien de sa folie meurtrière. On voyait bien qu'elle adorait faire mal. Et dans son esprit, c'était tout aussi apparent. Ses mouvements saccadés trahissaient son agitation et elle dardait son regard en tous sens d'une personne à l'autre. Puis ses yeux ont trouvé les miens et se sont éclairés violemment, étincelant comme les feux d'artifice du 4 Juillet. Son cerveau m'était grand ouvert. J'y ai vu qu'elle portait une arme coincée dans son dos, dans la ceinture de son jean.

— Oh, oh, ai-je émis à voix basse.

— Mais qu'est-ce qu'il faut que je fasse ? a-t-elle hurlé d'une voix stridente.

Dans tout le bar, les conversations se sont éteintes. Du coin de l'œil, j'ai vu que Sam se baissait pour prendre quelque chose sous le bar. Il n'y arriverait jamais à temps.

— J'essaie de te brûler, et le feu s'éteint, continuait-elle à tue-tête, je donne de la drogue et du sexe gratos à ces connards et je les envoie te prendre et ils merdent ! J'essaie de rentrer chez toi et la magie m'empêche de rentrer ! Ça fait je ne sais combien de fois que j'essaie de te tuer et rien à faire ! Tu refuses de mourir !

J'ai failli lui faire des excuses.

Ce n'était pas plus mal, que Bud Dearborn entende tout cela. Malheureusement, toutefois, il se tenait face à Sandra, avec sa table entre eux deux. J'aurais préféré qu'il se trouve derrière elle. Sam a commencé à se déplacer vers sa gauche, mais la tablette se trouvait sur sa droite. Comment allait-il passer par-dessus le comptoir pour arriver derrière elle avant qu'elle ne se décide à me tuer ? Mais ce n'était pas son intention : tandis que Sandra concentrait toute son attention sur moi, il a discrètement tendu la batte à Terry Bellefleur, qui, avant l'incident, jouait aux flé-chettes avec un autre vétéran. Terry devenait un peu fou de temps à autre, et il portait de terribles cicatrices. Mais je l'avais toujours apprécié et on s'entendait bien. Terry a posé la main sur la batte. Heureusement, la musique du juke-box couvrait tous les petits bruits.

Ironie du sort, ce dernier jouait la vieille ballade roman-tique de Whitney Houston, « I Will Always Love You » : « Je t'aime pour toujours ».

— Pourquoi tu envoies toujours d'autres personnes pour faire ton boulot ? lui ai-je demandé pour masquer la pro-gression discrète de Terry. Tu crois qu'une femme n'en est pas capable ? Tu ne serais pas un peu dégonflée ?

Ce n'était sans doute pas une très bonne idée, de provo-quer Sandra, car sa main s'est projetée derrière son dos avec la vitesse dont seul un hybride peut faire preuve. Son arme était soudain bien en vue et dirigée vers moi. Puis j'ai vu son doigt commencer à appuyer sur la gâchette, dans un mouvement qui semblait s'étirer à l'infini dans le temps.

Ensuite la batte s'est abattue et l'a frappée, et Sandra s'est affalée, comme un pantin dont on aurait coupé les fils. Il y avait du sang partout.

Et Terry est devenu dingue. Ayant lâché la batte comme si elle le brûlait, il s'est accroupi en hurlant. Quoiqu'on lui dise (le plus fréquent, c'était « TERRY, FERME-LA ! »), il continuait de mugir.

Jamais je n'aurais cru que je me retrouverais un jour assise par terre à tenir Terry Bellefleur dans mes bras, en train de le bercer et de lui murmurer des paroles apai-santes. C'est pourtant bien ce que j'ai fait : si quelqu'un d'autre l'approchait, il reprenait de plus belle. Même les ambulanciers se sont montrés nerveux en recevant les cris stridents que Terry leur lançait à la figure. Après le départ de Sandra Pelt pour l'hôpital de Clarice, il est resté là, ramassé sur lui-même, à se balancer sur les talons, écla-boussé de sang.

162

J'avais une certaine dette envers Terry. Il s'était toujours montré bienveillant avec moi, même s'il traversait une mauvaise passe. Il était venu nettoyer les ruines de ma cuisine, brûlée par un incendiaire. Il m'avait proposé un de ses chiots. Et maintenant, il avait détruit son fragile équilibre pour me sauver la vie. Tandis que je le tenais contre moi en lui tapotant le dos, il pleurait toutes les larmes de son corps et j'écoutais le flot de paroles qu'il déversait. Les quelques clients du *Merlotte* qui se trouvaient encore là faisaient gentiment de leur mieux pour rester à l'écart.

— Moi j'ai fait ce qu'il m'a dit, le monsieur tout brillant, disait Terry. J'ai gardé l'œil sur Sookie, j'ai essayé de la protéger, personne ne doit faire du mal à Sookie, j'ai essayé de veiller sur elle, et puis aujourd'hui cette salope est venue ici et je savais qu'elle allait tuer Sook, je le savais, je ne voulais pas faire couler le sang, plus jamais, mais je ne pouvais pas la laisser tuer Sookie, je ne pouvais pas, mais moi je ne voulais plus jamais tuer personne, personne, plus jamais.

J'ai déposé un baiser sur sa tête.

— Terry, elle n'est pas morte. Tu n'as tué personne.

— Mais Sam m'a passé la batte, a-t-il protesté, soudain plus attentif.

— Oui, bien sûr, parce qu'il n'aurait pas pu se dégager du comptoir à temps. Merci, Terry, merci vraiment. Tu as toujours été un ami pour moi. Que Dieu te bénisse, tu m'as sauvé la vie.

— Sookie ? Tu savais qu'ils voulaient que je te protège ? Ils sont venus me voir la nuit dans mon mobile home, pendant des mois, le grand blond et puis le monsieur tout brillant. Ils voulaient toujours que je leur parle de toi.

— Oui, je sais, ai-je répondu tout en pensant « *Hein ?* ».

— Ils voulaient savoir comment tu t'en sortais, avec qui tu traînais, qui t'aimait bien, qui te détestait...

— Ne t'inquiète pas, tu as eu raison de leur parler.

Eric et mon grand-père. Évidemment. Toujours à choisir le plus fragile, le plus facile à manipuler. J'avais su qu'Eric m'avait fait surveiller quand je sortais avec Bill, puis plus tard, alors que j'étais seule. Et j'avais bien deviné

163

que mon grand-père devait avoir une source d'information, lui aussi. Il avait découvert Terry, tout seul ou avec l'aide d'Éric. Quoi qu'il en soit, c'était typique de sa part, d'exploiter l'outil le plus pratique, même s'il devait se briser en chemin.

— J'ai rencontré Elvis dans tes bois, un soir, a poursuivi Terry.

L'un des urgentistes lui avait fait une injection, et j'avais l'impression qu'elle commençait à faire effet.

— À ce moment-là, j'ai su que j'étais devenu dingue. Il m'a raconté qu'il adorait les chats. Et je lui ai dit que moi, c'était plutôt les chiens.

Pour celui qu'on avait connu sous le nom d'Elvis, dans une vie antérieure, la transformation en vampire n'avait pas été un succès : lorsqu'un fan absolu l'avait fait passer de l'autre côté, dans une morgue de Memphis, son système était saturé de drogue. Le vampire préférait maintenant se faire appeler Bubba, et il avait une préférence marquée pour le sang de félin – fort heureusement pour Annie, la chienne catahoula bien-aimée de Terry.

Le débit des paroles de Terry ralentissait, sa voix se faisant de plus en plus ensommeillée.

— On s'entendait super bien. Je crois que je vais rentrer, maintenant.

— On va t'emmener au mobile home de Sam, c'est là que tu vas te réveiller, lui ai-je expliqué – je ne voulais surtout pas qu'il se réveille en panique.

La police avait pris ma déposition de façon sommaire, et au moins trois témoins avaient entendu Sandra clamer qu'elle avait mis le feu au bar.

J'étais restée au bar bien plus longtemps que prévu, et la nuit était maintenant tombée. Je savais qu'Eric se tenait dehors et m'attendait. Je n'avais qu'une envie : passer le bébé à quelqu'un d'autre, pour Terry. Mais rien à faire, je ne pouvais pas. Ce qu'il avait fait pour moi lui avait infligé encore plus de mal, et je ne pourrais jamais réparer cette blessure. Pour ma part, ce n'était pas grave qu'il m'ait surveillée – espionnée, en fait – pour le compte d'Eric avant

164

que nous ne soyons ensemble ; ou pour celui de mon grand-père. À moi, ça n'avait fait aucun mal. Mais je connaissais Terry. Je savais bien qu'ils avaient dû employer un moyen de pression ou un autre.

Sam et moi avons aidé Terry à se relever et à marcher pour prendre le couloir qui menait vers l'arrière du bar, puis pour traverser le parking des employés afin d'atteindre le mobile home de Sam.

— Ils ont promis qu'ils ne laisseraient rien arriver à ma chienne, a chuchoté Terry. Et ils ont promis que les rêves s'arrêteraient.

— Et ils ont tenu leurs promesses ? ai-je demandé d'une voix tout aussi basse.

— Oui, a-t-il répondu d'un ton reconnaissant, plus de rêves, et ma chienne va bien.

Quel marché. J'aurais dû ressentir plus de colère envers Terry, mais je n'en avais plus la force, j'étais épuisée.

Eric était debout dans l'ombre des arbres. Il se tenait en retrait pour que sa présence ne perturbe pas Terry. À l'expression soudain crispée de Sam, j'ai compris qu'il était conscient qu'Eric était là, mais il n'a rien dit.

Nous avons installé Terry sur le canapé et il s'est laissé aller, s'abandonnant au sommeil. Puis j'ai serré Sam contre moi.

— Merci.

— Pour quoi ?

— D'avoir passé la batte à Terry.

Sam a fait un pas en arrière.

— C'est tout ce que j'ai trouvé, comme solution. Je ne pouvais pas me dégager du comptoir sans alerter Sandra. Il fallait absolument la prendre par surprise, sinon, c'était fichu.

— Elle est si forte que ça ?

— Ouais. Et il faut croire qu'elle est convaincue que tout irait bien pour elle si tu n'existais pas. Les fanatiques, c'est difficile à vaincre. Ils se relèvent tout le temps.

— Tu penses à ceux qui essaient de faire fermer le *Merlotte* ?

Son sourire s'est fait amer.

— Peut-être que oui. Je n'arrive pas à croire que tout ceci se passe dans notre pays. En plus, je suis un vétéran. Né et élevé aux États-Unis.

— Je me sens coupable, Sam. Tout ça, c'est en partie à cause de moi. L'incendie... Sandra ne l'aurait pas déclenché si je n'avais pas été là. Et la bagarre... Peut-être qu'il faudrait que tu te sépares de moi. Je peux trouver du travail ailleurs, tu sais.

— C'est ça, que tu veux ?

Je ne pouvais déchiffrer l'expression de son visage, mais ce n'était pas du soulagement, heureusement.

— Mais non, bien sûr que non.

— Alors tu gardes ton job. On travaille la main dans la main.

Et il a souri. Curieusement, son regard ne s'est pas éclairé comme il le faisait d'habitude, mais je voyais qu'il était sincère. Métamorphe ou pas, même avec son cerveau opaque et tout enchevêtré, ça, je le percevais clairement.

— Merci, Sam. Allez, je ferais mieux d'aller voir ce que veut ma douce moitié.

— Sook. Quoi qu'il soit pour toi, Eric n'est pas doux.

J'ai marqué un temps d'arrêt, la main sur la poignée de la porte. Je ne savais pas comment répondre. Alors je suis partie.

Eric m'attendait – mais pas patiemment. Il s'est emparé de mon visage, l'examinant entre ses deux grandes mains, sous la lumière crue des lampadaires de sécurité montés aux quatre coins du bar. India est sortie, nous a regardés avec surprise, est montée dans sa voiture et s'est éloignée. Sam est resté chez lui.

— Je veux que tu t'installes chez moi, a déclaré Eric. Tu peux avoir l'une des chambres du haut, si tu veux. Celle qu'on utilise d'habitude. Tu n'es pas obligée de rester en bas dans le noir avec moi. Je ne veux plus que tu restes seule. Je ne veux pas ressentir ta peur une seule fois de plus. Ça me rend fou, de savoir que quelqu'un t'attaque et que je ne suis pas là pour te défendre.

166

Chez lui, nous avions pris l'habitude de faire l'amour dans la plus grande chambre à l'étage – me réveiller en bas dans une chambre sans fenêtre, ça me donnait la chair de poule. Eric me proposait cette chambre à titre permanent. Je savais que pour lui, ce n'était pas rien. C'était même beaucoup. Pour moi aussi, d'ailleurs. Mais une décision aussi importante, ça ne se prend pas quand on ne se sent pas bien. Et ce soir, je ne me sentais pas bien.

— Il faut qu'on parle, tu as le temps ? lui ai-je demandé.

— Ce soir, je prends le temps qu'il faut. Les faé sont chez toi ?

J'ai appelé Claude avec mon portable. Quand il a répondu, j'entendais les bruits du *Hooligans* en fond sonore.

— Eric et moi, on va à la maison. Je voulais juste savoir où vous étiez.

— On reste au club, ce soir, a répondu Claude. Amuse-toi bien avec ton vampire sublime, ma cousine.

Dès qu'il avait su que j'étais en danger, Eric avait compris au même moment que la crise était passée. Il avait donc pris le temps de venir en voiture. Il m'a suivie pour rentrer chez moi.

Je me suis versé un verre de vin – ce que je ne fais pratiquement jamais – et j'ai passé une bouteille de sang au micro-ondes pour Eric. Nous nous sommes assis sur le canapé dans la salle de séjour. J'ai replié mes jambes et me suis calée dans un coin contre l'accoudoir pour lui faire face. Il s'est installé à l'autre coin.

— Eric, je sais que tu ne proposes pas à n'importe qui de s'installer chez toi. Alors je veux que tu saches à quel point je suis touchée, et flattée que tu m'aies invitée.

J'ai compris immédiatement que je m'étais trompée d'approche. C'était beaucoup trop impersonnel, comme formulation.

Ses yeux bleus se sont plissés.

— Oh, mais je t'en prie.

Glacial.

J'ai respiré profondément.

— Je ne me suis pas bien exprimée. Écoute, je t'aime. Je me sens… incroyablement heureuse, que tu veuilles vivre avec moi.

Il s'est détendu légèrement.

— Mais avant de prendre ma décision là-dessus, ai-je poursuivi, il faut qu'on mette certaines choses au point.

— Des… choses ?

— Tu m'as épousée pour me protéger. Tu as loué les services de Terry Bellefleur pour qu'il m'espionne et tu l'as soumis à une pression qu'il ne pouvait pas supporter pour l'obliger à t'obéir.

— C'était avant que je te connaisse, Sookie.

— Oui, j'ai compris ça. Mais ce que je n'aime pas, c'est la nature de la contrainte à laquelle tu as soumis cet homme. Son équilibre mental est trop précaire. Et la façon dont tu m'as manipulée pour que je t'épouse, alors que je ne savais pas ce que je faisais.

— Mais sinon, tu ne l'aurais pas fait, a fait remarquer Eric, toujours pragmatique, toujours concis.

— Effectivement. Tu as raison.

J'ai essayé de lui sourire, mais ce n'était pas facile.

— Et Terry ne t'aurait rien dit à mon sujet, si tu lui avais simplement proposé de l'argent. Je sais que, pour toi, il s'agit simplement d'agir avec efficacité, et je suis certaine que beaucoup verraient les choses comme toi.

Eric tentait de suivre mon raisonnement, mais je voyais bien qu'il n'y comprenait rien. J'ai cependant persévéré tant bien que mal.

— On vit tous deux avec ce lien. Je suis certaine qu'il t'arrive de penser qu'il serait préférable que je ne sache pas ce que tu ressens. Est-ce que tu voudrais d'ailleurs toujours vivre avec moi, si le lien n'existait pas ? Si tu n'étais pas conscient de chaque danger qui me poursuit ? De chaque sentiment de colère ? Ou de peur ?

— Ce que tu dis là est bien étrange, mon aimée.

Eric a pris une gorgée avant de reposer sa boisson sur la vieille table basse.

— Es-tu en train de me dire que si je ne savais pas que tu avais besoin de moi, je n'aurais pas besoin de toi ?

Était-ce bien là ce que je disais ?

— Non, je ne pense pas. Ce que j'essaie de te dire, c'est que je ne pense pas que tu voudrais que je vive avec toi, si tu n'étais pas persuadé que certaines personnes en avaient après moi.

Alors, est-ce que j'avais bien défini ma pensée, cette fois ? Aïe, aïe, aïe, j'avais vraiment horreur de ce type de conversation. En fait, c'était la première...

Son ton s'est fait plus vif.

— Mais quelle différence ? Si je te veux avec moi, je te veux. Les circonstances n'ont aucune importance.

— Mais si, elles en ont. Et nous sommes tellement différents.

— Pardon ?

— Eh bien, il y a tellement de choses qui tombent sous le sens pour toi, et pas pour moi.

Eric a levé les yeux au plafond – typiquement masculin.

— Comme quoi, par exemple ?

J'ai fouillé dans mon esprit à la recherche d'un exemple convaincant.

— Eh bien comme Appius, qui couchait avec Alexei. Pour toi, ça n'avait rien de choquant, même si Alexei n'avait que treize ans.

Le créateur d'Eric, Appius Luvius Ocella, était devenu vampire à l'époque où les Romains gouvernaient une grande partie du monde.

— Mais, Sookie, l'affaire s'est conclue, comme vous dites, bien avant que j'aie su que j'avais un frère de lignée. À l'époque d'Ocella, on était pratiquement adulte à treize ans. On se mariait, à cet âge-là. Ocella n'a jamais véritablement compris l'évolution de la société au cours des siècles. En outre, Alexei et Ocella sont morts tous les deux, maintenant.

Avec un haussement d'épaules, Eric a repris :

— Avec Alexei, il ne fallait pas se fier aux apparences, ne l'oublie pas. Il exploitait sa jeunesse, son apparence enfantine, pour désarmer tous les vampires et les humains autour de lui. Même Pam a eu du mal à l'éliminer, alors qu'elle était tout à fait consciente de son caractère destructeur et de sa démence. Pourtant, c'est la plus impitoyable de tous les vampires que je connaisse. Il nous vidait tous, sa soif inextinguible se nourrissant de notre force et de notre volonté.

Après avoir prononcé cette phrase d'une poésie surprenante, Eric en avait fini de parler d'Alexei et d'Ocella. Son visage entier s'est durci. Je me suis rappelé mon idée principale : nos différences inconciliables.

— Et que penses-tu du fait que tu vivras plus longtemps que moi ? Pour toujours, en fait ?

— Ça, c'est facile à résoudre.

Je l'ai fixé, bouche bée.

— Quoi ? s'est exclamé Eric, presque sincèrement stupéfait. Tu ne veux pas vivre éternellement ? Avec moi ?

— Je ne sais pas… ai-je répondu après un temps d'arrêt.

J'essayais de me représenter cette réalité-là. La nuit, éternelle. Sans fin. Mais… avec Eric.

— Tu sais, Eric, je ne peux…

Puis je me suis arrêtée net. J'avais failli l'insulter de façon impardonnable. Et je savais qu'il ressentait la vague de doute qui m'avait envahie.

Je m'étais apprêtée à lui dire :

— Je ne peux pas croire que tu resteras avec moi quand je commencerai à vieillir.

Nous n'avions que de rares moments en tête à tête, et il y avait encore quelques sujets que j'avais espéré couvrir avec lui, mais je sentais que cette conversation virait au désastre. Quelqu'un a frappé à la porte et c'était sans doute un coup de chance. J'avais bien entendu une voiture, mais mon attention étant rivée à mon compagnon, je n'y avais pas vraiment prêté attention.

Amelia Broadway et Bob Jessup se tenaient devant la porte de derrière. Fidèle à elle-même, Amelia semblait toujours aussi fraîche et dynamique, ses courts cheveux bruns en bataille, le regard et la peau aussi clairs que jamais. Bob était de sa taille et tout aussi mince. D'une stature très légère, il avait l'apparence d'un missionnaire mormon incroyablement sexy. Ses lunettes cerclées de noir lui donnaient un look rétro au lieu d'en faire un geek. Il portait un jean, une chemise écossaise noir et blanc et des mocassins à pompons. En tant que chat, il avait été vraiment craquant. Mais, pour ma part, je ne lui trouvais rien de bien attirant en tant que mec – ou plutôt si, mais seulement de temps en temps.

Je leur ai adressé mon plus grand sourire. J'étais ravie de revoir Amelia, et soulagée que ma conversation avec Eric ait été interrompue. Nous allions bien devoir parler de notre avenir en tant que couple, mais j'étais prise d'un affreux pressentiment : cette discussion nous rendrait malheureux tous les deux. La reporter ne ferait que retarder le couperet, mais pour l'instant Eric et moi avions tous les deux suffisamment de soucis à gérer.

— Allez-y, entrez ! Eric est là, il sera content de vous voir !

Ce qui était totalement faux. Eric n'éprouvait que de l'indifférence à l'idée de revoir Amelia, à un quelconque moment de sa très longue vie. Quant à Bob, je ne pense pas qu'il se soit même aperçu de son existence.

Eric a néanmoins souri (pas très largement) et leur a dit à quel point il était content qu'ils soient venus me rendre visite. Il perçait un peu d'étonnement dans sa voix, car il ne connaissait pas la raison de leur voyage.

Je n'avais jamais le temps de tout dire à Eric.

Amelia a réprimé un froncement de sourcils à grand-peine. Elle n'appréciait guère le Viking. Et elle émettait ses pensées de façon particulièrement claire. C'était comme si elle avait crié son opinion à tue-tête. Bob regardait Eric avec hésitation et, dès que j'ai expliqué la situation couchage à Amelia (qui avait naturellement pensé qu'ils pourraient s'installer en haut), il a disparu dans la chambre d'amis du couloir avec leurs bagages. Après avoir passé quelques instants à y bricoler, il s'est de nouveau évanoui dans la salle d'eau. Bob avait perfectionné les techniques évasives, pendant son stage en tant que chat.

— Eric, a dit Amelia tout en s'étirant sans cérémonie, comment vont les affaires, au *Fangtasia* ? Et le nouveau management ?

Elle ne pouvait pas savoir qu'elle avait touché un nerf. Le regard d'Eric s'est rétréci – à mon avis, il la soupçonnait d'avoir fait exprès de le vexer. Amelia, les yeux fixés sur ses pieds tandis qu'elle les touchait de la paume de ses mains, ne s'en était pas rendu compte. Je me demandais si je pourrais en faire autant, puis mon esprit s'est ressaisi pour se concentrer sur l'instant présent.

— Les affaires vont bien, a répondu Eric. Victor a ouvert de nouveaux établissements dans les parages.

Amelia a immédiatement compris qu'il s'agissait d'une nouvelle négative. Mais elle a eu l'intelligence de ne faire aucune remarque. Pour moi, c'était malgré tout comme si je m'étais trouvée en présence de quelqu'un qui criait à voix haute toutes ses pensées les plus intimes.

— Victor, c'est le gars super souriant qui se trouvait dans le jardin la nuit du coup d'État, c'est ça ? a-t-elle réagi en se redressant, faisant pivoter sa tête de tous côtés.

— Voilà, a répondu Eric, ses lèvres prenant un pli sardonique. Le gars super souriant.

Amelia s'est tournée vers moi, estimant qu'elle s'était maintenant acquittée de son devoir de politesse envers Eric.

— Alors, Sook, qu'est-ce qui t'arrive ?

Elle était prête à se précipiter à mon secours.

— Oui, qu'est-ce qui t'arrive ? a répété Eric, les yeux durs comme du marbre.

J'ai pris un ton dégagé

— Je voulais simplement qu'Amelia renforce les sorts de protection autour de la maison. Depuis toutes ces histoires au *Merlotte*, je ne me sens plus en sécurité.

— Alors elle m'a appelée, a expliqué Amelia avec un regard insistant.

172

Les yeux d'Eric allaient de l'une à l'autre. Il semblait, disons, mécontent.

— Mais maintenant qu'on a coincé cette chienne, Sookie, le danger n'est plus d'actualité, n'est-ce pas ?

C'était maintenant au tour d'Amelia de nous regarder l'un après l'autre.

— Quoi ! Que s'est-il passé ce soir, Sookie ?

Je lui ai rapidement raconté.

— Je me sentirais quand même mieux si tu t'assurais que les protections sont toujours en place, tu sais.

— C'est justement en partie pour ça que je suis venue, Sookie.

Je ne sais pas pourquoi, mais elle a adressé un large sourire à Eric.

Bob s'est glissé discrètement à ses côtés, légèrement en retrait.

— Ce n'étaient pas mes chatons, m'a-t-il expliqué.

Eric a ouvert la bouche en grand. Je ne l'avais presque jamais vu aussi surpris. J'ai eu de grandes difficultés à ne pas éclater de rire.

— Enfin, je veux dire, les hybrides ne peuvent pas se reproduire avec les animaux dont ils adoptent la forme. Alors je pense que ce n'étaient pas mes chatons. Surtout que – enfin franchement – je n'étais chat que par magie. Pas un chat-garou.

Amelia l'a rassuré.

— Chéri, on en a déjà parlé. Tu ne dois pas te sentir gêné. C'était parfaitement naturel. Je dois avouer que je me suis montrée un peu désagréable, là-dessus. Mais tu sais, tout était de ma faute.

— Ne t'inquiète pas de ça, Bob. Sam a déjà parlé en ta défense, lui ai-je dit en souriant.

Bob s'est immédiatement détendu.

Eric quant à lui a décidé d'ignorer cet échange.

— Sookie, il faut que je retourne au *Fangtasia*.

À ce train-là, nous n'aurions jamais le temps de parler des choses qui nous étaient essentielles.

— Bon, d'accord, Eric. Dis bonjour à Pam pour moi… si vous n'êtes plus fâchés, bien sûr.

— Elle te soutient plus que tu ne le penses, a-t-il répondu d'un air sombre.

Je n'ai pas su comment réagir et il s'est retourné pour s'éloigner si vite que mes yeux n'ont pas pu le suivre. J'ai entendu sa portière claquer puis sa voiture descendre l'allée. Je l'avais pourtant souvent vu, mais chaque fois, j'étais estomaquée par la rapidité de mouvement des vampires.

J'avais espéré pouvoir bavarder avec Amelia mais, après leur voyage, elle et Bob mouraient d'envie d'aller dormir. Ils avaient quitté La Nouvelle-Orléans après leur journée de travail – Amelia, à la boutique de magie, et Bob, au salon de coiffure. Après environ un quart d'heure d'allers-retours entre la salle d'eau, la cuisine et leur voiture, le silence s'est fait dans la chambre d'amis. J'ai ôté mes chaussures pour ne pas faire de bruit et me suis glissée dans la cuisine pour fermer à clé.

Cette journée s'était enfin terminée. J'étais justement en train de pousser un soupir de soulagement quand j'ai entendu frapper très discrètement à la porte de derrière. J'ai sursauté violemment. Qui pouvait bien venir ici à cette heure de la nuit ? Je me suis penchée avec précaution pour jeter un œil sur la véranda.

Bill. Je ne l'avais pas vu depuis que sa sœur de lignée, Judith, était venue lui rendre visite. J'ai hésité un instant, puis j'ai décidé d'aller le rejoindre dehors pour discuter avec lui. Bill représentait beaucoup pour moi : voisin, ami, premier amant… Je n'avais pas peur de lui.

Sa voix fraîche et lisse me détendait aussi bien qu'un massage.

— Sookie, tu as des invités ?

— Oui. Amelia et Bob, ai-je précisé. Ils viennent d'arriver de La Nouvelle-Orléans. Les faé ne sont pas ici, ce soir. Ces temps-ci, ils passent souvent la nuit à Monroe.

— Et si nous restions ici, pour ne pas déranger tes amis ?

Ah. Nous allions donc avoir une conversation. Bill n'était manifestement pas venu emprunter une tasse de sang. J'ai fait un geste en direction du salon de jardin et nous nous sommes assis dans les fauteuils, déjà disposés pour inviter au bavardage. La nuit chaude et bruissante s'est refermée autour de nous comme une enveloppe. Les lampes de sécurité formaient d'étranges motifs faits de lumière et d'obscurité.

Le silence a duré si longtemps que je me suis rendu compte que j'avais sommeil. Je l'ai donc interrompu.

— Comment ça va, de ton côté, Bill ? Judith est toujours chez toi ?

— Je me suis complètement remis de l'empoisonnement à l'argent.

— Oui, euh, j'avais remarqué que tu semblais en forme.

Sa peau avait retrouvé sa clarté lumineuse et même ses cheveux brillaient d'un lustre plus soyeux.

— En pleine forme, même. Alors le sang de Judith a réussi.

— Effectivement. Mais maintenant…

Il a détourné le regard vers la forêt noyée dans la nuit.

Oh, oh.

— Elle veut continuer à vivre avec toi ?

— Oui, a-t-il répondu, soulagé. C'est cela.

— Mais je pensais que tu l'admirais parce qu'elle ressemblait tellement à ta première femme. Judith m'a expliqué que c'était pour cela que cette dingue de Lorena l'avait fait passer de l'autre côté. C'était pour te garder. Enfin, excuse-moi, si je te rappelle ces mauvais souvenirs.

— Tu as raison. Judith ressemble beaucoup à ma première épouse, à de nombreux titres. Son visage a la même forme, son timbre de voix est presque identique. Ses cheveux ont la même teinte que ceux de ma femme lorsqu'elle était enfant. Et Judith a été élevée dans la douceur, tout comme mon épouse.

— J'aurais pensé dans ce cas que tu étais heureux avec Judith.

— Mais ce n'est pas le cas.

Dans sa voix perçait le regret, et son regard s'attardait sur les arbres, évitant soigneusement le mien.

— Et c'est d'ailleurs pour cette raison que je n'avais pas appelé Judith lorsque j'ai compris la gravité de mon mal. Si j'ai dû me séparer d'elle autrefois, c'était en raison de sa passion dévorante et obsédante pour moi.

— Oh, ai-je fait d'une toute petite voix.

— Mais tu as fait ce qu'il fallait, Sookie. Elle est venue et m'a offert son sang de son propre chef. Puisque tu l'as invitée ici sans que j'en sois averti, je ne suis du moins pas coupable de l'avoir exploitée. Ma faute est de l'avoir laissée rester après... après ma guérison.

— Et pourquoi l'as-tu fait, justement ?

— Parce que j'espérais que mes sentiments pour elle auraient changé. Que j'aurais pu ressentir le véritable amour. Ça m'aurait libéré de...

Sa voix s'est éteinte.

Qu'avait-il l'intention de dire ? « Libéré de mon amour pour toi » ? Ou peut-être « libéré de la dette que j'ai envers elle pour m'avoir guéri » ?

Je me sentais quand même un peu mieux, maintenant que je savais qu'il était content d'être rétabli, même si c'était au prix de devoir affronter Judith. Je comprenais très bien à quel point il devait être embarrassant et désagréable de supporter le fardeau d'une invitée qui l'adorait, alors que ces sentiments n'étaient pas réciproques. Et qui lui avait infligé ce fardeau ? Euh, moi. Bien entendu, je n'avais pas eu conscience des circonstances émotionnelles. J'étais désemparée par la maladie de Bill. Mon raisonnement m'avait conduite à estimer que seul un membre de la lignée de Bill pouvait le guérir. J'avais découvert qu'il existait une telle personne et je l'avais retrouvée. J'avais supposé en outre que si Bill ne l'avait pas fait lui-même, c'était probablement par fierté mal placée, ou même parce qu'il était en proie à une sorte de dépression suicidaire. J'avais sous-estimé sa soif de vivre.

Inquiète et effrayée par sa réponse possible, je lui ai demandé :

— Tu vas faire quoi, au sujet de Judith ?

— Il n'a aucune obligation.

La voix calme émanait de la lisière des bois.

Je me suis levée d'un bond, comme si un courant de mille volts avait soudain traversé ma chaise. Quant à Bill, il a réagi non moins violemment : il a tourné la tête et ses yeux se sont écarquillés. Pour un vampire, c'est un signe indéniable de stupéfaction.

— Judith ? ai-je prononcé.

Elle est sortie de l'ombre des arbres afin que je puisse la reconnaître. La lumière des projecteurs n'allait pas si loin et je pouvais à peine distinguer ses traits.

— Bill, tu persistes à me briser le cœur.

J'ai commencé à m'éloigner de ma chaise. Peut-être pourrais-je me glisser dans la cuisine et échapper à une scène supplémentaire – parce que franchement, j'en avais eu assez pour la journée.

— Non, restez, mademoiselle Stackhouse.

Judith était petite, pulpeuse, avec un minois adorable entouré d'une masse de cheveux magnifiques. Avec son port altier, elle avait des allures de reine.

Et flûte.

— Vous avez besoin de parler, tous les deux, ai-je dit lâchement.

— Avec Bill, une conversation concernant l'amour ne peut que vous impliquer.

Oh hmm… mince. Je n'avais vraiment, vraiment pas envie d'assister à cet entretien-là. J'ai fixé mes pieds avec attention.

— Judith, arrête, est intervenu Bill, la voix toujours aussi calme. Je suis venu parler avec mon amie, que je n'ai pas vue depuis des semaines.

— J'ai entendu votre conversation, a dit Judith simplement. Je t'ai suivi ici dans le but précis d'écouter ce que tu avais à lui dire. Je sais que tu n'es pas en train de la séduire. Je sais qu'elle appartient à un autre. Et je sais également que tu la veux, plus que tu ne m'as jamais voulue, moi. Je refuse de faire l'amour avec un homme qui a pitié de moi.

Je refuse de vivre avec un homme qui ne veut pas de moi. Je vaux mieux que cela. Je mettrai un terme à l'amour que je ressens pour toi, même si cela me prend le restant de mon existence. Je te prie de bien vouloir rester ici quelques instants de plus. Je vais retourner chez toi faire mes valises. Ensuite, je disparaîtrai.

J'étais plus qu'impressionnée. Ça, c'était du discours ! J'espérais seulement qu'elle était sincère. J'avais à peine formulé cette pensée dans mon esprit que Judith disparaissait, comme par enchantement. Bill et moi nous sommes retrouvés seuls.

Sans crier gare, il était soudain devant moi et m'a enlacée dans ses bras glacés. Je n'ai pas eu l'impression de trahir Eric et je l'ai laissé me tenir quelques instants.

— Tu as couché avec elle ? lui ai-je demandé d'un ton que je voulais neutre.

— Elle m'avait sauvé. Elle semblait l'espérer. J'ai estimé que c'était la chose à faire.

Comme si Judith avait éternué et qu'il lui ait prêté un mouchoir. Les mots me manquaient. Ah, les hommes ! Mort ou vivants, tous les mêmes.

J'ai reculé d'un pas et il m'a lâchée immédiatement.

Dans un moment d'égarement, ou peut-être simplement gagnée par la curiosité, je lui ai posé une question.

— Tu m'aimes vraiment ? Est-ce que ce n'est pas par devoir, parce que nous avons traversé tellement de choses ensemble ?

Il m'a souri.

— Il n'y a que toi pour dire une telle chose. Je t'aime. Je te trouve belle, gentille, généreuse. Et pourtant, tu ne te laisses pas faire, dans l'adversité. Tu es pleine de compréhension et de compassion, mais tu as de la force de caractère. Et si l'on redescend au niveau charnel, tes seins gagneraient le championnat national de Miss Tétons, s'il existait.

— Tout un bouquet de compliments. Très inhabituels.

J'avais du mal à réprimer mon sourire.

— Tu es une femme inhabituelle.

178

— Bonne nuit, Bill.

Au même moment, la sonnerie de mon portable a retenti et j'ai tressailli – j'avais oublié qu'il se trouvait dans ma poche. Le numéro affiché était local, mais je ne le connaissais pas. À cette heure-ci, l'appel ne me disait rien qui vaille. J'ai levé le doigt pour intimer à Bill de rester un instant et j'ai répondu prudemment.

— Allô ?

C'était le Shérif Dearborn.

— Sookie, je voulais t'avertir que Sandra Pelt s'est échappée de l'hôpital. Elle s'est glissée par la fenêtre pendant que Kenya parlait avec le Dr Tonnesen. Je ne veux pas que tu t'inquiètes. Si tu veux qu'on t'envoie une voiture, pas de problème. Tu as quelqu'un avec toi ?

J'étais tellement secouée que j'ai mis quelques secondes à répondre. Puis je l'ai assuré que oui.

Les yeux sombres de Bill se sont remplis d'inquiétude. Il s'est approché de moi, posant une main sur mon épaule.

— Tu es certaine que tu ne veux pas que j'envoie une patrouille de ton côté ? Je ne crois pas que cette dingue va aller chez toi. Je pense plutôt qu'elle va chercher une planque pour se remettre un peu. Mais je voulais quand même t'alerter, même s'il est un peu tard.

— Shérif, vous avez eu raison, c'est parfait. Et je ne pense pas avoir besoin d'aide. J'ai des amis avec moi. De bons amis.

Et j'ai regardé Bill droit dans les yeux.

Bud Dearborn s'est répété plusieurs fois, puis j'ai réussi à raccrocher pour réfléchir à la situation. J'avais pourtant cru que celle-ci avait été résolue. À tort. Tandis que j'expliquais le tout à Bill, l'épuisement contre lequel je luttais a fini par m'envahir, me recouvrant d'une épaisse couverture grise. Bientôt, je ne pouvais même plus articuler correctement.

— Ne t'inquiète pas, m'a rassurée Bill. Va te coucher. Je monte la garde ce soir. Je me suis déjà nourri, et je n'avais rien de particulier à faire. De toute façon, ce n'est pas une nuit appropriée pour travailler.

Bill avait créé une base de données dont il assurait la maintenance. Il s'agissait de l'annuaire des vampires, un catalogue de tous les vampires « vivants ». Il y avait beaucoup de demande pour le CD qu'il vendait et pas uniquement chez les morts-vivants. Les humains, et particulièrement les groupes marketing, en étaient très friands. La version vendue au public se limitait toutefois aux vampires qui avaient accepté d'y figurer. Cette liste-là était bien plus courte : bizarrement, il y avait encore un certain nombre de vampires qui ne voulaient pas être connus en tant que tels. Dans notre société actuelle, saturée de vampires, il était facile d'oublier que certains se montraient encore si réticents, souhaitant vivre cachés et dormir dans la terre ou dans des immeubles abandonnés, plutôt que dans une maison ou un appartement.

Mais pourquoi mes pensées se focalisaient-elles là-dessus... Probablement parce que c'était mieux que de penser à Sandra Pelt.

— Merci Bill, ai-je dit avec gratitude. Je tiens à te mettre en garde : elle est plus que vicieuse.

— Tu m'as déjà vu au combat.

— Ouaip, mais tu ne la connais pas. Les coups bas, c'est son truc, et elle ne te préviendra pas.

— Alors j'ai de l'avance sur elle, puisque je le sais.

Ah bon ?

— Bon, d'accord, ai-je marmonné, avant de m'éloigner en titubant de sommeil. Bonne nuit, Bill.

— Bonne nuit, Sookie. Ferme bien les portes à clé, m'a-t-il recommandé d'une voix calme.

C'est ce que j'ai fait. Puis je suis allée dans ma chambre, j'ai enfilé ma chemise de nuit et je me suis mise au lit, sous cette couverture grise.

8

Les écoles se ressemblent toutes, n'est-ce pas ? Il y a toujours cette même odeur : un mélange de craie, de cantine, d'encaustique, de livres. L'écho des voix enfantines, le timbre plus intense des institutrices. Les « œuvres d'art » sur les murs et les décorations sur la porte de chaque salle de classe. L'école maternelle de Red Ditch était en tout point semblable.

Je tenais Hunter par la main et Remy nous suivait, à la traîne. Chaque fois que je revoyais Hunter, il ressemblait encore un peu plus à sa mère, ma cousine Hadley, maintenant décédée. Avec ses yeux et sa chevelure sombres, son visage commençait à perdre ses rondeurs enfantines pour devenir plus ovale, comme le sien.

Pauvre Hadley. C'était principalement de sa faute, mais la vie s'était montrée dure avec elle. À la fin, elle avait trouvé le véritable amour, elle était devenue un vampire, et on l'avait tuée par jalousie. Elle avait mené une vie bien remplie, mais courte. Et c'était donc moi qui la remplaçais aujourd'hui. Pendant un instant, je me suis demandé ce qu'elle en aurait pensé. C'était elle qui aurait dû se trouver là pour emmener son fils visiter sa première école, celle qui l'accueillerait à la rentrée prochaine. Le but de la visite était d'aider les petits à se familiariser avec le concept, avec l'apparence des salles de classe, des bureaux et des institutrices.

Certaines des petites personnes qui se promenaient dans le bâtiment regardaient partout avec curiosité, sans montrer de crainte. D'autres petits par contre se montraient silencieux, avec de grands yeux, comme mon « neveu » Hunter. Personne n'aurait pu deviner que dans ma tête, Hunter bavardait avec entrain. Hunter était télépathe, tout comme moi. C'était mon secret le mieux gardé. Plus il y aurait de SurNat au courant de ses aptitudes, et plus il y aurait de risque qu'on le kidnappe : les télépathes, c'est utile. Il n'y avait aucun doute : il se trouverait nécessairement quelqu'un de suffisamment impitoyable pour mener une telle action. Remy, son père, n'y avait sûrement pas encore pensé. Ce qui l'inquiétait, c'était l'intégration de Hunter. C'était effectivement fondé. Les enfants peuvent se montrer terriblement cruels, quand ils sentent une différence. Je ne le savais que trop bien.

Quand on sait ce qu'on cherche, il est facile de repérer une conversation télépathique entre deux personnes : l'expression de leur visage change lorsqu'elles se regardent, tout comme elle le ferait lors d'une conversation normale. Je détournais donc fréquemment mon visage de celui de l'enfant, tout en affichant mon sourire en permanence. Hunter était trop jeune pour apprendre l'art de cacher notre communication. C'était donc moi qui m'en chargeais.

Il y aura assez place pour tous ces gamins dans une seule pièce ?

— Parle à voix haute, lui ai-je rappelé discrètement. Non, on va vous partager en groupes et tu seras avec le même groupe toute la journée, Hunter.

Je ne connaissais pas les horaires de la maternelle de Red Ditch, mais la sortie se faisait certainement après le déjeuner.

— Ton papa viendra te déposer le matin, et quelqu'un viendra te prendre l'après-midi.

Mais qui ? me suis-je demandé. Puis je me suis souvenue que Hunter m'écoutait.

— Ton père va gérer ça. Regarde. Cette salle, c'est la Classe du Phoque. Tu as vu le poster avec le phoque ? Et là, c'est la Classe du Poney.

— Il y a un poney ?

Hunter était un optimiste.

— Je ne pense pas. Mais, à mon avis, il y a plein de photos de poneys dans la classe.

Toutes les portes étaient ouvertes et les institutrices étaient dans leurs salles de classe, souriant aux enfants et à leurs parents, faisant de leur mieux pour sembler accueillantes et chaleureuses. Pour certaines, naturellement, c'était plus difficile que pour d'autres.

Celle de la Classe du Poney, Mme Gristede, semblait plutôt sympathique, d'après un bref examen intérieur de ma part. Hunter a hoché la tête en signe d'approbation.

Puis nous nous sommes aventurés dans la Classe du Petit Chien et nous avons rencontré Mlle O'Fallon. Trois minutes plus tard, nous étions de retour dans le couloir.

— Pas la Classe du Petit Chien, ai-je murmuré tout bas à Remy. On peut choisir, c'est bien ça ?

— C'est ça. Une seule fois. Je peux dire dans quelle classe je ne veux pas qu'il aille. En général, on utilise l'option si le professeur est trop proche de la famille, ou s'il y a un conflit entre les familles.

— Pas la Classe du Petit Chien, a répété Hunter.

Il semblait terrifié.

Mlle O'Fallon était jolie à l'extérieur, et pourrie à l'intérieur.

— Qu'est-ce qui se passe ? a demandé Remy à voix basse.

— Je t'expliquerai plus tard, ai-je murmuré. Allons voir les autres classes.

Toujours suivis par Remy, nous avons visité les trois autres salles. Toutes les autres institutrices semblaient bien, même si Mme Boyle me paraissait moralement épuisée. Derrière son sourire fragile, ses pensées fusaient rapidement, avec une touche d'impatience. Je n'ai rien dit à Remy. Puisqu'il ne pouvait refuser qu'une seule personne, il valait mieux que ce soit Mlle O'Fallon. C'était elle la plus dangereuse.

Hunter appréciant particulièrement les poneys, nous sommes retournés voir Mme Gristede. Il y avait là deux autres parents avec des petites filles. J'ai doucement serré la main de Hunter pour lui rappeler les règles. Il a levé le regard vers moi et j'ai hoché la tête pour l'encourager. Il a lâché ma main et s'est dirigé vers le coin lecture, ramassant un livre pour le feuilleter.

— Tu aimes lire, Hunter ? a demandé Mme Gristede.

— J'aime bien les livres. Je ne sais pas encore lire.

Hunter a reposé le livre à sa place et je l'ai félicité mentalement. Avec un sourire léger, il en a choisi un autre, une histoire de chiens qui appartenait à la série *Dr Seuss*.

— Je vois bien qu'on lui lit des histoires, a dit l'institutrice en nous souriant.

Remy s'est présenté.

— Je suis le père de Hunter, et voici sa cousine, a-t-il commencé en inclinant la tête dans ma direction. Sookie représente la mère de Hunter aujourd'hui, car elle a quitté ce monde.

Mme Gristede a digéré l'information.

— Eh bien, je suis contente de vous rencontrer tous les deux. Hunter semble être un petit garçon très vif.

J'ai remarqué que les petites filles s'approchaient de Hunter. J'ai vu dans leurs esprits qu'elles étaient amies depuis longtemps et que leurs parents allaient à l'église ensemble. Il fallait que je conseille à Remy de choisir une église et d'y aller régulièrement. Hunter allait avoir besoin de tout le soutien qu'on pouvait lui donner. Les petites ont commencé à choisir des livres, elles aussi. Hunter a souri à la petite brune coiffée au carré. Il l'examinait du coin de l'œil, avec ce regard qu'ont les enfants timides quand ils cherchent à savoir s'ils vont pouvoir jouer avec un autre enfant.

— J'aime bien celui-ci, a-t-elle fait remarquer, en indiquant *Max et les Maximonstres*.

— Je ne l'ai jamais lu, a répondu Hunter, la voix pleine de doutes – l'histoire lui paraissait plutôt effrayante.

— Tu aimes bien les jeux de construction ? a demandé celle qui portait une queue de cheval châtain clair.

— Ouais.

Hunter s'est déplacé vers le coin des jeux, rempli de cubes de toutes tailles et de puzzles. Très rapidement, tous trois se sont mis à construire un édifice qui semblait prendre vie dans leur imagination.

Remy souriait. Il espérait que c'était ainsi que se déroulerait chaque jour. Il se trompait, naturellement. Et d'ailleurs, Hunter lançait déjà des regards anxieux à la petite à la queue de cheval, qui s'énervait parce que la brune au carré s'appropriait tous les cubes alphabet.

Les autres parents m'examinaient avec curiosité.

— Vous n'habitez pas ici ? a fait l'une des mères.

— Non, j'habite à Bon Temps. Mais Hunter voulait que je vienne aujourd'hui, et c'est mon petit cousin préféré.

J'avais failli l'appeler mon neveu, car pour lui, j'étais toujours « Tatie Sookie ».

— Remy, a-t-elle repris, vous êtes le petit-neveu de Hank Savoy, non ?

Remy a acquiescé.

— Effectivement, nous sommes venus ici après Katrina, et nous sommes restés.

Il a haussé les épaules. Il n'était pas le seul à avoir tout perdu à cause de Katrina. Elle s'était montrée cruelle.

Au milieu de tous les murmures de sympathie, j'ai senti des vagues de bienveillance rouler sur Remy. Avec un peu de chance, toute cette gentillesse s'étendrait à Hunter aussi.

Tandis que tout ce petit monde faisait plus ample connaissance, je suis retournée discrètement à la porte de Mlle O'Fallon.

La jeune femme adressait force sourires à deux enfants qui se promenaient dans sa classe, décorée de couleurs vives. J'ai remarqué que deux des parents ne quittaient pas leur petit d'une semelle. Était-ce simplement une attitude protectrice habituelle chez eux ? Ou bien avaient-ils senti quelque chose ?

Je me suis rapprochée de Mlle O'Fallon, prête à ouvrir la bouche pour lui parler.

J'aurais bien dit :

— Gardez vos fantasmes pour vous ! N'y pensez même pas, quand vous êtes en présence d'enfants !

Puis je me suis ravisée. Elle savait que j'étais venue avec Hunter. Si je la menaçais, serait-il alors la cible de son imagination malfaisante ? Je ne pourrais pas être présente pour le protéger. Je ne pourrais pas l'arrêter. Je ne savais pas comment résoudre l'équation. Elle n'avait rien fait de répréhensible, aux yeux de la loi ou de la moralité. Pas encore… Elle se plaisait à imaginer qu'elle appliquait du ruban adhésif sur les bouches des enfants. Et alors ? Elle ne l'avait pas encore fait.

Nous rêvons tous de choses terribles que nous n'avons pas commises, non ? se demandait-elle pour se rassurer, se dire qu'elle était encore… normale. Elle ne savait pas que je pouvais l'entendre.

Et moi, étais-je finalement meilleure que Mlle O'Fallon ? La terrible question a traversé mon esprit plus rapidement qu'un éclair. Et j'ai pensé *Ouais, je suis moins dangereuse. Je n'ai pas d'enfants sous ma responsabilité. Les gens à qui j'en veux sont des adultes, et des tueurs aussi.* Ce qui ne faisait pas de moi une personne meilleure, mais qui faisait de Mlle O'Fallon une personne bien pire.

Je l'avais fixée si longtemps qu'elle se sentait maintenant nerveuse.

— Vous souhaitez savoir quelque chose sur le programme ? m'a-t-elle finalement demandé, une pointe d'agacement dans la voix.

— Pourquoi avez-vous décidé de devenir institutrice ?

— Je trouvais qu'il serait merveilleux d'apprendre à des petits les premières choses dont ils auront besoin pour s'en sortir dans le monde.

Elle débitait ces paroles à la façon d'un automate.

Ce qu'elle pensait réellement, c'était « mon institutrice me torturait en cachette. Les petits sans défense, ça me plaît. »

— Hmm, ai-je murmuré.

186

Les autres visiteurs ont quitté la pièce. Nous étions seules.

— Il vous faut une thérapie, ai-je dit très rapidement à voix basse. Si vous réalisez vos fantasmes, vous vous haïrez. Et vous détruirez la vie d'autres personnes, comme la vôtre a été détruite. Ne la laissez pas gagner. Faites-vous aider.

Elle m'a lancé un regard ébahi.

— Je ne sais pas... De quoi voulez-vous...

— Je ne plaisante pas, l'ai-je interrompue. Mais alors vraiment pas.

— D'accord, je vais le faire, s'est-elle exclamée comme si on lui arrachait les mots de la bouche. Je le ferai, je le jure.

— Vous avez intérêt, lui ai-je promis en la regardant droit dans les yeux pendant encore un instant.

Puis j'ai quitté la Classe du Petit Chien.

Je l'avais peut-être suffisamment secouée et effrayée pour qu'elle tienne sa promesse. Dans le cas contraire, eh bien je réfléchirais à une autre tactique.

— J'en ai terminé ici, Petit Scarabée, me suis-je murmuré à moi-même.

Un très jeune père m'a lancé un regard furtif. Je lui ai souri et, après un temps d'arrêt, il m'a retourné mon sourire. J'ai rejoint Remy et Hunter, et nous avons terminé notre visite guidée de la maternelle sans autre incident. Hunter m'a jeté un regard interrogateur plein d'inquiétude et j'ai hoché la tête. *Je m'en suis occupée*, lui ai-je dit. Je priais pour que ce soit vrai.

Il était encore bien trop tôt pour dîner, et Remy a suggéré d'aller au Dairy Queen pour offrir une glace à Hunter. C'était une bonne idée. Après notre expédition scolaire, ce dernier se sentait partagé entre l'anxiété et l'excitation. J'ai tenté de le calmer avec une petite conversation mentale. Mais très vite, il m'a demandé : *Tatie Sookie, tu pourras m'emmener, le premier jour ?* Je me suis armée de courage pour lui répondre.

Non, Hunter. C'est à ton papa de le faire. Mais ce jour-là, tu m'appelles dès que tu rentres à la maison pour tout me raconter, d'accord ?

Il m'a regardée de ses grands yeux mélancoliques. *Mais j'ai peur.*

J'ai repris fermement : *Tu te sentiras un peu angoissé, mais ce sera pareil pour les autres. C'est l'occasion pour toi de te faire des copains. Alors fais bien attention de tenir ta langue et de réfléchir avant de parler.*

Sinon ils ne m'aimeront pas ?

Ça n'a rien à voir ! ai-je réagi immédiatement. *Je voulais que les choses soient bien claires. Ils ne te comprendront pas. C'est complètement différent.*

Et toi, tu m'aimes bien ?

Tu sais bien que je t'adore, voyou !

J'ai repoussé ses cheveux dans un geste affectueux. Remy faisait la queue pour nous commander nos Blizzards. Il m'a fait un signe de la main, adressant une grimace à Hunter. Il faisait d'énormes efforts pour s'adapter à la situation. Il commençait à s'approprier son rôle de père d'un enfant exceptionnel.

Il se détendrait sans doute plus facilement d'ici une douzaine d'années environ.

Tu sais que ton papa t'aime, et qu'il veut ce qu'il y a de mieux pour toi.

Il veut que je sois comme tous les autres enfants, a répondu Hunter, avec tristesse et amertume.

Il veut que tu sois heureux. Et il sait qu'il ne faut pas que les gens soient au courant de ce don. Sinon tu risques d'être malheureux. Je sais que ce n'est pas juste, de te demander de garder le secret. Mais c'est le seul secret. Si jamais quelqu'un t'en parle, tu le dis à ton papa, ou tu m'appelles. Si tu crois que quelqu'un est bizarre, tu le dis à ton père. Et si quelqu'un essaie de te toucher, tu le dis !

Là, je l'avais effrayé. Mais il a simplement ravalé sa salive avant de m'assurer : *Je suis au courant, pour les gestes défendus.*

Tu es un garçon très intelligent, et tu vas avoir beaucoup de copains. Mais ils n'ont pas besoin de savoir que tu as ce don, c'est tout.

Parce qu'il est mauvais ?

Son petit visage était tordu de désespoir.

Ah certainement pas ! me suis-je exclamée furieusement. *Tout va très bien mon petit coco, rien d'anormal chez toi ! Mais tu sais que toi et moi sommes différents et que les gens ne comprennent pas toujours la différence.*

Fin du sermon. J'ai planté un gros baiser sur sa joue.

— Hunter, va donc nous chercher des serviettes, ai-je demandé à voix haute en voyant Remy prendre le plateau avec les Blizzards.

Le mien était aux pépites de chocolat et j'en avais déjà l'eau à la bouche. Nous nous sommes distribué des serviettes avant de succomber au péché de gourmandise.

C'est alors qu'une jeune femme aux cheveux mi-longs a fait son entrée. En nous repérant, elle nous a fait signe, d'un air incertain.

— Regarde, Champion, c'est Erin, s'est exclamé Remy.

— Hé, Erin !

Hunter agitait la main avec enthousiasme, comme un véritable petit métronome.

Erin s'est dirigée vers nous, manifestement toujours incertaine de son accueil.

— Salut, a-t-elle dit en jetant un regard circulaire. Monsieur Hunter, quel plaisir de vous rencontrer, en ce bel après-midi !

Le visage de Hunter s'est fendu d'un large sourire. Il aimait bien qu'elle l'appelle Monsieur Hunter. Erin avait de jolies joues rondes assorties d'yeux en amande d'un brun profond.

Hunter m'a présentée fièrement :

— Ça, c'est ma Tatie Sookie !

— Sookie, voici Erin, a continué Remy.

D'après ses pensées, la jeune femme lui plaisait, et plus qu'un peu.

— Erin, j'ai tellement entendu parler de vous ! Je suis contente de pouvoir mettre un visage sur votre nom. Hunter voulait que je vienne visiter les classes de la maternelle avec lui.

— Ah bon ? Comment ça s'est passé ?

Erin semblait sincèrement intéressée.

Hunter a commencé à tout lui raconter, et Remy s'est précipité pour lui approcher une chaise.

À partir de là, nous avons tous passé un bon moment. Hunter était manifestement attaché à Erin, et c'était réciproque. Erin s'intéressait également de près au père de Hunter. Quant à Remy, il était sur le point de tomber follement amoureux. Tout bien considéré, j'ai trouvé qu'aujourd'hui, il s'était avéré particulièrement bénéfique d'être télépathe.

— Mademoiselle Erin, Tatie Sookie dit qu'elle ne peut pas venir avec moi, le jour de la rentrée. Tu peux, toi ? s'est enquis Hunter.

À la fois surprise et ravie, Erin lui a répondu immédiatement.

— Si ton père est d'accord, et si je peux prendre une journée.

Elle avait pris soin de permettre à Remy de formuler une objection. Il fallait également prévoir le cas où ils ne sortiraient plus ensemble d'ici là.

— C'est vraiment gentil de me le demander, a-t-elle ajouté.

Pendant que Remy emmenait Hunter aux toilettes, Erin et moi sommes restées seules. Nous nous sommes examinées avec curiosité.

— Ça fait combien de temps, que vous sortez ensemble, avec Remy ?

La question me semblait suffisamment inoffensive.

— Un mois seulement. J'aime bien Remy, et je pense que ça peut devenir sérieux, mais c'est trop tôt pour le dire. Je ne veux pas que Hunter commence à s'attacher trop à moi, au cas où ça ne marcherait pas. En plus...

Elle a hésité pendant une longue minute.

— D'après ce que j'ai compris, Kristen Duchesne croit qu'il y a quelque chose qui ne va pas, chez Hunter. C'est ce qu'elle a dit à tout le monde. Mais moi je l'aime vraiment bien, ce petit garçon.

Elle m'interrogeait du regard.

— Il est différent, mais il est tout à fait normal. Il n'est pas mentalement déficient, il n'a pas de handicap d'apprentissage, et il n'est pas possédé par le diable.

À la fin de cette dernière phrase, j'ai laissé un petit sourire errer sur mes lèvres.

— Effectivement, et ça ne m'a jamais traversé l'esprit, m'a-t-elle répondu en souriant, elle aussi. Mais je crois que je ne sais pas encore tout.

Je n'allais certainement pas lui révéler le secret de Hunter.

— Il a besoin de beaucoup d'amour et qu'on s'occupe bien de lui, ai-je repris. Il n'a jamais vraiment eu de maman, et je suis certaine que ça l'aiderait, d'avoir quelqu'un de stable dans sa vie pour tenir ce rôle.

— Et cette personne, ce ne sera pas toi.

Son affirmation tenait presque de la question.

— Non, ai-je répondu, soulagée d'avoir l'occasion de mettre les choses au clair. Ce ne sera pas moi. Remy est très sympa, mais je sors avec quelqu'un d'autre.

J'ai repris une cuillerée de chocolat et de sucre.

Erin a baissé les yeux sur son Pepsi, perdue dans ses propres pensées. Naturellement, je les suivais en simultané. Elle n'avait jamais apprécié Kristen, et n'éprouvait aucune admiration pour ses capacités intellectuelles. En revanche, Remy lui plaisait de plus en plus et elle adorait Hunter.

— D'accord, a-t-elle conclu. D'accord.

Elle a levé son regard et m'a fait un signe de tête. Moi aussi, j'ai hoché la tête. Nous étions manifestement arrivées à une compréhension mutuelle. Lorsque les hommes sont revenus des toilettes, je leur ai dit au revoir.

— Ah, au fait, Remy, tu veux bien m'accompagner une minute, si ça n'embête pas Erin de rester avec Hunter ?

— Aucun souci, a répondu Erin.

J'ai serré Hunter dans mes bras encore une fois avant de lui caresser les cheveux en souriant, et me suis dirigée vers la sortie.

Remy m'a suivie avec une certaine appréhension dans son expression. Nous nous sommes postés un peu à l'écart de la porte.

— Tu sais que Hadley m'a laissé tout ce qui lui restait, ai-je commencé.

C'était un fardeau pour moi.

— C'est ce que le notaire m'a dit.

Le visage de Remy ne trahissait aucune émotion, mais j'ai mes méthodes et j'ai vu qu'il était parfaitement calme.

— Alors, tu n'es pas en colère ?

— Je ne veux rien de Hadley.

— Mais pour Hunter… ses études. Il n'y avait pas beaucoup d'argent, mais j'ai eu quelques beaux bijoux. Je pourrais les vendre.

— J'ai commencé un plan d'épargne pour lui, m'a rassurée Remy. L'une de mes grand-tantes me dit qu'elle lui laissera tout, car elle n'a pas d'enfants. Hadley m'a fait vivre un enfer. Elle ne s'est pas souciée de Hunter et n'a rien prévu pour lui. Je ne veux pas de cet héritage.

— À sa décharge, elle ne pensait pas mourir si jeune. En fait, elle pensait même ne jamais mourir. Je crois sincèrement que si elle n'a pas mis Hunter dans son testament, c'est parce qu'elle ne voulait pas qu'on apprenne son existence et qu'on puisse l'utiliser comme otage pour la contraindre.

— J'espère que c'est le cas, a dit Remy. Je veux dire, j'espère qu'elle pensait à lui. Mais l'idée de prendre cet argent, tout en sachant ce qu'elle est devenue, comment elle se l'est procuré… ça me donne envie de vomir.

— Bon, d'accord. Réfléchis, et si tu changes d'avis, tu m'appelles d'ici demain soir ! On ne sait jamais, je peux être prise d'une frénésie de shopping, ou jouer le tout à une table de casino.

Il a eu un léger sourire.

— Tu es une femme bien.

Puis il est retourné vers sa petite amie et son fils.

Je me suis mise en route vers la maison, soulagée et le cœur plus léger.

J'avais déjà assuré la moitié de mon service – Holly avait pris le reste de mes heures en plus des siennes – et j'étais donc libre. Je me suis dit que j'allais passer un peu plus de temps sur la lettre de Gran. La visite de Maître Cataliades alors que nous venions de naître, le cluviel dor, les super-cheries de l'amant de Gran... J'étais certaine que lorsque Gran avait pensé qu'elle sentait Fintan alors qu'elle voyait son époux, c'était Fintan qui se trouvait là, sous l'appa-rence de mon grand-père. C'était difficile à concevoir.

Lorsque je suis revenue, j'ai trouvé Amelia et Bob affairés à lancer des sorts. Ils marchaient autour de la mai-son dans des directions opposées, chantant des incanta-tions et balançant des encensoirs, comme des prêtres de l'Église catholique.

Heureusement que je vivais dans un endroit isolé...

Je ne voulais pas perturber leur concentration. Je suis donc allée me promener dans les bois. Je me demandais où se trouvait le portail et si je le reconnaîtrais. Dermot avait évoqué une membrane mince. Étais-je même capable de distinguer une « membrane mince » ? Je savais du moins grossièrement dans quelle direction elle pouvait se trou-ver, et je me suis mise en chemin vers l'est.

Il faisait chaud et j'ai commencé à transpirer immédiate-ment. Tandis que je progressais à travers bois, les rayons du soleil transperçaient les branchages, formant des myriades de motifs. Les arbres bruissaient du chant des oiseaux et des insectes. Bientôt le soir tomberait, la lumière se ferait rasante, rendant mes pas incertains. Les oiseaux se tairaient et les créatures de la nuit prendraient le relais pour emplir la nuit de leurs propres litanies.

Cheminant dans la végétation des sous-bois, je réfléchis-sais à la nuit précédente. Je me suis demandé si Judith avait vraiment fait ses valises. Bill se sentait-il seul mainte-nant ? Quant à moi, j'avais dormi d'un trait jusqu'au matin. J'imaginais donc que rien ni personne n'avait fait son apparition dans mon jardin cette nuit.

Puis mes pensées se sont naturellement concentrées sur Sandra Pelt. À quel moment subirais-je de nouveau une attaque de sa part ? Au moment même où j'ai décidé qu'il était probablement imprudent de me trouver seule dans les bois, j'ai débouché dans une minuscule clairière, à environ quatre cents mètres au sud-est de ma maison.

J'étais pratiquement certaine que le portail se trouvait ici, dans cette petite trouée au milieu des arbres. Car je ne voyais aucune raison pour que les broussailles n'y poussent pas. Le sol était couvert d'un épais tapis d'herbes sauvages, mais je ne distinguais aucun buisson, rien qui dépasse la hauteur du mollet. Aucune plante grimpante ne la traversait, aucune branche pour obscurcir le ciel. Je n'apercevais pourtant rien d'extraordinaire. À part, peut-être... une légère déformation de l'air. En plein milieu de la clairière. Je n'étais même pas certaine de la percevoir. Elle flottait à peu près au niveau de mes genoux. Elle avait la forme d'un petit cercle irrégulier de trente-cinq centimètres de diamètre à peu près. À cet endroit précis, l'air semblait distordu, comme dans les mirages provoqués par la chaleur. Était-ce chaud, d'ailleurs ?

Je me suis agenouillée dans les herbes folles devant l'air qui tremblait. J'ai cueilli un long brin d'herbe et, prise de nervosité, l'ai introduit dans la distorsion.

Je l'ai lâché et il s'est instantanément évanoui. Jappant de surprise, j'ai reculé la main précipitamment.

Au moins, j'avais découvert quelque chose. Quoi ? Je n'en étais pas certaine. J'avais douté de la parole de Claude – j'avais maintenant la preuve qu'il disait la vérité. Je me suis rapprochée avec précaution du cercle tremblotant.

— Salut, Niall, ai-je dit. Si vous écoutez, si vous êtes là. Vous me manquez.

Bien évidemment, aucune réponse n'est venue.

— J'ai beaucoup de problèmes, mais je suppose que vous aussi, ai-je continué en espérant que je ne donnais pas l'impression de pleurnicher. Je ne sais pas comment le Royaume de Faérie s'inscrit dans notre univers. Est-ce que vous marchez parmi nous, invisibles ? Ou est-ce que vous avez tout un autre monde bien à vous, comme l'Atlantide ?

Quelle originalité. En outre, il s'agissait là d'un monologue et non d'une conversation.

194

— Bon, il vaut mieux que je rentre avant la nuit. Si vous avez besoin de moi, venez me voir. Vous me manquez, ai-je répété.

Toujours rien.

À la fois satisfaite d'avoir trouvé le portail et déçue que rien ne se soit passé, je m'en suis retournée chez moi. Bob et Amelia en avaient terminé de leur magie et Bob avait démarré le barbecue. Ils allaient faire griller des côtes de bœuf. J'avais déjà pris une glace avec Remy et Hunter, mais je me sentais absolument incapable de refuser de la viande grillée frottée de l'assaisonnement secret de Bob. En plus, Amelia était en train de couper des pommes de terre qu'elle allait envelopper dans des feuilles d'aluminium pour les mettre sous la braise. J'étais super contente. J'ai proposé de contribuer en cuisinant de la courge jaune.

L'atmosphère dégagée par la maison était maintenant plus chaleureuse. Et plus sécurisante.

Tandis que nous dînions, Amelia nous a raconté des anecdotes tordantes au sujet de la boutique de magie, et Bob s'est laissé aller à imiter certains de ses collègues les plus bizarres du salon de coiffure unisexe dans lequel il travaillait. La coiffeuse qu'il avait remplacée s'était découragée devant les complications survenues à la suite de Katrina, à tel point qu'elle avait chargé sa voiture pour s'enfuir à Miami. Bob avait eu le poste tout simplement parce qu'il était la première personne qualifiée à avoir franchi le seuil après son départ. Quand je lui ai demandé s'il s'agissait d'une simple coïncidence, il a eu un sourire énigmatique. De temps à autre, j'avais une brève vision de ce qui fascinait Amelia chez Bob. À d'autres moments, il ressemblait à un représentant en encyclopédies, trop maigre et hirsute. Je lui ai parlé d'Immanuel, mon coiffeur urgentiste. Il m'a assuré qu'Immanuel avait fait du beau travail.

— Alors, vous avez terminé le travail sur les sorts de protection ? ai-je demandé anxieusement tout en essayant de prendre un ton dégagé.

— Ah ça oui ! s'est fièrement exclamée Amelia, avant de se couper un autre morceau de viande. Ils sont encore plus forts, maintenant. Aucune personne qui te veut du mal ne peut passer. Même un dragon ne pourrait pas les franchir.

— Et un dragon amical ? l'ai-je taquinée.

Elle m'a donné un petit coup de fourchette.

— D'après ce que je sais, ils ne le sont jamais. Bien sûr, je n'en ai jamais vu.

— Bien sûr, ai-je répété.

Je ne savais pas si je devais me laisser gagner par le soulagement ou la curiosité…

Puis Bob est intervenu.

— Amelia a une surprise pour toi.

— Ah bon ? ai-je répondu d'un ton faussement détendu.

— J'ai trouvé le remède, a-t-elle annoncé, mi-fière, mi-timide. Je veux dire, tu me l'avais demandé quand je suis partie. J'ai cherché par tous les moyens une façon de briser le lien de sang. Et j'ai réussi.

— Comment ?

Je tentais désespérément de cacher mon désarroi.

— Tout d'abord, j'ai demandé à Octavia. Elle ne savait pas, car elle n'est pas spécialisée en magie de vampire, mais elle a envoyé des mails à quelques-unes de ses amies plus âgées dans d'autres clans, et elles ont farfouillé de leur côté. Ça a pris du temps, nous avons eu des déconvenues, mais j'ai fini par trouver un sort qui ne cause pas la mort de l'un des deux… associés.

— Je suis… stupéfaite.

C'était la plus stricte vérité.

— Tu veux que je le jette ce soir ?

— Tu veux dire là, maintenant ?

— Oui, après le dîner.

Amelia paraissait un peu moins satisfaite, car ma réaction n'était pas celle qu'elle attendait. Le regard de Bob passait de l'une à l'autre, le doute peint sur son visage. Il avait pensé que je serais ravie et que je le montrerais. Ce n'était pas le cas.

— Je ne sais pas, ai-je murmuré en reposant ma fourchette. Est-ce que ça ferait du mal à Eric ?

— Comme si quoi que ce soit pouvait faire du mal à un vampire de cet âge-là ! s'est exclamé Amelia. Franchement, Sook, pourquoi tu t'inquiètes de lui ?

— Je l'aime.

Ils m'ont fixée, ébahis.

— Pour de vrai ? a demandé Amelia d'une toute petite voix.

— Amelia, je te l'ai pourtant dit quand tu es partie.

— Je pense que je ne voulais pas te croire. Tu es certaine que tes sentiments seront les mêmes si le lien est détruit ?

— C'est justement ce qu'il faut que je découvre.

Elle a hoché la tête.

— En effet. Et tu dois te libérer de lui.

Le soleil venait de se coucher, et je percevais le lever d'Eric. Sa présence se collait à moi comme une ombre. Tout à la fois familière, agaçante, rassurante et intrusive.

— Si tu es prête, fais-le tout de suite, avant que je perde courage.

— En fait, c'est le moment parfait dans la journée. Coucher de soleil. Fin de la journée. La fin pour beaucoup de choses. C'est logique.

Amelia est partie rapidement dans sa chambre. Elle est revenue peu après avec une enveloppe et trois petits flacons dans un présentoir chromé, semblables aux petits pots de confiture qu'on vous sert au café pour le petit-déjeuner. Les flacons étaient à moitié pleins d'une mixture d'herbes. Amelia portait maintenant un tablier. Je devinais le contour de plusieurs objets dans l'une de ses poches.

— Allons-y, a dit Amelia.

Elle a tendu l'enveloppe à Bob, qui en a extrait un papier qu'il a parcouru rapidement en fronçant les sourcils.

— Dans la cour, a-t-il suggéré.

Nous avons quitté la cuisine, traversant la véranda avant d'arriver à la cour. En passant près de mon vieux barbecue, j'ai senti un reste d'effluve de viande. Amelia m'a placée à un certain endroit, Bob à un autre, puis elle a disposé les pots de confiture également, un derrière chacun d'entre nous. Nous allions former un triangle. Je n'ai pas posé de question – je n'aurais probablement pas cru les réponses.

Elle m'a tendu un étui d'allumettes, ainsi qu'à Bob, en conservant un pour elle-même.

— À mon signal, brûlez vos herbes. Ensuite, marchez autour de votre pot trois fois, dans le sens contraire des aiguilles d'une montre. Arrêtez-vous à votre place après la troisième fois. Puis, nous dirons certaines paroles. Bob, tu les as en tête ? Sookie va avoir besoin de la feuille.

Bob a relu les mots et hoché la tête avant de me passer le papier. Le soleil s'était couché et l'obscurité gagnait les alentours. Je distinguais tout juste les lettres, à la lumière des projecteurs.

— Vous êtes prêts ? a demandé Amelia d'un ton sec.

Dans la pénombre, elle paraissait soudain plus vieille et plus froide.

J'ai acquiescé, me demandant si c'était bien la vérité.

— Oui, a fait Bob, simplement.

— Alors retournez-vous et allumez vos feux, nous a ordonné Amelia.

Comme un robot, j'ai obéi. La peur me tenaillait le ventre. Je n'aurais su dire pourquoi au juste. J'étais pourtant certaine que j'avais raison. J'ai gratté mon allumette et l'ai laissée tomber dans le pot. Les herbes se sont brusquement enflammées, dégageant un parfum âcre. Puis nous nous sommes relevés tous les trois pour entamer nos cercles autour de nos pots respectifs.

Est-ce que c'était bien, tout cela, pour un bon croyant ? Sûrement pas. D'un autre côté, je n'avais jamais pensé à demander au pasteur méthodiste s'il connaissait un rituel qui puisse trancher un lien de sang entre une femme et un vampire.

Après nos trois tours, nous nous sommes immobilisés et Amelia a sorti une pelote de laine rouge de son tablier. Elle a saisi l'extrémité du brin de laine avant de passer la pelote à Bob. Il en a déroulé une longueur, l'a prise entre ses doigts avant de me transmettre la pelote. J'en ai fait autant et l'ai repassée à Amelia. Je tenais la laine d'une main tout en agrippant la feuille de l'autre. Je n'avais pas imaginé qu'il y aurait tant à faire. Amelia a sorti une paire de grands ciseaux de sa poche.

Pendant tout ce temps, elle avait chanté des incantations. Sans s'arrêter, elle m'a fait signe, puis à Bob, indiquant que nous devions chanter avec elle. J'ai baissé les yeux vers mon papier et j'ai récité péniblement des mots auxquels je ne comprenais rien.

Puis tout s'est arrêté.

Nous nous tenions debout en silence, et les petites flammes dans les pots se sont éteintes. La nuit était tombée pour de bon.

— Coupe, m'a dit Amelia en me donnant les ciseaux. Avec toute ton intention.

Je me sentais un peu ridicule et très effrayée. Mais j'étais sûre de moi. Il le fallait. J'ai coupé la laine rouge.

Et j'ai perdu Eric.

Il n'était plus là.

Amelia a enroulé le brin coupé et me l'a tendu. À ma grande surprise, elle arborait un sourire, féroce et triomphant. Comme un automate, j'ai pris la laine de sa main, tous mes sens tendus à la recherche d'Eric.

Rien.

J'ai ressenti une vague de panique. Elle était cependant mitigée de soulagement, ce que j'avais prévu. Il y avait du désespoir aussi. Dès que je serais certaine qu'il allait bien, qu'il n'avait pas eu de mal, je savais que je me détendrais et que je savourerais toute la réussite du sort.

Dans ma maison, le téléphone s'est mis à sonner et je me suis précipitée.

— Tu es là ? a-t-il demandé. Tu es là ? Tu vas bien ?

— Eric ! me suis-je exclamée dans un soupir qui provenait du plus profond de mon être. Oh je suis tellement soulagée que tu ailles bien ! Tu vas bien, n'est-ce pas ?

— Mais qu'as-tu fait ?

— Amelia a trouvé un moyen de briser le lien.

Il y a eu un long silence. Avant, j'aurais su si Eric était inquiet, furieux ou pensif. Maintenant, je n'en avais plus aucune idée.

— Sookie, a-t-il dit enfin, dans une certaine mesure, notre mariage te protège, mais le plus important, c'était le lien.

— Quoi ?

— Tu m'as entendu. Je suis très en colère contre toi.

Aucun doute là-dessus.

— Viens chez moi, ai-je dit.

— Non. Si je vois Amelia, je lui brise la nuque.

Aucun doute, là non plus.

— Elle a toujours souhaité que tu te débarrasses de moi, a-t-il poursuivi.

— Mais… ai-je commencé.

Je ne savais pas comment terminer.

— Je te verrai quand je serai en mesure de me contrôler.

Et il a raccroché.

9

J'aurais dû le prévoir. Je me le répétais pour la énième fois. Je m'étais précipitée sans préparer le terrain. J'aurais au moins dû appeler Eric et l'avertir de ce qui allait se passer. Mais j'avais eu peur qu'il ne réussisse à me convaincre de tout arrêter, et il fallait absolument que je connaisse mes véritables sentiments pour lui.

En ce moment précis, Eric ne ressentait que de la colère vis-à-vis de moi. Il était ultra-furieux. D'un côté, je ne pouvais pas lui en vouloir. Nous étions tout de même censés être amoureux et, par conséquent, nous devions nous consulter l'un l'autre. D'un autre côté, je pouvais compter le nombre de fois où Eric m'avait demandé mon avis sur les doigts de la main. Une seule main. Et encore. À certains moments, donc, je lui en voulais de sa réaction. Bien évidemment, il ne m'aurait jamais laissée faire, et je n'aurais jamais su ce qu'il me fallait à tout prix découvrir. Avais-je eu raison ? Je changeais d'avis comme de chemise. J'étais à la fois inquiète et furieuse, quelle que soit la chemise…

Réfugiés dans leur chambre, Bob et Amelia, eux, étaient en pleine concertation : ils avaient décidé de rester un jour de plus pour « voir comment cela se passerait ». Je savais qu'Amelia se sentait angoissée. Elle pensait qu'elle aurait dû amener l'idée avec plus de douceur avant de m'encourager à sauter le pas. Bob pensait que nous étions toutes les deux des idiotes, mais il était suffisamment malin pour ne pas le dire. Il ne pouvait cependant s'empêcher de le penser, et même s'il n'émettait pas ses pensées de façon si claire qu'Amelia, je l'entendais très clairement.

Le lendemain, je suis allée travailler malgré tout, mais j'étais si malheureuse et perturbée et les affaires si calmes, que Sam m'a dit de rentrer plus tôt. Au passage, India m'a gentiment tapoté l'épaule en me disant de ne pas m'en faire – un concept que j'avais beaucoup de mal à appliquer.

Ce soir-là, Eric a fait son apparition une heure après le coucher du soleil. Il est arrivé en voiture, pour que nous puissions l'entendre et prendre nos dispositions. J'avais espéré qu'il viendrait, et j'étais pratiquement certaine que sa colère serait retombée. Dès la fin du dîner, j'avais suggéré à Amelia et Bob d'aller au cinéma à Clarice.

— Tu es certaine que ça va aller ? m'avait demandé Amelia. Parce qu'on est prêts à rester avec toi, s'il est toujours furieux.

Toute la satisfaction qu'elle avait ressentie à l'idée de m'aider s'était évanouie.

— Je ne connais pas son état d'esprit, lui avais-je expliqué, encore toute étourdie à cette seule idée. Mais je pense qu'il viendra ce soir. Et ce serait certainement mieux si vous n'étiez pas là pour le mettre en rogne plus encore.

Bob s'était un peu indigné, mais Amelia avait hoché la tête. Elle comprenait.

— J'espère que tu me considères toujours comme ton amie, a-t-elle dit. Je veux dire, je t'ai mise dans la mouise, mais ce n'était pas mon intention. Moi, je voulais te libérer.

— Je comprends très bien, et tu es toujours l'une de mes meilleures amies, lui ai-je répondu d'un ton aussi rassurant que possible – c'était mon problème, pas le sien, si je l'avais suivie dans ses impulsions.

J'étais assise dans la véranda de devant, seule et déprimée, à ressasser sans fin toutes mes erreurs, quand j'ai aperçu la lumière des phares de la voiture d'Eric qui remontait l'allée.

Je n'aurais pas cru qu'il se montrerait si hésitant en sortant de sa voiture.

— Tu es toujours en colère ? ai-je demandé en m'efforçant de ne pas pleurer.

202

Les larmes seraient un signe de faiblesse alors que j'essayais au contraire de démontrer la force de mon tempérament.

— M'aimes-tu encore ? a-t-il demandé.

— Toi d'abord.

Quels enfantillages.

— Je ne suis plus en colère. Du moins, plus maintenant. Du moins, pas à cet instant précis. J'aurais dû t'encourager à trouver comment briser le lien. À dire vrai, nous avons un rituel pour cela. J'aurais dû te le proposer. Mais j'avais peur que nous ne soyons séparés : tu aurais pu refuser d'être entraînée dans mes problèmes, Victor aurait pu découvrir que tu étais vulnérable... Sans le lien, s'il choisit d'ignorer délibérément notre mariage, je ne saurai jamais si tu es en danger.

— J'aurais dû te demander ton avis, ou au moins t'avertir de ce que nous allions faire, ai-je dit à mon tour, avant de prendre une profonde inspiration : Je t'aime, toute seule, sans le lien.

Et soudain, il était sur la véranda avec moi. Il m'a prise dans ses bras, m'embrassant les lèvres, le cou, les épaules. Puis il m'a soulevée plus haut, portant mes seins à ses lèvres qui les cherchaient à travers mon tee-shirt et mon soutien-gorge.

J'ai poussé un petit cri puis j'ai noué mes jambes autour de lui, me frottant contre lui de toutes mes forces. Eric adorait faire l'amour debout.

— Je vais déchirer tes vêtements, a-t-il grogné.

— Vas-y.

Et c'est ce qu'il a fait.

Après quelques minutes électrisantes, il m'a annoncé :

— Je déchire les miens aussi.

— Aucun problème, ai-je marmonné avant de lui mordre le lobe de l'oreille.

Il a grondé – l'amour avec Eric n'a rien de civilisé.

J'ai entendu des bruits de tissu lacéré, et soudain, il n'y avait plus rien entre lui et moi.

Il était en moi, au plus profond de moi. Il a trébuché en arrière, atterrissant sur la balancelle qui s'est mise à osciller violemment. Surpris tout d'abord, nous avons suivi ses mouvements, longuement, sans relâche, jusqu'à ce que je ressente cette tension, ce moment presque insupportable d'implosion imminente.

— Vas-y fort, l'ai-je supplié, impérieuse. Fort, fort, fort...

— Et ça... c'est... assez... fort ?

J'ai poussé un hurlement, ma tête tombant vers l'arrière.

Les vagues de mon plaisir me secouaient toujours quand je lui ai ordonné :

— Allez viens, Eric, allez viens !

Je me suis agitée plus vite que je ne l'avais jamais fait.

— Sookie ! s'est-il exclamé, haletant, avant de me transpercer d'une dernière poussée colossale, suivie d'un son qu'on aurait pu prendre pour de la douleur primale.

Mais moi, je savais d'expérience que c'était loin d'être le cas.

Magnifique. Épuisant. Complètement excellent.

Pendant une bonne demi-heure, nous sommes restés enlacés dans la balancelle, récupérant lentement, dans la nuit rafraîchissante. J'étais si heureuse et détendue que je n'avais aucune envie de bouger, mais il fallait quand même que je rentre pour me laver et mettre des habits dont les coutures n'étaient pas éclatées. Quant à Eric, il n'avait arraché que le bouton de son jean, qu'il pouvait maintenir grâce à sa ceinture – il avait réussi à en défaire la boucle avant que nous ne passions en mode déchirement. Et sa fermeture à glissière était encore en état de fonctionnement.

Tandis que je réparais les dégâts de mon côté, il s'est réchauffé du sang et m'a préparé une poche de glace et un verre de thé glacé. Je me suis allongée sur le canapé et il a appliqué la poche lui-même. *J'ai eu raison de briser le lien*, me suis-je dit. J'étais soulagée de ne pas ressentir les émotions d'Eric. Même si, en même temps, j'étais perturbée par cette sensation de soulagement.

Pendant quelques instants, nous avons bavardé de choses et d'autres. Il m'a brossé les cheveux – ils étaient

204

affreusement emmêlés, et je lui ai brossé les siens – d'après ce que j'ai entendu, les singes se font mutuellement la toilette pour trouver des cristaux de sel. C'est un peu ce que nous faisions.

Quand j'ai fini de lisser sa chevelure bien brillante, il a drapé mes jambes sur ses genoux. Puis il s'est mis à les caresser légèrement, descendant jusqu'à mes orteils et remontant vers l'ourlet de mon short, dans un mouvement incessant.

— Victor t'a dit quelque chose ?

Je n'avais guère envie d'entamer de nouveau la conversation sur ce que j'avais fait – nous avions malgré tout débuté la réunion en fanfare…

— Il n'a rien dit du lien en tout cas. Alors il ne sait pas encore – autrement, il m'aurait appelé dans la minute.

Eric a reposé la tête contre le dossier du canapé, ses yeux bleus mi-clos. La détente après l'orgasme.

Très bien, très bien.

— Et comment va Miriam ? Elle s'est remise ?

— Elle s'est remise de la drogue que Victor lui avait administrée. Mais sa maladie empire. Pam est plus désespérée que je ne l'ai jamais vue.

— Mais de quand date leur relation ? Je n'en avais aucune idée avant qu'Immanuel m'en parle.

— Pam n'éprouve que rarement des sentiments tels que ceux qu'elle nourrit pour Miriam.

Eric a tourné la tête avec lenteur, ses yeux cherchant les miens.

— Je ne l'ai découvert que lorsqu'elle m'a demandé la permission de s'absenter pour aller voir Miriam à l'hôpital. En outre, elle a donné de son sang à la fille et c'est la seule raison qui lui a permis de survivre si longtemps.

— Le sang de vampire ne l'a pas guérie ?

— Notre sang est utile pour soigner les plaies ouvertes. Pour les maladies, il offre un certain soulagement, mais rarement de remède.

— Je me demande pourquoi…

Eric a haussé les épaules.

— Je suis certain qu'un de vos savants aurait une théorie, mais moi je n'en ai aucune. De plus, certains humains sont emportés par la folie lorsqu'ils ingèrent notre sang. Les risques sont donc considérables. Je me sentais plus à l'aise à l'époque où les propriétés de notre sang étaient un secret. Mais j'imagine que ça ne pouvait durer tellement plus longtemps. En tout cas, Victor n'a que faire de la survie de Miriam ou du fait que Pam n'avait encore jamais demandé à débuter une lignée. Après toutes ces années de service, elle a pourtant bien mérité ce droit.

— C'est par pure méchanceté, que Victor refuse Miriam à Pam ?

Il a acquiescé.

— Son excuse de merde, c'est qu'il y a suffisamment de vampires dans ma juridiction. Alors que mes effectifs sont réduits, en fait. La vérité, c'est que Victor nous fera obstacle aussi longtemps que possible. Il espère que je commettrai une erreur suffisamment grave pour qu'on me démette de mes fonctions ou qu'on me fasse tuer.

— Mais Felipe ne le permettrait jamais, si ?

Eric m'a soulevée pour m'installer sur ces genoux et me tenir contre son torse frais. Sa chemise était encore ouverte.

— Felipe prendrait la défense de Pam s'il était sur place. Mais je suis certain qu'il ne veut pas se mêler de la situation. C'est ce que je ferais à sa place. Il est en train d'installer Red Rita en Arkansas, et elle n'a jamais gouverné. Il sait bien que Victor boude parce qu'il a été nommé régent et non roi de Louisiane. Il est très occupé à Las Vegas et, comme il a envoyé du monde sur ses deux nouveaux États, son équipe est restreinte au strict minimum. On n'a pas consolidé un empire de cette taille depuis des centaines d'années. Et à l'époque, la population ne représentait qu'une fraction de celle que nous avons actuellement.

— Alors Felipe contrôle encore complètement le Nevada ?

— Pour l'instant, c'est le cas.

— C'est plutôt inquiétant, comme réponse.

206

— Quand un leader est en position de faiblesse, les requins viennent rôder. Ils aimeraient n'en faire qu'une bouchée.

Évocation plutôt déplaisante.

— Quels requins ? On les connaît ?

Eric a détourné le regard.

— Deux autres monarques, en Zeus. Un : la reine de l'Oklahoma. Et deux : le roi de l'Arizona.

Les vampires avaient partagé l'Amérique en quatre territoires, baptisés en mémoire d'antiques religions. Prétentieux, non ? Moi, je vivais en territoire Amun, dans le royaume de Louisiane.

— Si seulement tu n'étais qu'un vampire ordinaire, me suis-je brusquement exclamée. Je voudrais tellement que tu ne sois pas shérif, ni quoi que ce soit d'autre.

— Tu veux dire comme Bill, en somme ?

Aïe.

— Non, ai-je rétorqué sèchement. Parce qu'il n'est pas ordinaire non plus. Il a démarré toute cette histoire de base de données, et il a réussi à s'éduquer tout seul pour l'informatique. Il s'est, disons, réinventé. En fait, je crois que je préférerais que tu sois... comme Maxwell.

Maxwell était un homme d'affaires. Il portait des costumes. Il venait remplir son devoir au club, sans enthousiasme, et il montrait les crocs aux touristes sans conviction. Gêné par le balai coincé dans son... fondement, il était ennuyeux au possible. On m'avait toutefois fait comprendre que sa vie privée était des plus exotiques. Ce qui ne m'intéressait franchement pas du tout.

Eric a levé les yeux au ciel.

— Mais bien sûr ! Je lui ressemble tellement ! Attends un peu, je vais commencer à me promener avec une calculette dans la poche, et puis je vais endormir les gens en leur parlant de rentes variables et autres foutaises.

— Compris, Monsieur Subtil !

Mon palais des plaisirs étant maintenant rafraîchi, j'ai reposé la poche à glace sur la table.

J'étais sidérée. Nous n'avions jamais eu de conversation aussi détendue.

— Tu vois ? C'est plutôt sympa, non ?

Je voulais tenter de convaincre Eric d'admettre que j'avais fait ce qu'il fallait, même si je m'y étais mal prise.

— Oh oui, super sympa… Jusqu'à ce que Victor t'attrape et te vide de ton sang. Après, il dira « mais Eric, elle n'était plus liée à toi, alors je pensais que tu n'en voulais plus ! » Ensuite, il te fera passer de l'autre côté, contre ta volonté, et je serai obligé de te regarder souffrir, enchaînée à lui pour le restant de ton existence. Et de la mienne.

— Ah toi, tu sais vraiment parler aux femmes !

— Je t'aime, a-t-il dit, comme s'il se forçait à se rappeler de quelque chose de douloureux. Et cette histoire, avec Pam, il faut que cela finisse. Si cette Miriam meurt, Pam décidera peut-être de partir, et je ne pourrai pas l'en empêcher. Et d'ailleurs, je ne dois pas l'en empêcher. Pourtant, elle m'est très utile.

— Tu l'aimes beaucoup, ai-je fait remarquer. Allez, Eric, tu l'adores. On peut dire que c'est ta fille.

— Oui, j'ai beaucoup d'affection pour Pam. J'ai fait un bon choix. Et toi, tu es l'autre bon choix que j'ai fait.

— C'est l'une des choses les plus gentilles qu'on m'ait jamais dites, ai-je répondu d'un ton étranglé.

— Ne pleure pas ! s'est-il exclamé en agitant les mains devant lui, comme pour chasser mes larmes.

J'ai ravalé mes pleurs et pris son pan de chemise pour m'essuyer les yeux.

— Alors, tu as un plan pour Victor ?

Le visage d'Eric s'est fait sinistre. En fait, encore plus sinistre.

— Chaque fois que j'en trouve un, je me heurte à un obstacle si énorme que je dois l'abandonner. Victor se montre très doué pour se protéger lui-même. Il est possible que je sois obligé de l'attaquer de front. Si je le tue, et si je gagne, alors je devrai passer en jugement.

J'en ai frissonné.

— Eric, à ton avis, si tu combattais seul contre Victor, à mains nues, dans une pièce vide, qui serait le gagnant ?

— Il est vraiment bon, a dit Eric, simplement.

208

— Il pourrait gagner ?

Le concept même me semblait tellement étrange.

— Oui.

Eric a cherché mon regard avant d'ajouter :

— Quant à ce qui vous arriverait ensuite, à Pam et à toi...

— Je n'essaie pas de diminuer l'importance du fait que dans ce scénario, tu serais mort. Et c'est ça qui m'affecterait le plus. Mais je me demande pourquoi tu es si certain qu'il nous ferait du mal. Quel intérêt ?

— L'intérêt serait de montrer l'exemple aux autres vampires qui pourraient avoir dans l'idée de tenter de le renverser.

Les yeux d'Eric se sont fixés sur le linteau de la cheminée, rempli d'un fouillis de photos de la famille Stackhouse. Il ne voulait pas me regarder pour m'expliquer la suite.

— Heidi m'a raconté qu'il y a deux ans, alors que Victor était encore shérif dans le Nevada, à Reno, un nouveau vampire du nom de Chico lui a mal répondu. Le père de Chico était mort, mais sa mère était encore en vie. Elle s'était même remariée et avait eu d'autres enfants. Victor l'a fait enlever. Pour corriger les manières de Chico, il a coupé la langue de sa mère pendant que Chico regardait. Il l'a obligé à la manger.

Ce récit était si choquant que j'ai eu du mal à absorber les faits.

— Mais... les vampires ne peuvent pas manger. Qu'est-ce qui...

— Chico a vomi très violemment. Il a même rendu du sang, a poursuivi Eric, qui ne trouvait toujours pas la force de me regarder. Il est devenu si faible qu'il ne pouvait plus bouger. Tandis qu'il était étendu sur le sol, sa mère est morte en se vidant de son sang. Il n'a pas eu la force de se traîner vers elle pour lui donner de son sang et la sauver.

— Et Heidi t'a raconté ça d'elle-même ?

— Oui. Je lui avais demandé pourquoi elle était si contente d'avoir été mutée à la Cinquième Zone.

Heidi, une vampire spécialisée dans la traque, faisait maintenant partie de l'équipe d'Eric, à la demande de

Victor. Bien sûr, elle était censée espionner Eric, mais, comme tout le monde le savait, personne ne semblait s'en formaliser. Je ne la connaissais pas très bien, mais je savais qu'elle avait un enfant en vie, un drogué de Reno. Je n'étais donc pas surprise qu'elle ait pris à cœur la leçon de Victor. Pour tout vampire qui avait encore des parents ou des amis en vie, cette histoire donnerait toutes les raisons de craindre Victor – et également de le haïr et de vouloir sa mort. Victor n'avait probablement pas pensé à cet aspect-là, quand il avait donné sa démonstration.

— Soit Victor ne voit pas plus loin que le bout de son nez, soit il est d'une arrogance monstrueuse, ai-je conclu à voix haute.

Eric m'a approuvée d'un signe de tête.

— Peut-être les deux, a-t-il ajouté.

— Tu as ressenti quoi, quand tu as entendu cette histoire ? ai-je demandé.

— Je... ne voulais pas que cela t'arrive, a-t-il répondu, déconcerté. Que cherches-tu, Sookie ? Quelle réponse attends-tu ?

Je savais que c'était peine perdue, mais ce que je cherchais à voir chez lui, c'était de l'aversion morale. Ce que je voulais entendre, c'était « moi, je ne ferais jamais, jamais une chose aussi cruelle à une mère et à son fils ».

Mais comment espérer qu'un vampire vieux d'un millier d'années soit révolté par la mort d'une femme humaine qu'il n'avait pas connue, une mort qu'il n'aurait pas pu empêcher... De plus, je savais qu'il était horriblement mal de ma propre part de comploter pour tuer Victor. Je n'avais qu'un souhait : son absence pure et simple. Je n'avais aucun doute : si Pam m'appelait pour annoncer qu'un coffre-fort était tombé sur Victor, je jubilerais et je danserais de joie.

— Ne t'inquiète pas, ce n'est pas grave, lui ai-je dit.

Eric m'a lancé un sombre regard. Il ne pouvait pas concevoir la profondeur de ma détresse – en tout cas plus maintenant, sans le lien. Mais il me connaissait suffisamment pour voir que je me sentais mal. Je me suis forcée à me concentrer sur le problème le plus tangible.

— Tu sais à qui tu devrais parler ? Tu te souviens de la nuit où on est allés au *Vampire's Kiss* ? Ce serveur qui m'a alertée au sujet du sang de faé, avec un regard et une pensée.

Eric a opiné.

— Ça m'embête vraiment, de le mêler à tout ça. Mais je crois qu'on n'a pas le choix. Il faut qu'on rassemble tout ce qu'on a. Autrement, on est foutus.

— Parfois, a dit Eric, tu me stupéfies.

Parfois, je me stupéfie moi-même – que ce soit positif ou non.

Eric et moi sommes retournés au *Vampire's Kiss*. Le parking était bondé. Quoique... peut-être pas autant que la dernière fois. Nous nous sommes garés derrière le club. Même si Victor était présent ce soir, il n'avait aucune raison de faire vérifier le parking des employés, ni de se souvenir de la marque de ma voiture. Pendant que nous attendions, j'ai reçu un texto d'Amelia m'informant qu'ils étaient rentrés et me demandant si j'allais bien.

— Tvb, ai-je répondu. Impec pour nous. C et D sont là ?

— Oui. Reniflent véranda, me demande pourquoi. Ces faé... Tu as tes clés ?

Je lui ai expliqué que oui, mais que je n'étais pas certaine de rentrer à la maison ce soir. Nous étions plus près de Shreveport que de Bon Temps, et je devrais ramener Eric chez lui, à moins qu'il ne vole. Mais dans ce cas, sa voiture serait chez... Oh et puis zut, c'était justement pour ce type de boulot qu'il employait un assistant de jour.

— Tu as eu le temps de remplacer Bobby ? ai-je demandé à Eric.

Je n'avais pas envie de parler de choses désagréables, mais je voulais savoir.

— Oui. J'ai embauché un homme il y a deux jours. Il m'a été chaudement recommandé.

— Par qui ?

Il y a eu un silence. Piquée de curiosité, j'ai examiné mon petit cœur adoré. Je me demandais bien pourquoi il se montrait si hésitant.

— Par Bubba, a-t-il finalement répondu.

Je me suis mise à sourire.

— Il est de retour ! Il est installé où ?

— Pour l'instant, il vit chez moi. Quand il a demandé des nouvelles de Bobby, j'ai dû lui raconter ce qui s'était passé. La nuit suivante, il est arrivé avec cette personne. J'imagine que nous allons pouvoir le former.

— Tu ne sembles pas très enthousiaste.

— C'est un loup-garou.

À cette réponse, j'ai soudain compris son attitude. Les loups-garous et les vampires ne s'entendent vraiment pas. Chez les SurNat, ils représentent les deux grands groupes majoritaires. On pourrait donc penser qu'ils formeraient une alliance, mais il n'y a rien à faire. Ils sont capables de collaborer à court terme, sur un projet mutuellement bénéfique, puis ils retombent automatiquement dans la méfiance et l'antipathie.

— Parle-moi de lui, ai-je demandé. De ton assistant.

Nous n'avions rien d'autre à faire, et nous n'avions eu que peu de temps ces temps-ci pour bavarder simplement.

— C'est un homme noir, a-t-il répondu, comme s'il expliquait que le nouvel assistant avait les yeux marron.

Eric gardait un souvenir intense de la première fois qu'il avait vu un homme noir, des siècles plus tôt.

— C'est un loup solitaire, a-t-il poursuivi, sans meute. Alcide lui a déjà fait des propositions, pour qu'il intègre la meute des Longues Dents, mais j'ai l'impression que ça ne l'intéresse pas. Naturellement, maintenant qu'il a pris le poste chez moi, ils n'auront plus très envie de l'avoir.

— C'est ça, le mec que tu as embauché ? Un loup-garou sans formation, en qui tu n'as aucune confiance ? Un type qui va forcément énerver Alcide et la meute des Longues Dents ?

— Il dispose d'une caractéristique exceptionnelle.

— Génial ! Laquelle ?

— Il sait tenir sa langue. Et il hait Victor.

Ce qui faisait effectivement toute la différence.

— Et pourquoi ? J'imagine qu'il doit avoir de bonnes raisons.

— Je n'en sais rien pour l'instant.

— Mais tu es convaincu qu'il n'est pas en train de jouer double jeu ? Que Victor n'a pas été suffisamment malin pour comprendre que tu prendrais quelqu'un qui le déteste, pour briefer ce mec et te le mettre dans les pattes ?

— Je suis convaincu, a répondu Eric. Mais je souhaite que tu passes un peu de temps avec lui demain.

— Si j'arrive à dormir un peu...

J'ai bâillé à m'en décrocher la mâchoire. Il était plus de 2 heures du matin. Visiblement, le bar allait bientôt fermer, mais pour la plupart les voitures du parking des employés attendaient encore leur propriétaire.

— Eric ! Regarde, il est là !

Le serveur du nom de Colton était à peine reconnaissable pour moi, car il portait un short cargo de couleur kaki, des tongs et un tee-shirt avec un motif que je ne pouvais distinguer. Je regrettais un peu le pagne en cuir. J'ai démarré ma voiture après celle de Colton, et lorsqu'il est sorti du parking, j'ai attendu un moment avant de le suivre discrètement. Il a pris vers la droite pour se diriger à l'ouest en direction de Shreveport. Mais il n'est pas allé si loin, prenant ensuite la sortie de Haughton.

— On est franchement visibles, là, ai-je fait remarquer.

— Il faut qu'on lui parle.

— Alors on abandonne la discrétion ?

Eric a acquiescé. Manifestement, ça l'embêtait, mais nous n'avions pas vraiment le choix.

Après avoir suivi une petite route, le véhicule de Colton, une Dodge Charger quelque peu délabrée, s'est engagé dans une allée étroite. Il s'est arrêté devant un mobile home de bonne taille. Il est sorti pour se poster à côté de sa voiture. J'étais à peu près certaine qu'il tenait une arme dans la main qu'il laissait pendre à son côté.

— Je vais sortir la première, ai-je dit en amenant ma voiture jusqu'à lui.

Avant qu'Eric ne puisse protester, j'ai ouvert ma portière avant de m'écrier :

— Colton ! C'est Sookie Stackhouse. Vous savez qui je suis ! Je vais me lever. Je ne suis pas armée.

— Allez-y doucement.

Il parlait d'un ton méfiant et je ne pouvais pas lui en vouloir.

— Pour info, Eric Northman est avec moi. Mais il est toujours dans la voiture.

— Très bien.

J'ai levé les mains et me suis écartée du véhicule pour qu'il puisse me voir clairement. Il ne disposait que de l'éclairage de la lampe à l'entrée du mobile home, mais il m'a inspectée soigneusement. Tandis qu'il essayait de me fouiller en me regardant, la porte s'est ouverte et une jeune femme s'est avancée sur la véranda.

— Qu'est-ce qui se passe, Colton ? a-t-elle demandé d'une voix nasillarde à l'accent rural.

— On a de la visite. Ne t'inquiète pas.

— C'est qui, elle ?

— La Stackhouse.

— Sookie ?

Elle semblait surprise.

— Oui. Je vous connais ? ai-je demandé. Je ne vous vois pas très bien.

— C'est Audrina Loomis, a-t-elle répondu. Tu te souviens ? Je suis sortie avec ton frère un bout de temps, quand on était au lycée.

Ce qui ne m'aidait pas vraiment, car la moitié des filles de Bon Temps en avaient fait autant.

— Ça fait un bail, ai-je convenu prudemment.

— Il est toujours célibataire ?

— Il l'est. Au fait, est-ce que mon ami peut sortir, maintenant qu'on se connaît tous, ici ?

— Et lui, qui c'est ?

— Il s'appelle Eric. C'est un vampire.

— Cool ! Voyons voir !

Audrina se montrait plus téméraire que Colton. Je n'oubliais pas, toutefois, que c'était Colton qui m'avait prévenue au sujet du sang de faé.

Eric est sorti de ma voiture. Il y a eu un moment de silence ébahi, tandis qu'Audrina digérait la magnificence d'Eric.

— OK, a finalement émis Audrina, se raclant la gorge comme si elle s'était soudain asséchée. Vous voulez bien entrer, tous les deux, et nous expliquer ce que vous faites ici ?

— Tu crois que c'est bien malin ? lui a demandé Colton.

— Il aurait pu nous tuer au moins six fois, déjà.

Audrina était loin d'être aussi bête qu'elle le paraissait.

Nous sommes tous rentrés dans le mobile home, et Eric et moi nous sommes assis sur la banquette. Il lui manquait plusieurs ressorts d'importance pourtant cruciale, et on l'avait recouverte d'un vieux couvre-lit chenille. J'ai enfin pu examiner Audrina à loisir. Elle portait ses cheveux platine aux épaules, et ses racines étaient brunes. Sa chemise de nuit n'était manifestement pas prévue pour dormir : rouge, elle était presque entièrement transparente. Elle avait attendu le retour de Colton avec des intentions qui n'avaient rien d'innocent.

Privée de la distraction du pagne de cuir et de ses yeux étonnants, j'étais maintenant à même de constater que Colton était finalement plutôt ordinaire. Certains hommes ne peuvent dégager de la sensualité que s'ils retirent leurs vêtements, et Colton était de ceux-là. Ses yeux étaient cependant tout à fait extraordinaires, et c'est avec son regard qu'il me passait au laser. Très sérieusement.

— Désolée, nous n'avons pas de sang, s'est excusée Audrina.

Elle ne m'a rien offert à boire et j'ai vu dans son esprit que c'était délibéré de sa part. Elle ne tenait pas à ce que notre réunion prenne un tour convivial.

Très bien.

— Eric et moi, on voudrait savoir pourquoi vous nous avez prévenus, ai-je dit à Colton.

Et j'avais aussi envie de savoir pourquoi j'avais pensé à Colton lorsque Eric m'avait raconté l'histoire de Chico et de sa mère.

— J'avais entendu parler de vous. C'est Heidi qui m'a raconté.

— Vous êtes ami avec Heidi ? l'a interrogé Eric, qui, tout en adressant son plus beau sourire à Audrina, examinait Colton attentivement.

— Ouais. Je travaillais pour Felipe dans un club à Reno. C'est là-bas que j'ai rencontré Heidi.

— Vous avez quitté Reno pour prendre un job mal payé en Louisiane ?

Ça n'avait aucun sens.

— Audrina était d'ici, et elle voulait essayer d'y revenir pour y habiter, a expliqué Colton. Sa grand-mère vit dans le mobile home un peu plus loin dans la rue, et elle est plutôt fragile. Audrina travaille au *Vic's Redneck* dans la journée, en tant que comptable. Moi je travaille de nuit au *Vampire's Kiss*. Le coût de la vie est bien moins élevé ici. Mais vous avez raison, ce n'est pas toute l'histoire.

Il a lancé un regard à son amie.

— Nous sommes venus pour une raison précise, a précisé Audrina. Colton est le frère de Chico.

Eric et moi avons réfléchi quelques instants.

— Alors c'était votre maman, ai-je dit au jeune homme. Je suis tellement désolée.

— Oui. C'était ma mère.

Colton nous a adressé un regard impassible avant de reprendre.

— Mon frère Chico est un connard, qui n'a pas hésité une seule seconde avant de devenir un vampire. Il a renoncé à sa vie, comme un débile déciderait de se faire faire un tatouage. « Hé, cool ! J'y vais ! » Et après, il a continué de se conduire en connard, il parlait mal à Victor. Il ne comprenait rien. Rien du tout !

Colton avait la tête dans les mains, la secouant dans sa détresse.

216

— Il a compris, cette nuit-là. Mais maman était morte. Et Chico aimerait bien l'être, mais il ne le sera jamais.

— Comment se fait-il que Victor ne sache pas qui vous êtes et ne se méfie pas de vous ?

C'est Audrina qui a répondu, pour donner à Colton le temps de se remettre.

— Chico est d'un père différent. Lui et Colton n'ont pas le même nom de famille. En plus, Chico n'était pas très famille. Ça fait dix ans qu'il a quitté la maison. Il n'appelait sa mère qu'une fois tous les deux ou trois mois, et il ne venait jamais les voir. Mais ça a suffi à Victor. Il a eu la bonne idée de rappeler à Chico que ce n'était pas avec les California Angels[1], qu'il avait signé un contrat.

— Plutôt avec les Hell's Angels, a ajouté Colton en se redressant.

Si la comparaison ne plaisait pas à Eric, il n'en a rien montré. J'étais certaine qu'il avait déjà entendu bien pire.

Eric a fait un signe de tête en direction d'Audrina.

— J'imagine que votre jeune dame vous a parlé de ma Sookie. C'est ainsi que vous avez su comment avertir Sookie que Victor allait nous empoisonner.

Colton a soudain semblé furieux. *Je n'aurais pas dû*, a-t-il pensé.

— Mais si. Vous avez eu raison, ai-je dit un peu sèchement. On est tous humains.

— Vous, oui, a dit Eric, comprenant l'expression de Colton avec autant de précision que je comprenais ses pensées. Mais Pam et moi, non. Colton, je voudrais vous remercier pour cet avertissement, et je souhaiterais vous récompenser. Que puis-je pour vous ?

Colton n'a pas hésité.

— Vous pouvez tuer Victor.

— Comme c'est intéressant. C'est exactement ce que je compte faire, a annoncé Eric.

---

1. Célèbre équipe américaine de baseball, Anaheim, Californie ; littéralement « anges de Californie », par opposition aux « Hell's Angels », les « anges de l'enfer », plus loin dans le texte. *(N.d.T.)*

10

Dans le style dramatique, Eric ne pouvait pas faire mieux. Saisis, Audrina et Colton se sont raidis brusquement. Mais moi, j'étais déjà passée par là.

Exaspérée, j'ai gonflé mes joues et détourné le regard.

— Tu t'ennuies, mon aimée ? a demandé Eric d'un ton glacial.

Sibérien, même.

— Mais ça fait des mois, qu'on dit ça !

Bon, d'accord, j'exagérais peut-être très légèrement. Mais pas tellement.

— Tout ce qu'on a fait, c'est parler. Si on veut vraiment faire quelque chose, il faut y aller, maintenant. La parlote, ça ne sert à rien. Tu crois qu'il ne sait pas qu'il est sur notre liste ? Tu ne crois pas plutôt qu'il attend carrément qu'on essaie ?

Je m'étonnais moi-même. Ce discours, je l'avais tenu secret, même pour moi.

— À ton avis, ai-je poursuivi, pourquoi il te fait tout ça, à Pam et à toi ? Pour te provoquer et te pousser à faire quelque chose pour qu'il puisse te mettre à terre ! Dans tous les cas, il gagne !

Frappé de stupeur, Eric m'a considérée comme si je m'étais transformée en chèvre. Audrina et Colton me regardaient tous deux, bouche bée.

Eric a commencé à dire quelque chose, puis il s'est interrompu. Je ne savais pas s'il allait me crier dessus ou sortir en silence.

Il s'est finalement adressé à moi d'une voix égale et terriblement calme.

— Alors, quelle est ta solution ? As-tu un plan ?

— Fixons rendez-vous à Pam pour demain soir, ai-je répondu. Elle doit en faire partie.

Et j'aurais le temps de penser à quelque chose, pour ne pas me ridiculiser.

— Très bien. Colton et Audrina, êtes-vous certains de vouloir prendre ce risque ?

— Sans aucun doute, a certifié Colton. Audie, ma puce. Tu n'es pas obligée de faire ça.

Audrina a émis un grognement d'impatience.

— Trop tard, coco ! Au travail, tout le monde sait qu'on vit ensemble. Si tu te révoltes, je suis morte dans tous les cas. Ma seule chance, c'est de me joindre à vous, pour qu'on ait plus de chances d'y arriver.

Ça me plaît bien, qu'une femme ait la tête sur les épaules. J'ai étudié son extérieur, puis son intérieur. Le résultat : la sincérité. Malgré tout, je me serais montrée naïve d'ignorer le fait suivant : ce qu'elle avait de mieux à faire, c'était d'aller trouver Victor pour nous dénoncer.

— Et comment être certain que vous n'allez pas prendre le téléphone dès que nous serons partis d'ici ? ai-je demandé, ayant décidé d'opter pour la franchise.

— Pareil pour moi. Et si vous en faisiez autant ? a rétorqué Audrina. Colton vous a rendu service en vous alertant, pour le sang de faé. Il a cru ce que Heidi a dit de vous. Et à mon avis, ce que vous voulez vraiment, c'est survivre à tout ça, tout comme nous.

— Mon deuxième prénom, c'est Survie. À demain soir, donc. Chez moi, ai-je décidé.

Comme j'habitais dans un endroit isolé et que ma maison était protégée par des sorts, nous serions au courant si quelqu'un essayait de suivre Eric et Pam, ou Colton et Audrina. Je leur ai écrit des indications pour venir, sur une vieille liste de courses.

Après cette soirée interminable, je poussais des bâillements démesurés et j'ai laissé Eric conduire pour le retour à Shreveport. J'avais tellement sommeil (et j'étais si endo-lorie) qu'il était hors de question de tenter une nouvelle partie de jambes en l'air. À moins, ai-je précisé, qu'Eric ne soit subitement intéressé par la nécrophilie. Il a éclaté de rire à cette suggestion.

— Non non. Je te préfère bien vivante et toute chaude, en train de gigoter, m'a-t-il assuré avant de déposer un bai-ser au creux de mon cou, à l'endroit précis qui me fait tou-jours frissonner. Mais je crois que je pourrais te réveiller suffisamment...

Je trouvais sa certitude attrayante... Mais non, je n'en avais véritablement pas l'énergie. J'ai bâillé de nouveau et il a ri de plus belle.

— Je vais chercher Pam et lui raconter tout ce qui s'est passé. Il faut que je lui demande des nouvelles de Miriam, aussi. Sookie, quand tu te lèveras demain matin, repars directement chez toi. Je laisserai un mot à Mustapha au sujet de ma voiture.

— Qui ça ?

— Mon nouvel assistant de jour s'appelle Mustapha Khan. Je te préviens, il a du caractère.

— Bon, OK. Comme je dois me lever demain matin, je crois que je vais prendre la chambre du haut.

Je me tenais dans l'encadrement de la porte de la plus grande chambre du rez-de-chaussée, celle dans laquelle Eric voulait que j'emménage. Celle qu'il occupait pour son usage personnel avait été une salle de jeux, en sous-sol, avec une paroi qui donnait sur l'extérieur. Il avait demandé à un entrepreneur de combler la baie vitrée et fait installer une porte très lourde avec un double verrou, pour se proté-ger en barrant l'accès par l'escalier. Quand je pouvais me lever tard, j'y passais parfois la nuit, mais je m'y sentais pri-sonnière. La chambre du haut était équipée de volets et de rideaux occultants, permettant ainsi à des visiteurs vam-pires d'y dormir. Si je laissais les volets ouverts, l'endroit devenait tolérable.

Après le désastre de la visite du créateur d'Eric, Appius, accompagné de son protégé Alexei, j'aurais pensé qu'à chacune de mes visites je reverrais les images et sentirais l'odeur du sang qui avait coulé ici à flots. Mais un décorateur, armé d'un beau budget, avait changé les tapis et refait la peinture. Plus rien ne laissait deviner la violence qui avait sévi ici, et la maison sentait la noix de pécan, ou quelque chose de semblable. Derrière ce parfum agréable et rassurant, on distinguait la senteur légère et sèche des vampires, elle aussi très plaisante.

Après le départ d'Eric, j'ai refermé la porte à clé – on ne sait jamais – et j'ai pris une douche rapide. Je gardais toujours une chemise de nuit ici, un vêtement plus raffiné que mon tee-shirt Titi habituel. Bien installée dans mon lit au matelas confortable, j'ai cru entendre la voix de Pam. J'ai fouillé le tiroir de la petite table de chevet, à la recherche de mon réveil et d'une boîte de mouchoirs, et c'est la dernière chose dont je me souvienne : je me suis endormie.

J'ai rêvé d'Eric, de Pam, et d'Amelia. Ils se trouvaient dans une maison en flammes, et je devais les sortir de là avant qu'ils ne se consument. Pas besoin d'un psy pour interpréter... Je me suis simplement demandé pourquoi j'avais placé Amelia dans cette maison. Dans la vraie vie, avec sa maladresse, c'est Amelia qui aurait déclenché le feu toute seule comme une grande, par un pur effet du hasard...

Je suis sortie du lit en titubant à 8 heures, après cinq petites heures de sommeil. Tout à fait insuffisant. Je me suis arrêtée en chemin chez *Hardee's* pour prendre une tasse de café et un petit pain à la saucisse, et ma journée s'est ensoleillée légèrement. Juste un peu.

En dehors d'un pick-up flambant neuf garé devant, à côté de la voiture d'Eric, il n'y avait rien d'anormal chez moi, et ma maison semblait encore sommeiller sous le soleil chaud du matin.

La lumière était éblouissante et les fleurs qui s'épanouissaient autour des marches avaient relevé leurs corolles en direction du soleil. Je suis allée me garer derrière, me demandant qui étaient les visiteurs et dans quel lit ils avaient dormi. Les voitures d'Amelia et de Claude avaient laissé juste assez d'espace pour la mienne. Il me semblait bien étrange, de rentrer chez moi alors qu'il s'y trouvait déjà tant de monde. Personne ne s'était encore levé – à mon grand soulagement d'ailleurs. J'ai démarré une cafetière et suis passée dans ma chambre pour me changer.

Il y avait quelqu'un dans mon lit.

— Excusez-moi ? ai-je fait, interloquée.

Alcide Herveaux s'est assis. Il était torse nu – je ne voyais pas le reste de son corps sous le drap.

— Merde. Alors ça c'est la meilleure. J'aimerais bien une petite explication !

Je sentais une certaine fureur me gagner.

Le sourire d'Alcide s'est évanoui et il a eu bien raison. Ce n'est pas le genre d'expression qu'on peut afficher quand on se trouve dans mon lit sans m'en avoir demandé la permission. Soudain grave, Alcide a pris l'air gêné. Nettement plus approprié.

— Tu as brisé ton lien avec Eric, a expliqué le chef de meute de Shreveport. À chaque occasion que nous avons eue de nous retrouver ensemble, j'ai raté le bon moment. Cette fois-ci, je ne voulais pas manquer ma chance.

Puis il a attendu ma réaction, sans détourner les yeux.

Je me suis effondrée dans mon vieux fauteuil à fleurs, disposé dans un coin de la pièce. Je jette souvent mes habits dessus le soir. Alcide en avait fait autant. J'espérais bien que mon derrière était en train de froisser sa chemise et qu'elle serait irrécupérable.

— Qui t'a laissé entrer ?

Il devait avoir de bonnes intentions à mon égard, sinon les boucliers de protection ne l'auraient pas laissé passer le seuil – d'après Amelia tout du moins. À cet instant précis, ce point-là m'était toutefois parfaitement indifférent.

— Ton cousin, le faé. Qu'est-ce qu'il fait dans la vie, au juste ?

— Il est strip-teaseur, ai-je rétorqué, simplifiant à l'excès par énervement.

Je n'avais pas pensé qu'il s'agirait d'une information extraordinaire, d'ailleurs. Mais le visage d'Alcide montrait tout le contraire. J'ai néanmoins poursuivi immédiatement.

— Alors quoi ? Tu as simplement décidé de squatter mon lit et de me séduire quand je passerais la porte ? De retour après avoir passé la nuit avec mon mec ? Une nuit torride qui pourrait figurer dans le Guinness Book ?

Aïe, pourquoi cette précision ?

Alcide était maintenant pris d'un fou rire incontrôlable et je me suis détendue. Les esprits des loups-garous sont certes très enchevêtrés, mais je voyais bien qu'il se moquait également de lui-même.

— Moi non plus, je ne trouvais pas que c'était une très bonne idée, m'a-t-il expliqué avec franchise. Mais Janna-lynn estimait que ça gagnerait du temps, et qu'on pourrait t'attirer pour te rapprocher de la meute.

Ah. Voilà qui expliquait bien des choses.

— Alors tu as fait ça sur les conseils de Jannalynn ? Mais tout ce qu'elle voulait, c'était me mettre mal à l'aise.

— Tu es sérieuse ? Mais qu'est-ce qu'elle a contre toi ? Je veux dire, pourquoi elle voudrait t'embêter ? Surtout que moi aussi, j'aurais été mis dans l'embarras, et elle le savait.

Effectivement. C'était lui son patron, et il se trouvait à peu près au centre de tout l'univers de Jannalynn. J'ai compris ce qu'il voulait dire, et j'étais d'accord avec son évaluation du tempérament de son Second. À mon avis, toutefois, Alcide était très loin d'être suffisamment… embarrassé. J'étais convaincue qu'il espérait que je chan-gerais d'avis, en le voyant assis là dans mon lit, tout ébou-riffé et sexy. Mais moi, l'apparence, ça ne me suffit pas. Et je me suis demandé quand Alcide avait changé. Il n'aurait jamais pensé ça de moi, autrefois.

— Elle sort avec Sam depuis quelque temps, mainte-nant. Tu es au courant, non ? Je suis allée à un mariage de famille, avec Sam, et je crois que Jannalynn avait pensé y aller avec lui, ai-je expliqué.

— Alors Sam n'est pas aussi dingue de Jannalynn qu'elle l'est de lui ?

J'ai avancé ma main pour la faire tanguer un peu.

— Elle lui plaît énormément. Mais il est plus âgé qu'elle, et plus prudent.

Mais pourquoi diable étions-nous assis dans ma chambre en train d'avoir cette conversation ?

— Alors Alcide, tu crois que tu pourrais t'habiller et rentrer chez toi, maintenant ?

J'ai jeté un œil à ma montre. Eric m'avait laissé un mot m'expliquant que Mustapha Khan devait être chez moi pour 10 heures, c'est-à-dire d'ici une heure. Puisqu'il était un loup solitaire, il n'aurait aucune envie de faire connaissance avec Alcide.

— Je serais quand même content si tu voulais bien venir avec moi, a-t-il admis sincèrement, tout en montrant un certain sens de l'autodérision.

— C'est toujours sympa de se sentir désirée. Et tu es super sexy bien sûr, ai-je ajouté en espérant qu'il ne verrait pas que j'avais dit cela pour lui faire plaisir. Mais lien ou pas lien, je sors avec Eric. En plus, à cause de Jannalynn, tu t'y es vraiment mal pris pour me séduire. Au fait, qui t'a dit que nous n'étions plus soumis au lien ?

Alcide s'est glissé hors du lit en levant la main pour que je lui donne ses vêtements. Je me suis dressée pour les lui tendre, gardant les yeux à hauteur des siens. Il portait bien un sous-vêtement finalement, une espèce de monokini. Tout en enfilant sa chemise, il m'a répondu :

— C'est ta copine, Amelia. Elle est venue au *Hair of the Dog*, avec son petit ami. Je savais que je l'avais déjà rencontrée, alors j'ai commencé à discuter avec eux. Quand elle a entendu mon nom, elle s'est souvenue qu'on avait été plutôt copains, toi et moi. Alors elle s'est mise à bavarder, comme une vraie pipelette.

Le manque de discrétion faisait certes partie des défauts d'Amelia. Puis j'ai commencé à nourrir des doutes plus sérieux.

— Amelia savait que tu allais faire ça ? ai-je demandé en montrant le lit défait.

— Je les ai suivis ici, a dit Alcide.

Il ne niait pas exactement les faits...

— Ils ont parlé avec ton cousin – le strip-teaseur. Claude, c'est bien ça ? Il a trouvé que ce serait génial si je t'attendais ici. Et d'ailleurs, je crois qu'il nous aurait rejoints sans hésiter.

Occupé à remonter la fermeture de son jean, Alcide a marqué une pause, levant un sourcil interrogateur.

J'ai lutté pour ne pas montrer mon dégoût.

— Ah ! ce Claude. Quel plaisantin ! me suis-je exclamée avec un sourire féroce.

Jamais je ne m'étais sentie moins enchantée.

— Alcide, je crois que Jannalynn voulait se payer ma tête. Je crois qu'Amelia doit apprendre à rester discrète à mon sujet, et je crois que Claude voulait juste voir ce qui allait se passer. Il est comme ça. En plus, tu as une foule de louves qui te collent aux basques et qui n'attendent que ça, sacré chef de meute !

Je lui ai donné un petit coup espiègle sur son épaule musclée. Peut-être pas si petit que ça. Je l'ai vu esquisser une grimace. Ma force avait peut-être effectivement augmenté grâce à la présence de mes faé…

Alcide a fini par s'y résoudre :

— Alors je vais retourner à Shreveport. Mais garde-moi sur ton carnet de bal, Sookie. Je voudrais encore tenter ma chance avec toi, a-t-il terminé avec un grand sourire étincelant de blanc.

— Ha ! Tu n'as toujours pas trouvé de shaman pour ta meute ?

Il bouclait son ceinturon et ses doigts se sont figés.

— Tu crois que c'est pour ça que je te veux ?

— Je pense que c'est sans doute l'une de tes motivations, oui, ai-je répondu avec ironie.

De nos jours, ce n'était plus vraiment à la mode, d'avoir un shaman de meute, mais les Longues Dents faisaient tout leur possible pour en dénicher un. Alcide m'avait manipulée pour que je prenne l'une des drogues que prennent leurs shamans pour exacerber leur vision. J'avais trouvé l'expérience profondément dérangeante, et en même temps étrangement fascinante. Je ne voulais plus jamais recommencer. Cela m'avait trop plu.

225

— Effectivement, nous avons besoin d'un shaman, a-t-il admis. Et ce soir-là, tu as vraiment fait du beau boulot. Tu es manifestement douée pour ce job.

Mais bien sûr. Naïve, avec une capacité de jugement catastrophique. C'était cela, qu'il faudrait rajouter dans mon profil.

— Mais tu as tort, a-t-il continué, si tu crois que c'est la seule raison pour laquelle je voudrais qu'on sorte ensemble.

— Je suis contente de te l'entendre dire. Je n'aurais franchement pas apprécié le contraire.

Cet échange avait fini par étouffer mon restant de bonne humeur et j'ai repris :

— Je voudrais souligner le fait que je n'aime pas la façon dont tu as géré la situation aujourd'hui. Et je ne suis pas raide dingue non plus de la façon dont tu as changé depuis que tu es chef de meute.

— Tu n'as même plus d'affection pour moi... a-t-il soufflé, presque tristement, mais avec une pointe d'incrédulité qui a renforcé mon sentiment.

— Plus vraiment, non.

— Dans ce cas, je me suis ridiculisé.

L'irritation le gagnait à son tour. Eh bien, bienvenue au club.

— Les embuscades ne sont pas le meilleur moyen d'atteindre mon cœur. Ni quoi que ce soit d'autre.

Alcide est parti sans un mot de plus. Il m'avait fallu répéter la même chose de façon différente pour qu'il finisse par m'écouter. C'était peut-être ça, la clé. Dire les choses trois fois, mais différemment...

J'ai surveillé son pick-up tandis qu'il reprenait l'allée, pour être certaine de son départ. Puis j'ai de nouveau regardé ma montre. Presque 9 h 30. J'ai changé les draps de mon lit à toute vitesse, enfournant le tout dans le lave-linge avant de le démarrer. Je ne voulais même pas imaginer la réaction d'Eric s'il se mettait au lit avec moi pour y sentir l'odeur d'Alcide Herveaux. Il me restait quelques minutes avant l'arrivée de Mustapha Khan et j'ai décidé de

226

faire un brin de toilette plutôt que de réveiller Amelia ou Claude et leur passer un savon. Tandis que je me brossais les cheveux pour en faire une queue de cheval, j'ai entendu une moto remonter vers la maison.

Mustapha Khan, loup solitaire et ponctuel. Un passager minuscule s'agrippait à lui. J'ai regardé par la fenêtre tandis qu'il descendait de la Harley et s'avançait d'un pas crâne et nonchalant pour frapper à ma porte. Son compagnon n'a pas bougé de son siège.

J'ai ouvert et levé les yeux. Khan devait faire un bon mètre quatre-vingt-dix, avec les cheveux tondus presque à ras. Il portait des lunettes noires, une tentative de look à la Wesley Snipes dans *Blade*, j'imagine. Sa peau avait la teinte d'un cookie aux pépites de chocolat. Quand il a retiré ses lunettes, j'ai vu que ses yeux sombres pouvaient figurer les pépites. Et c'était tout ce qu'on pouvait voir de doux chez lui. J'ai pris une inspiration, inhalant la senteur de la sauvagerie. J'entendais mes faé descendre l'escalier derrière moi.

— Monsieur Khan ? Veuillez entrer, je vous prie. Je suis Sookie Stackhouse, et voici Dermot et Claude.

À voir l'expression avide de Claude, je n'étais pas la seule à avoir pensé à des cookies aux pépites de chocolat... Quant à Dermot, il semblait tout simplement méfiant.

Mustapha Khan leur a jeté un regard avant de les ignorer purement et simplement. Ce qui montrait qu'il n'était peut-être pas si malin que ça. Ou alors, il estimait tout bonnement qu'ils n'avaient rien à voir avec sa mission ici.

— Je suis ici pour la voiture d'Eric.

— Vous voulez bien entrer une minute ? J'ai fait du café.

— Chouette, a grogné Dermot avant de se diriger vers la cuisine.

Je l'ai entendu parler à quelqu'un et j'en ai déduit qu'Amelia et Bob avaient dû se lever péniblement. Tant mieux. J'avais bien l'intention de discuter avec ma copine Amelia.

— Je ne bois pas de café, a précisé Mustapha. Je ne prends aucun stimulant.

— Alors un verre d'eau, peut-être ?

— Non. Je voudrais repartir pour Shreveport. J'ai une longue liste de choses à faire pour Monseigneur le Macchabée.

— Vous n'avez pas une bonne opinion de lui. Et pourtant vous avez pris le job...

— Pour un vamp', il n'est pas si mal, a avoué Mustapha avec réticence. Bubba est sympa aussi. Mais les autres...

Il a lancé un crachat. Subtil. Au moins, je n'avais aucune difficulté pour le comprendre.

— C'est qui, votre copain ? ai-je demandé en indiquant la Harley du menton.

— Vous voulez en savoir, des choses.

— Mmm.

Je le fixais droit dans les yeux sans broncher.

— Viens par ici, Warren, a appelé Mustapha.

Le petit homme a sauté de la Harley avant de marcher vers nous.

En fait, il devait faire presque un mètre soixante-quinze, avec un teint pâle et des taches de rousseur. Il lui manquait quelques dents. Quand il a retiré ses lunettes de moto, j'ai vu que son regard était clair et franc. En outre, il n'avait pas de marques de crocs sur le cou.

Il m'a saluée poliment et je me suis présentée de nouveau. Je trouvais intéressant que Mustapha ait un véritable ami, un ami qu'il cachait – en tout cas, à moi. Tandis que Warren et moi bavardions de la météo, le loup-garou et ses muscles semblaient avoir du mal à contrôler une certaine impatience. Claude s'est éloigné d'un pas traînant : Warren ne l'intéressait pas, et il avait perdu tout espoir d'éveiller l'attention de Mustapha.

— Alors, Warren, ça fait longtemps que vous êtes à Shreveport ?

— Oh la la !, depuis toujours ! s'est exclamé Warren. Sauf quand j'étais à l'armée bien sûr. J'y ai passé quinze ans.

Il était facile de le faire parler. Mais c'était Mustapha qu'Eric avait voulu que je sonde. Pour l'instant, M. Blade-Snipes n'avait pas envie de coopérer. Et il fallait bien dire qu'une conversation menée entre deux portes, ce n'était certainement pas le meilleur moyen de détendre l'atmosphère. Mais tant pis.

— Alors, vous et Mustapha, ça fait longtemps que vous vous connaissez ?

— Quelques mois, a répondu Warren en jetant un regard à Mustapha.

— Bon, c'est fini, les questions ? a demandé ce dernier.

J'ai posé la main sur son bras – c'était comme si j'avais touché un chêne.

— KeShawn Johnson, ai-je émis pensivement après avoir farfouillé un peu dans son esprit. Pourquoi ce changement de nom ?

Il s'est raidi en serrant les lèvres.

— Je me suis réinventé. Je ne suis plus sous l'emprise de cet être malfaisant qu'on appelait KeShawn. Je suis Mustapha Khan. Je suis mon propre maître. Je m'appartiens à moi-même.

— Bien, bien, bien, ravie de vous rencontrer, Mustapha, ai-je indiqué en faisant tout mon possible pour paraître aimable. Je vous souhaite un bon retour à Shreveport, à vous ainsi qu'à Warren.

Je n'allais pas en apprendre plus aujourd'hui. Si Mustapha Khan restait avec Eric pendant quelque temps, j'aurais d'autres occasions de faire de petites incursions dans sa tête pour cerner sa personnalité. Bizarrement, je me suis sentie soulagée à son sujet dès que j'ai rencontré Warren. J'étais certaine que Warren avait traversé des moments terriblement durs, et peut-être même commis des choses terriblement dures, mais j'étais également convaincue qu'à la base, c'était un homme absolument fiable. Il en allait sans doute de même pour Mustapha.

Je ne voulais pas me presser.

Bubba l'aimait bien – mais ce n'était peut-être pas la meilleure des références. Bubba raffolait tout de même du sang de chat...

Je me suis détachée de l'encadrement de la porte, prenant mon courage à deux mains pour affronter la prochaine série de problèmes.

Dans la cuisine, Claude et Dermot s'affairaient. Dermot avait trouvé un étui de biscuits Pillsbury à cuire dans le réfrigérateur. Oh ! surprise, il avait réussi à ouvrir la boîte et à les placer sur une plaque de cuisson. Le four avait même préchauffé. Quant à Claude, il faisait cuire des œufs – un petit miracle. Amelia sortait des assiettes et Bob mettait le couvert.

Quel dommage d'interrompre cette charmante petite scène.

— Amelia.

Elle, qui s'était montrée curieusement concentrée sur ses assiettes, a sursauté aussi fort que si elle m'avait entendue recharger mon fusil à pompe. J'ai plongé le regard dans le sien. Coupable, coupable, coupable.

— Claude.

J'avais parlé encore plus brusquement. Il a tourné la tête pour me contempler par-dessus son épaule, avec un sourire innocent. Aucun sentiment de culpabilité de ce côté-là.

Dermot et Bob semblaient tout simplement résignés.

— Amelia, tu as parlé de ma vie privée à un loup-garou. Et pas n'importe lequel ! Le chef de meute de Shreveport ! Et je suis bien certaine que c'était délibéré de ta part.

Amelia a rougi comme une pivoine.

— Sookie, j'avais pensé que, maintenant que le lien était brisé, peut-être que tu voudrais que quelqu'un d'autre soit au courant, et tu avais déjà parlé d'Alcide. Alors quand je l'ai rencontré, j'ai cru...

J'ai poursuivi sans merci.

— Tu es allée là-bas exprès, pour t'assurer qu'il soit au courant. Sinon, pourquoi choisir ce bar parmi tant d'autres ?

Bob a ouvert la bouche pour intervenir et j'ai pointé mon index vers lui. Il a renoncé.

— Tu m'avais dit que vous alliez au cinéma à Clarice. Pas dans un bar à loups-garous dans la direction opposée.

230

J'en avais terminé avec Amelia. Je me suis tournée vers l'autre coupable.

— Claude, ai-je répété.

Il s'est crispé tout en continuant à faire cuire ses œufs.

— Tu as laissé quelqu'un entrer à la maison. Ma maison. Je n'y étais pas. Et tu lui as donné la permission de se mettre dans mon lit. C'est inexcusable. Comment as-tu pu me faire ça ?

Claude a soigneusement retiré sa poêle à frire du feu avant de refermer le gaz.

— Il avait l'air sympa. J'ai pensé que ça te ferait plaisir, de faire l'amour avec quelque chose de chaud et vivant, pour une fois.

J'ai littéralement senti quelque chose craquer en moi.

— Très bien, ai-je énoncé d'une voix égale. Écoutez-moi tous. Je vais dans ma chambre. Vous allez manger tout ce que vous avez préparé. Puis vous allez faire vos valises et partir. Tous.

Amelia a commencé à pleurer, mais je n'allais pas me laisser attendrir. J'étais dans une colère parfaitement royale. J'ai lancé un regard à la pendule sur le mur.

— Je veux que cette maison soit vide d'ici quarante-cinq minutes.

Je suis allée dans ma chambre, refermant la porte avec une douceur exquise. Je me suis allongée sur mon lit et j'ai tenté de lire. Après quelques minutes, j'ai entendu frapper à ma porte. Je n'ai pas bronché. Je devais rester ferme. Ces gens qui étaient sous mon toit avaient fait certaines choses alors qu'ils savaient très bien qu'ils n'auraient pas dû les faire. Ils devaient absolument se rendre compte que je ne tolérerais ce genre d'ingérence en aucun cas. Même s'ils étaient bien intentionnés (Amelia) ou tout simplement malicieux (Claude). J'ai enfoui mon visage dans mes mains. J'avais du mal à maintenir l'ampleur de mon indignation – je n'en avais pas l'habitude. Mais je savais à quel point il serait désastreux de céder à mon impulsion, d'ouvrir lâchement la porte et de leur permettre à tous de rester.

Et d'ailleurs, lorsque j'ai tenté de m'imaginer la scène, je me suis sentie si mal que j'ai su que je voulais sincèrement qu'ils quittent mon foyer.

J'avais été tellement heureuse de revoir Amelia ; tellement touchée qu'elle ait bien voulu voler à mon secours depuis La Nouvelle-Orléans, pour effectuer toutes ses réparations magiques et assurer ma protection ; tellement surprise qu'elle ait trouvé le moyen de briser le lien... que je m'étais laissé convaincre d'agir trop vite. J'aurais dû appeler Eric d'abord, pour l'avertir. Je m'étais montrée brutale et je n'avais aucune excuse – sauf que j'avais eu vraiment peur qu'il ne réussisse à me faire changer d'avis. C'était aussi douteux que lorsque je m'étais laissé persuader de prendre les drogues de shaman, à la réunion d'Alcide.

Ces deux décisions m'appartenaient. C'était moi, qui avais commis ces erreurs.

Mais Amelia avait voulu manipuler ma vie sentimentale. Elle n'aurait pas dû céder à cette impulsion. J'étais une femme, et j'avais gagné le droit de décider de la personne avec qui je choisissais de sortir. J'aurais voulu que mon amitié avec Amelia dure pour toujours. Mais pas si elle continuait de comploter et de diriger ma vie pour qu'elle lui convienne.

Claude, lui, avait simplement joué un tour à sa façon. Un mauvais tour sournois. Ça ne me plaisait pas non plus. Non, non, non. Il fallait qu'il parte.

Lorsque les quarante-cinq minutes se sont écoulées, je suis sortie de ma chambre. À ma grande surprise, ils avaient obéi. Mes invités avaient levé le camp. À l'exception de Dermot.

Mon grand-oncle était assis sur les marches de derrière, son sac de sport bourré à craquer, posé à son côté. Il ne tentait absolument pas d'attirer mon attention et je crois qu'il serait resté là jusqu'à ce que j'ouvre la porte pour partir au travail, si je n'étais pas sortie sur la véranda pour retirer les draps du lave-linge et les mettre à sécher.

Je me suis adressée à lui d'un ton aussi neutre que possible.

— Pourquoi es-tu ici ?

— Je suis désolé.

Des paroles qui avaient cruellement manqué jusqu'à présent. À ces mots magiques, j'ai senti un nœud se défaire en moi. Mais je n'étais pas encore tout à fait convaincue.

— Pourquoi tu as laissé Claude faire ça ?

Je tenais encore la porte, de sorte qu'il devait se tourner pour me parler. Il a fini par se lever pour me faire face.

— Ce qu'il faisait, ça ne me plaisait pas. Je ne croyais pas que tu voudrais d'Alcide alors que tu semblais attachée au vampire, et je pensais que l'issue serait négative pour toi comme pour eux. Néanmoins, Claude est terriblement obstiné. Je n'ai pas eu l'énergie nécessaire pour le contrer.

— Pourquoi donc ?

Cette question me semblait toute naturelle, mais elle a décontenancé Dermot. Il a détourné le regard pour observer les fleurs, les buissons et la pelouse.

Après avoir réfléchi un instant, mon grand-oncle m'a répondu.

— Depuis que Niall m'a ensorcelé, je ne parviens plus à m'impliquer dans la vie. Ou plus précisément, depuis que Claude et toi avez rompu l'enchantement. Je ne trouve plus de véritable raison de vivre, je ne sais plus ce que je dois faire de ma vie. Claude a un objectif. Et même s'il n'en avait pas, je crois qu'il irait très bien. Claude est très humain, de nature.

Puis il s'est interrompu, effaré. Je venais de démontrer que je n'avais pas peur de faire table rase, et j'allais peut-être trouver là un prétexte de plus pour l'envoyer promener, lui aussi.

— Quel est donc l'objectif de Claude ?

Je trouvais ce point particulièrement intéressant.

— Ce n'est pas que je n'aie pas envie de continuer de parler de toi, ai-je poursuivi, au contraire. Mais je trouve qu'il est assez… intéressant d'imaginer que Claude poursuit un programme déterminé.

Intéressant, certes. Mais surtout angoissant.

— J'ai déjà trahi quelqu'un de mes amis.

Après un instant, j'ai compris qu'il parlait de moi.

— Je ne veux pas en trahir un autre.

Ah. Là, j'étais encore plus inquiète. Mais la question des plans de Claude allait devoir attendre et je suis revenue sur un sujet plus immédiat.

— À ton avis, pourquoi tu ressens cette inertie ?

— Parce que je n'ai aucune allégeance. Niall s'est assuré que je sois banni du Royaume de Faérie et j'ai erré, perdu dans la folie, pendant si longtemps… Je ne fais plus partie du clan des cieux ; celui des eaux m'a refusé alors que j'étais son allié – du moins pendant mon enchantement, a-t-il ajouté précipitamment. Mais je ne suis pas humain. Je ne me sens pas humain. Je ne peux même pas me faire passer pour un homme plus de quelques minutes. Les autres faé du *Hooligans*, ce petit groupe… Ils ne sont réunis que par pur hasard.

Dermot a secoué sa crinière dorée. Ses cheveux étaient plus longs que ceux de Jason et ils tombaient sur ses épaules, pour couvrir ses oreilles. Malgré tout, sa ressemblance avec mon frère n'avait jamais été plus frappante.

— Je ne me sens plus faé. Je me sens…

— Comme un étranger, dans un monde étranger.

— Peut-être, a-t-il répondu avec un petit mouvement d'épaules.

— Tu veux toujours travailler au grenier ?

Il a laissé échapper un long soupir de soulagement et m'a regardée de côté.

— Oui, j'aimerais beaucoup. Je… je peux ?

Je suis rentrée, j'ai pris mes clés de voiture et ma petite cagnotte secrète. Gran était une fervente adepte des cagnottes secrètes. La mienne était cachée dans la poche intérieure de ma veste d'hiver, tout au fond de mon armoire.

— Tu peux prendre ma voiture et aller au Home Depot de Clarice. Tu sais conduire, n'est-ce pas ?

— Oh oui, m'a-t-il rassurée.

Ses yeux allaient de l'argent aux clés avec avidité.

— Et j'ai même un permis de conduire, a-t-il ajouté.

234

— Mais comment tu l'as eu ? me suis-je exclamée, estomaquée.

— Je suis allé faire les démarches un jour, quand Claude était occupé. J'ai réussi à leur faire croire qu'ils voyaient les papiers nécessaires – j'avais encore assez de magie pour ça. Je n'ai eu aucune difficulté à répondre aux questions du code. J'avais regardé Claude. Alors ça n'a pas été trop difficile non plus d'emmener l'inspecteur faire un petit tour.

Je me suis demandé si les conducteurs étaient nombreux à opérer de cette façon – cela expliquerait beaucoup de choses.

— Très bien. Fais quand même bien attention, Dermot. Ah ! Et l'argent, tu sais gérer ?

— Oui, oui, la secrétaire de Claude m'a appris. Je sais le compter, et je connais les pièces.

Oh la la ! quel grand garçon, ai-je pensé. Mais ça n'aurait pas été poli de le dire tout haut. Il s'était vraiment adapté à merveille, surtout pour un faé que la magie avait poussé à la folie.

— OK. Alors amuse-toi bien, ne dépense pas tout mon argent, et sois de retour dans une heure – il faut que j'aille travailler. Sam a dit que je pouvais arriver plus tard aujourd'hui, mais je ne veux pas exagérer.

— Ma nièce, tu ne le regretteras pas.

Dermot a ouvert la cuisine pour y lancer son sac de voyage avant de bondir pour se précipiter dans ma voiture. Ensuite il s'est mis à inspecter le tableau de bord avec attention.

— J'espère que non, me suis-je dit tandis qu'il attachait sa ceinture et s'éloignait (lentement, Dieu merci). J'espère sincèrement que non.

Avant de décamper, mes hôtes ne s'étaient pas sentis obligés de faire la vaisselle. Ce qui ne m'a pas surprise, il faut bien le dire. Je me suis mise au travail et j'ai terminé en essuyant les plans de travail. Ma cuisine impeccable m'a donné l'impression que j'avançais.

Alors que je pliais les draps tout chauds qui sortaient du sèche-linge, je me suis dit que je ne m'en sortais pas si mal.

Je dois avouer malgré tout que j'ai beaucoup pensé à Amelia. Je regrettais énormément ce qui s'était passé et j'ai eu toutes les peines du monde à me convaincre de nouveau que j'avais eu raison.

Dermot est revenu à l'heure. Il était plus heureux et animé que je ne l'avais jamais vu. Maintenant que son visage était illuminé du bonheur d'avoir un but, j'ai soudain compris l'étendue de sa dépression. Il avait loué une ponceuse et acheté peinture, bâches, cordeau de maçon, grattoirs, pinceaux, rouleaux et bac à peinture. J'ai dû lui rappeler qu'il devait manger avant de commencer le travail.

Et il ne fallait pas oublier la réunion au sommet prévue chez moi le soir même.

— Dermot, est-ce que tu as un copain chez qui tu pourrais aller pour la soirée ? ai-je demandé avec circonspection. J'ai Eric, Pam et deux humains qui viennent après la fin de mon service, ce soir. C'est un peu comme un comité, et on a du travail à faire. Tu sais comment ça se passe, entre vous et les vampires…

— Mais je n'ai aucun besoin d'aller ailleurs avec d'autres personnes, m'a répondu Dermot, surpris. Je peux simplement aller dans les bois. Je m'y sens très heureux. Et pour moi, ciel de nuit ou ciel de jour, ça ne fait aucune différence.

J'ai repensé à Bubba.

— Il est possible qu'Eric poste un vampire dans les bois pour surveiller la maison pendant la nuit, ai-je expliqué. Alors pourrais-tu aller dans un autre bois, dans le genre plutôt à l'écart des miens ?

J'avais vraiment honte de lui imposer autant de contraintes, mais après tout, c'était lui qui avait demandé à rester.

— Eh bien, je crois que oui, a-t-il concédé.

Il faisait manifestement de gros efforts pour paraître compréhensif et obligeant.

— J'adore cette maison, a-t-il ajouté. Elle a quelque chose d'incroyablement… accueillant.

236

Il souriait en regardant la vieille demeure tout autour de lui. Il m'était plus évident que jamais que c'était la présence invisible du cluviel dor qui avait poussé mes parents faé à s'installer avec moi, bien plus que la petite part de sang faé qui coulait dans mes veines. J'étais prête à admettre que Claude était certainement persuadé que c'était mon sang faé qui l'attirait.

Je savais que la douceur ne lui était pas totalement étrangère. S'il se rendait compte, néanmoins, du fait que je détenais un objet faé de prix, un talisman qui réaliserait son vœu le plus cher – celui d'obtenir son passage en Faérie –, il serait capable de détruire la maison pour le trouver. Mon instinct me criait qu'il serait particulièrement désagréable pour moi de me tenir entre Claude et le cluviel dor. Je percevais plus de chaleur et d'honnêteté chez Dermot – mais je n'avais pourtant aucune intention de me confier à lui.

— Je suis contente que tu sois heureux ici, ai-je dit à mon grand-oncle. Et bonne chance avec le grenier !

Maintenant que Claude était parti, je n'avais pas vraiment besoin d'une chambre supplémentaire là-haut, mais j'avais brusquement décidé que Dermot devait travailler sur ce projet.

— Excuse-moi, mais je dois aller me préparer maintenant. Tu pourrais poncer le sol aussi.

Il m'a expliqué qu'il allait commencer par là. Je ne savais pas du tout si c'était la bonne façon de procéder, mais j'étais ravie de lui en laisser la responsabilité : dans tous les cas, étant donné l'état des combles avant que lui et Claude ne m'aident à les nettoyer, toute amélioration serait la bienvenue, quelle qu'elle soit. Je me suis quand même assurée que Dermot porterait un masque pendant le ponçage – j'avais vu des programmes de bricolage, et je savais que c'était important.

Pendant que je me maquillais, Jason a profité de sa pause déjeuner pour passer. En sortant de ma chambre, je l'ai trouvé en train d'examiner les trésors que Dermot avait rapportés de son expédition au Home Depot.

— Tu fais quoi ? a-t-il demandé à son quasi-jumeau.

Jason avait des sentiments partagés pour Dermot, mais j'avais noté qu'il était bien plus détendu avec notre grand-oncle en l'absence de Claude. Intéressant. Ils sont montés tous deux à l'étage d'un pas lourd et énergique, afin de jeter un œil au grenier vide. Dermot déblatérait comme un véritable moulin à paroles.

J'étais sérieusement en retard. J'ai cependant pris le temps de faire des sandwichs pour Jason et Dermot. Je les ai disposés dans un plat que j'ai posé sur la table avec deux verres de glace et deux Coca. Puis je suis allée enfiler mon uniforme *Merlotte* à toute vitesse. Quand je suis revenue, ils étaient attablés tous les deux, en grande discussion. Je manquais de sommeil, j'avais dû débarrasser ma maison de ses visiteurs, et je n'avais pas progressé avec Mustapha et son copain. Mais à voir Jason et Dermot ensemble, en train de discuter mastic, pistolets à peinture et fenêtres isolantes, j'avais le sentiment que le monde devait tourner plutôt rond, malgré tout.

11

Le *Merlotte* était pratiquement vide. Mon retard n'avait donc pas vraiment d'importance. En fait, Sam semblait si préoccupé que j'ai eu l'impression qu'il n'avait même pas remarqué. En voyant son air distrait, je me suis sentie un peu moins coupable. Je me demandais si Jannalynn avait raconté à Sam une histoire de son invention, pour couvrir sa malveillance, au cas où je me plaindrais qu'elle avait jeté un homme dans mon lit. Mais Sam semblait ne pas savoir que Jannalynn avait fait de son mieux pour me jouer un sale tour, en encourageant son propre patron à aller s'amuser dans mes draps.

Bien sûr, il m'était très facile d'en vouloir à Jannalynn, parce que je ne l'appréciais pas. En y réfléchissant, toutefois, je trouvais qu'Alcide aurait dû être conscient qu'il était idiot de suivre de si mauvais conseils. Alcide s'était montré stupide, de la suivre comme un mouton. Quant à Jannalynn, c'était elle qui avait tout manigancé, et ça, c'était de la méchanceté pure. J'ai soudain compris que nous serions désormais des ennemies. C'était décidément la journée des prises de conscience désagréables…

Sam était concentré sur les comptes. Quand j'ai perçu dans son esprit qu'il cherchait désespérément un moyen de régler la facture de notre fournisseur de bière, j'ai décidé qu'il avait son content de problèmes pour la journée. Il n'avait vraiment pas besoin d'entendre que sa petite amie m'avait humiliée.

Plus j'y pensais, et plus je trouvais que cette histoire était strictement entre Jannalynn et moi – même si j'étais plus que tentée de révéler à Sam la véritable nature de sa belle. Et brusquement, je me suis sentie soulagée d'être arrivée à cette conclusion. J'ai fait tout le reste de mon service avec plus d'énergie, servant plats et boissons avec le sourire et un mot pour chacun. Ce qui s'est d'ailleurs ressenti sur mes pourboires.

J'ai travaillé plus longtemps pour rattraper mon retard, ce qui était parfait, parce que Holly est arrivée en retard aussi. Il était plus de 18 heures quand je suis allée au bureau pour chercher mon sac à main. Sam était assis, courbé sur sa table de travail, l'air franchement sombre.

— Tu veux qu'on parle ? ai-je proposé.

— Tous les deux ? J'imagine que tu sais déjà ce qui me tracasse, m'a-t-il répondu, mais ça ne semblait pas l'embêter. Le bar est dans la mouise, Sook. Les affaires ne sont jamais allées aussi mal.

Rien ne me venait en tête qui ne soit complètement éculé ou carrément faux. Tu verras, ça va s'arranger. Après la pluie vient le beau temps. Tout vient à point à qui sait attendre. La vie n'est pas un long fleuve tranquille. Ce qui ne te tue pas te rend plus fort. Alors finalement, je me suis simplement penchée sur lui pour planter un baiser sur sa joue.

— Appelle-moi si tu as besoin de moi.

Et j'ai pris la direction du parking. J'étais vraiment embêtée pour Sam, et j'ai mis mon subconscient au travail pour lui venir en aide.

J'adore l'été, mais parfois, l'heure d'été me porte sur les nerfs. J'avais travaillé tard et je rentrais chez moi, mais il faisait toujours un soleil éblouissant. Il ne se coucherait certainement que dans une heure ou deux. Mais même si Eric et Pam venaient à la tombée du jour, nous serions obligés d'attendre la fin du service de Colton.

En grimpant dans ma voiture, j'ai vu qu'il ferait peut-être nuit plus tôt que d'habitude. Une masse sombre et menaçante de nuages bouillonnait à l'ouest. Des nuages vraiment noirs, qui se déplaçaient vite. La journée ne finirait pas aussi belle et claire qu'elle avait commencé. Je venais justement d'évoquer le dicton de Gran, « Après la pluie vient le beau temps ». Là, c'était le contraire. J'avais un mauvais pressentiment.

Je n'ai pas peur de l'orage. Autrefois, Jason a eu un chien qui se précipitait en haut, sous son lit, à chaque coup de tonnerre. J'ai souri à ce souvenir. Pour ma grand-mère, un chien ne devait pas pénétrer dans la maison. Mais elle n'avait jamais réussi à tenir Rocky à l'écart. Il avait toujours trouvé un moyen d'entrer quand le temps tournait à l'orage – mais le moyen en question tenait moins de l'intelligence que du petit cœur tout mou de Jason. C'était là un trait de personnalité que j'aimais beaucoup chez mon frère. Il était toujours adorable avec les animaux. Et maintenant, *il en est un lui-même*, ai-je pensé. *Au moins une fois par mois*. Je ne savais toujours pas comment réagir à cela.

Mais les nuages se rapprochaient et il était grand temps que je rentre, ne serait-ce que pour vérifier que mes invités avaient bel et bien fermé les fenêtres avant de déguerpir.

En chemin, j'ai soudain remarqué ma jauge. Angoissée et pressée, je devais faire le plein malgré tout et me suis arrêtée au Grabbit Kwik. Le ciel se faisait toujours plus inquiétant et je me suis demandé s'il y avait eu une alerte à la tornade. Si seulement j'avais écouté la météo en me levant !

Le vent se levait, fouettant les ordures d'un bout à l'autre du parking. L'air était si lourd et humide que le sol exhalait des relents de goudron chaud. Dès que mon réservoir a été rempli, j'ai raccroché la pompe avec soulagement. En démarrant, j'ai aperçu Tara, qui m'a fait un signe de la main. J'ai soudain pensé à sa Baby Shower imminente, ainsi qu'à ses bébés imminents… J'avais tout préparé pour la Shower, mais je n'y avais pas pensé une seule seconde de toute la semaine ! Qu'est-ce qui pouvait justifier le fait que je sois en train de comploter un meurtre au lieu de me concentrer sur cet événement-là ?

À cet instant précis, ma vie m'a semblé, disons, complexe. Quelques grosses gouttes de pluie se sont écrasées sur mon pare-brise tandis que je sortais du parking. Je me suis demandé si j'avais suffisamment de lait pour le

241

petit-déjeuner – je n'avais pas vérifié avant de quitter la maison. Et des bouteilles de sang pour les vampires ? Juste au cas où, je suis passée au Piggly Wiggly pour en prendre. Avec du lait, aussi. Et du bacon. Je ne m'étais pas fait de sandwich au bacon depuis des lustres, et Terry Bellefleur m'avait justement apporté ses premières tomates toutes fraîches de son jardin.

J'ai jeté mes sacs en plastique sur le siège conducteur et plongé à leur suite – parce qu'à ce moment-là les nuages ont soudain lâché leur fardeau. Le dos de mon tee-shirt était trempé, et ma queue de cheval mouillée pendait lamentablement dans mon dos. J'ai pris mon vieux parapluie sur le siège arrière et l'ai posé à l'avant. C'était celui avec lequel ma grand-mère se protégeait quand elle venait me voir jouer à mes matchs de softball. En voyant les rayures fanées de noir, vert et cerise, je me suis laissé aller à sourire.

Je suis rentrée lentement, avec prudence. La pluie tambourinait sur la tôle et rebondissait sur la route, comme de minuscules marteaux-piqueurs. La lumière de mes phares se heurtait sans résultat à l'obscurité ruisselante. J'ai jeté un œil à la pendule du tableau de bord. Il était déjà plus de 19 heures. J'avais encore largement le temps avant la réunion du Comité Opération Meurtre sur Victor, mais je serais soulagée d'être rentrée. J'ai anticipé sur le sprint que je devrais piquer entre la voiture et la maison. Si Dermot était déjà sorti, il aurait verrouillé la porte d'accès à la véranda de derrière. Je serais alors à la merci de la pluie tandis que je me dépatouillerais entre mes clés et mes deux gros sacs de lait et de sang. Pour la énième fois, j'ai réfléchi à l'idée de dépenser toutes mes économies – l'argent que m'avait laissé Claudine, et la somme, moins importante, qui correspondait à la succession de Hadley (Remy ne m'avait pas appelée, j'en déduisais donc qu'il ne voulait sincèrement pas de cet argent) – et de me faire construire un garage attenant à la maison.

Tandis que je me rangeais derrière la maison, je m'imaginais à quel endroit je le placerais et combien il m'en

242

coûterait. Pauvre Dermot ! En lui demandant de sortir ce soir, je l'avais condamné à passer une soirée misérable dans l'humidité des bois. Enfin, misérable, je n'en savais rien, en fait. Les faé n'avaient pas du tout les mêmes échelles de valeurs que moi. Peut-être pourrais-je lui prêter ma voiture, pour qu'il aille chez Jason.

J'ai plissé les yeux, espérant discerner une lumière qui signalerait la présence de Dermot dans la cuisine.

Mais la porte de la véranda était ouverte sur les marches. Et je n'y voyais pas suffisamment clair pour savoir si la porte de la maison était également ouverte.

Ma première réaction a été l'indignation. *C'est franchement négligent, de la part de Dermot*, ai-je pensé. *J'aurais peut-être dû lui dire de partir, lui aussi.* Puis j'ai réfléchi de nouveau. Dermot ne s'était jamais montré aussi négligent. Pourquoi le serait-il soudain aujourd'hui ? Au lieu de me sentir agacée, je ferais peut-être mieux de m'inquiéter.

Je ferais peut-être bien d'écouter la sirène d'alarme qui résonnait dans mon esprit.

Tu sais ce qui serait malin ? Faire marche arrière et te tirer vite fait.

J'ai arraché mon regard de cette porte ouverte si troublante. Galvanisée, j'ai passé la marche arrière et j'ai exécuté la manœuvre à toute vitesse. Puis j'ai enclenché la marche avant et tourné le volant pour prendre l'allée comme une fusée.

Surgissant de la lisière des bois, un jeune arbre de bonne taille s'est écrasé sur le gravier. J'ai pilé.

Ça, c'était un piège.

J'ai éteint le moteur et ouvert ma porte à toute volée. Tandis que je me ruais à l'extérieur, une silhouette s'est détachée des arbres en vacillant avant de se précipiter vers moi. La seule arme à ma portée était le litre de lait dans son flacon. J'ai attrapé le sac en plastique et j'ai pris mon élan pour l'abattre sur mon adversaire. À ma grande surprise, j'ai fait mouche et le flacon a explosé, projetant du lait partout. J'ai eu un instant d'égarement, pendant lequel je me suis indignée d'un tel gaspillage, puis je me suis enfuie à toutes jambes vers les arbres, mes pieds glissant sur l'herbe trempée. Dieu merci, je portais des baskets. L'ennemi était à terre, mais il n'y resterait pas. Et il n'était peut-être pas seul. J'étais certaine d'avoir vu un mouvement du coin de l'œil.

Je ne savais pas si on avait l'intention de me tuer, mais on n'allait certainement pas m'inviter à jouer au Monopoly.

Je n'avais plus un cheveu de sec, entre la pluie et l'eau qui dégouttait des broussailles sur mon passage. Tout en trébuchant à travers les bois, je me jurai que, si j'en réchappais, je recommencerais le jogging au stade du lycée : j'étais en train de cracher mes poumons. Des plantes grimpantes étouffaient les sous-bois épaissis par l'été. Je n'étais pas encore tombée, mais ce n'était qu'une question de minutes.

De toutes mes forces, j'essayais de réfléchir – je trouvais que ce serait vraiment bien – mais je semblais possédée par l'esprit du lapin effaré. Cours et cache-toi. Cours et cache-toi. S'il s'agissait de loups-garous, c'en était fini de moi. Parce qu'ils pourraient suivre mes traces en un clin d'œil, même sous leur forme humaine, quand bien même l'orage les ralentirait un peu.

Ce n'étaient pas des vampires, le soleil n'était pas encore couché.

Des faé se seraient montrés plus subtils.

Des humains, alors.

Éperdue, j'ai contourné le cimetière à un rythme effréné, pour ne pas être repérée à découvert.

Puis j'ai entendu un bruit dans les arbres derrière moi et me suis dirigée vers le seul sanctuaire qui pourrait m'offrir une bonne cachette. La maison de Bill. Je n'avais pas le temps de grimper à un arbre. J'avais l'impression qu'il s'était écoulé une heure depuis que j'avais bondi hors de ma voiture. Mon sac à main ! Mon portable ! Pourquoi n'avais-je pas attrapé mon portable ? Dans mon esprit, je voyais clairement mon sac, posé sur le siège de la voiture. Et merde.

Je montais maintenant une pente en courant, et je savais que j'étais près du but. J'ai marqué une courte pause au vieux chêne gigantesque, à cinq mètres de la véranda de devant, risquant un œil en direction de la maison. La maison de Bill était bien là, sombre et silencieuse sous la pluie battante. Quand Judith était venue habiter ici, j'avais laissé mon double de clé dans la boîte aux lettres de Bill. J'avais estimé que c'était normal. Mais ce soir-là, Bill m'avait laissé un message sur mon répondeur, m'expliquant où se trouvait la clé de secours. Et nous n'en avions jamais parlé.

Je me suis élancée sur les marches, j'ai déniché la clé, collée au ruban adhésif sous l'accoudoir du fauteuil en bois, et j'ai déverrouillé la porte. Mes mains tremblaient violemment. Malgré tout, je n'ai pas lâché la clé et suis parvenue à ouvrir la serrure dès la première fois. J'allais passer le seuil quand soudain une pensée m'a frappée. *Les empreintes !* J'allais en laisser partout si j'entrais. Ce serait aussi clair que si je semais des petits cailloux. Je me suis donc accroupie derrière la rambarde, j'ai retiré mes vêtements et mes chaussures, avant de les laisser tomber derrière les buissons touffus d'azalées qui bordaient la maison. J'ai essoré ma queue de cheval et je me suis secouée énergiquement, comme un chien, pour me débarrasser d'autant d'eau que possible. Puis j'ai pénétré dans l'obscurité tranquille de la vieille demeure des Compton. Je n'ai pas eu beaucoup de temps pour y réfléchir, mais j'ai trouvé très étrange d'être debout dans l'entrée, dans le plus simple appareil.

J'ai baissé les yeux vers mes pieds. Une tache d'eau. Je l'ai frottée de l'orteil pour la faire disparaître et j'ai pris une grande enjambée pour me placer sur le tapis usé qui menait de l'entrée vers la cuisine. Je n'ai même pas eu un regard pour le living (que Bill appelait parfois « le petit salon ») et n'ai pas mis le pied dans la salle à manger.

Bill ne m'avait jamais vraiment dit où il dormait pendant le jour. D'après ce que j'avais compris, pour un vampire, c'était son secret le plus intime.

Mais j'ai un QI raisonnable, et j'avais eu le temps de comprendre, à l'époque où nous sortions ensemble. J'étais certaine qu'il disposait de plusieurs cachettes. L'une d'entre elles devait se trouver quelque part vers le garde-manger de la cuisine. Il avait réaménagé l'espace cuisine et fait installer un jacuzzi, une sorte de spa intérieur, plutôt que de garder un endroit où préparer les repas – il n'en avait aucun besoin. Ce faisant, il avait réservé une petite pièce à part, probablement un office autrefois. J'ai ouvert la porte neuve à persiennes et suis entrée, refermant le battant derrière moi. Les étagères accrochées curieusement haut ne contenaient aujourd'hui que quelques packs de canettes de sang et un tournevis. J'ai frappé des coups au sol et sur le mur. Prise de panique et submergée par le tintamarre de l'orage au-dehors, je ne pouvais détecter aucune différence de résonance.

— Bill, laisse-moi entrer. Où que tu sois, laisse-moi entrer.

J'avais l'impression de me trouver au beau milieu d'une histoire de fantômes.

J'ai tendu l'oreille mais, naturellement, je n'ai strictement rien entendu – nous n'avions pas échangé nos sangs depuis longtemps. En plus, il ne faisait pas encore totalement nuit.

Merdouille de merdouille ! Puis j'ai aperçu une fine ligne dans les planches, juste à côté de la porte. En regardant de plus près, j'ai vu qu'elle se poursuivait sur les côtés. Je n'ai pas attendu plus longtemps. Le cœur battant, n'écoutant que mon instinct et poussée par l'énergie du désespoir, j'ai enfoncé le tournevis dans la fissure et fait levier de toutes mes forces. Il y avait un trou en dessous, et je m'y suis engouffrée, le tournevis à la main, avant de refermer la trappe à toute volée. J'ai compris au passage que les fameuses étagères avaient été accrochées à la hauteur qui permettait de lever le panneau. Je n'avais aucune idée d'où pouvaient bien se trouver les charnières, et je m'en moquais éperdument.

Pendant un très long moment, je suis simplement restée prostrée, toujours aussi nue, sur la terre battue, à bout de souffle, tentant de récupérer. Je n'avais pas couru aussi vite et aussi longtemps depuis… et bien depuis la dernière fois que je tentais d'échapper à un agresseur qui voulait me trucider.

246

Il faut absolument que je change ma façon de vivre, me suis-je dit. Ce n'était pas la première fois que je pensais à sécuriser un peu ma vie.

Mais ce n'était pas le moment idéal pour une crise d'introspection. Il serait nettement préférable de prier pour que celui qui passait son temps à abattre des arbres sur mon allée ne me trouve pas dans cette maison, nue comme un ver et sans défense, cachée sous la terre en compagnie de... Mais où donc était Bill ?

Le panneau étant refermé, il faisait évidemment complètement noir dans ma cachette. Aucune lampe n'était allumée dans la maison, la pluie assombrissait le peu de lumière du jour qu'il restait et, de plus, la porte du garde-manger était fermée. Je ne distinguais donc même pas les contours de l'ouverture. J'ai tapoté le sol autour de moi, cherchant à repérer mon hôte involontaire. Avait-il choisi ce soir un antre différent ? J'étais surprise de constater que l'endroit était de dimensions plutôt impressionnantes. Tandis que je poursuivais mes recherches, j'ai eu le temps d'imaginer une foule de bestioles pleines de pattes. Et de serpents. Quand on a les fesses à l'air, on n'aime pas l'idée que des choses indéterminées entrent en contact avec des zones qui ne touchent généralement pas terre. Je rampais tout en effleurant le sol de mes mains et je sursautais chaque fois que je sentais – ou que j'imaginais – de petites pattes légères frôlant ma peau.

J'ai fini par trouver Bill dans un coin. Il était toujours mort, bien entendu. Et d'après mes doigts, totalement dévêtu lui aussi, à ma grande stupeur. Très pratique : pourquoi salir ses vêtements, finalement ? Je me suis souvenue qu'il avait déjà dormi de la sorte en extérieur, à l'occasion. J'étais tellement soulagée de l'avoir retrouvé que ça ne me dérangeait pas vraiment.

J'ai tenté ensuite de calculer combien de temps j'avais mis à revenir du *Merlotte* puis à me promener dans les bois... J'en ai conclu qu'il me restait encore trente à quarante-cinq minutes avant que Bill ne se réveille.

Ramassée à ses côtés, le tournevis agrippé fermement, j'écoutais, chacun de mes nerfs tendu à l'extrême, à l'affût du moindre bruit. Le ou les mystérieux personnages ne repéreraient peut-être pas ma piste, ni mes vêtements. Ou alors, bien au contraire et comme d'habitude, ma chance me lâcherait : ils trouveraient fringues et chaussures, ils sauraient que j'avais trouvé refuge dans cette maison, et ils y entreraient.

L'espace d'un instant, je me suis sentie un peu écœurée d'avoir cherché asile auprès du mâle le plus proche. Cependant, me suis-je consolée, il s'agissait plutôt de s'abriter dans sa maison plutôt que derrière ses muscles. Et ça, ça pouvait passer, non ? Là encore, le moment était plutôt mal choisi pour réfléchir au politiquement correct. Le premier article en haut de ma liste ? Survivre. Malheureusement, Bill n'était pas vraiment à ma disposition. En imaginant même qu'il soit d'ailleurs disposé à m'aider.

— Sookie ? a-t-il murmuré.

— Bill ! Dieu merci, tu es réveillé !

— Tu es dévêtue.

Les hommes…

— Tout à fait, et je vais t'expliquer pourquoi.

— Peux pas encore me lever, a-t-il marmonné. Ciel… nuageux ?

— Exact. Gros orage, il fait noir comme dans un four, et il y a des gens qui…

— D'acc… Plus tard.

Et il s'est rendormi d'un coup.

Nom de Zeus ! Alors je me suis pelotonnée contre son cadavre, toujours à l'écoute. Avais-je fermé la porte à clé ? Bien sûr que non. Et dès que je m'en suis souvenue, j'ai entendu une lame de parquet grincer au-dessus de moi. Ils étaient entrés.

— … pas de traces mouillées, a prononcé une voix émanant probablement de l'entrée.

J'ai commencé à ramper vers la trappe pour mieux entendre, puis je me suis ravisée. Ils risquaient quand même de trouver la trappe. Et s'ils l'ouvraient, ils ne nous

248

verraient peut-être pas, dans le coin. L'espace était vraiment vaste. C'était sans doute une ancienne cave – ou en tout cas le mieux qu'on puisse creuser dans le genre, dans une région dont les nappes phréatiques sont si proches de la surface.

— Ouais, mais la porte était ouverte. Elle a dû rentrer.

C'était une voix nasillarde. Et tout près.

— Ensuite elle a volé dans les airs, sans laisser d'empreintes ? Avec la pluie ?

La voix sarcastique était un peu plus grave.

— Mais on ne sait pas ce qu'elle est.

Type nasillard.

— Pas un vampire, Kelvin, ça, on le sait.

— Peut-être un oiseau-garou ou ce genre-là, Hod.

— Un oiseau-garou ?

Le grognement incrédule de Hod a résonné dans l'obscurité de la vieille demeure. Dans le style sarcastique, Hod était un champion hors pair.

— T'as vu les oreilles sur le gars ? Ça, c'était quelque chose ! De nos jours, on peut s'attendre à tout, s'est exclamé Kelvin d'un ton docte.

Des oreilles ? Dermot. Que lui avaient-ils fait ? La honte m'a submergée – je ne m'étais même pas préoccupée de ce qui avait pu arriver à mon grand-oncle.

— Ouais et alors ? C'était sûrement un de ces dingues de science-fiction.

Hod semblait distrait. Je l'entendais ouvrir et fermer des portes de placard – pourtant, je ne risquais pas de m'y trouver.

— Mais non, je te jure, mec. C'était des vraies. Pas de cicatrices, rien. J'aurais dû en prendre une, tiens !

En prendre une ? J'ai frissonné.

Puis Kelvin a ajouté :

— Bon, moi, je vais là-haut pour vérifier les chambres.

J'ai entendu le bruit de ses bottes qui s'éloignaient, le grincement des marches de l'escalier, ses pas étouffés sur le tapis des marches. J'ai suivi les sons indistincts de ses mouvements au premier étage. J'ai su quand il s'est retrouvé directement au-dessus de moi, dans la chambre principale, là où je dormais quand je sortais avec Bill.

Pendant ce temps-là, Hod a fait des allées et venues, mais il ne paraissait pas avoir de but vraiment précis.

— Bon, il n'y a personne ici, a annoncé Kelvin en revenant dans l'ancienne cuisine. Je me demande pourquoi il y a un jacuzzi dans cette maison.

— Il y a une voiture, dehors, a fait remarquer Hod d'un ton pensif.

Sa voix s'était nettement rapprochée. Il se tenait tout près de la porte du garde-manger – c'était parfait : j'entendais maintenant ses pensées. Il avait envie de rentrer à Shreveport, de prendre une douche chaude, d'enfiler des vêtements secs – et peut-être de coucher avec sa femme. Un peu trop de détails pour moi, de ce côté-là. Quant à Kelvin, il était plus terre à terre. Il voulait qu'on le paie, et pour cela, il devait me livrer. Mais à qui ? Merde, ses pensées n'étaient pas orientées là-dessus ! J'ai senti mon enthousiasme retomber – jusqu'à mes orteils. Mes orteils... Heureusement que je les avais vernis récemment... Hein ? Hors sujet.

Une vive lumière est apparue brusquement dans la fissure marquant les contours de la trappe. Elle provenait du garde-manger. Je me suis immobilisée, comme une petite souris, m'efforçant de respirer très légèrement, sans aucun bruit. Je me suis imaginé à quel point Bill serait peiné s'ils me tuaient là, tout près de lui. Hors sujet !

Malgré tout, il serait assurément malheureux.

J'ai entendu un craquement : l'un des hommes se tenait pile au-dessus de moi. Si j'avais pu éteindre mon esprit, je l'aurais fait. J'étais si consciente de la vie qui se déroulait dans les cerveaux des autres que j'avais du mal à imaginer que l'on puisse ne pas percevoir le mien – d'autant plus qu'il était terrifié.

— Il n'y a que du sang, ici, a déclaré Hod, si proche de moi que j'en ai sursauté. Du sang en canettes. Hé, Kelvin ! On doit être chez un vampire !

250

— On s'en moque – tant qu'il n'est pas réveillé. Ou elle. Hé, tu t'es déjà fait une femelle vampire ?

— Non, et ça ne me tente pas. Baiser de la viande froide, ça ne me dit rien. Et pourtant, il y a des nuits où Marge ne fait pas tellement mieux !

Kelvin s'est esclaffé.

— Tu n'as pas intérêt à ce qu'elle t'entende, frangin !

Hod a éclaté de rire, lui aussi.

— Pas de danger !

Puis il est sorti de la pièce. Il n'a même pas éteint, le débile ! De toute évidence, le fait que Bill puisse facilement en déduire que quelqu'un était venu ne l'inquiétait absolument pas. Il était donc véritablement stupide.

Puis Bill s'est réveillé. Cette fois-ci, il était un peu plus alerte, et dès que je l'ai senti bouger, je me suis tapie sur lui en posant la main sur sa bouche. J'ai senti ses muscles tressaillir, et pendant une fraction de seconde je me suis affolée. Puis il a senti mon odeur et m'a reconnue.

— Sookie ?

Ce n'était qu'un murmure étouffé.

— T'as entendu quelque chose ? a dit Hod, juste au-dessus de moi.

J'ai enduré un long moment de silence intense et attentif.

— Chut, ai-je chuchoté dans un souffle, au creux de l'oreille de Bill.

Une main froide a couru le long de ma jambe. J'ai littéralement ressenti la surprise de Bill tandis qu'il réalisait – une fois encore – que je ne portais rien. Et j'ai su à la seconde près quand il a compris qu'il avait entendu cette voix au-dessus de nous.

Bill commençait à assimiler la situation. Je ne savais pas vraiment ce qu'il en déduisait, mais il avait conscience du fait que nous étions dans le pétrin. Il avait également conscience qu'une femme nue se serrait contre lui. J'ai soudain senti autre chose tressaillir. À la fois exaspérée et amusée, j'ai dû serrer les lèvres pour ne pas pouffer de rire. Hors sujet !

Puis il s'est rendormi.

Ce satané soleil ne se coucherait-il donc jamais ? Cette alternance de torpeur et de conscience me rendait dingue. C'était comme si j'étais sortie avec un homme atteint de troubles de la mémoire immédiate.

Oups. J'en avais oublié d'écouter et d'être terrifiée.

— Mais non, moi je n'entends rien, a énoncé Kevin.

Un peu plus bas, j'étais allongée sur mon hôte involontaire, comme sur un long matelas froid et poilu.

Et équipé d'une érection. Il avait repris conscience – pour la dixième fois, peut-être.

J'ai laissé échapper un soupir silencieux. Cette fois-ci, Bill était éveillé pour de bon. Il a passé les bras autour de moi, mais il a eu l'élégance de ne pas bouger ni explorer quoi que ce soit, du moins pour l'instant. Il avait clairement entendu Kelvin, et nous étions tous deux aux aguets.

Enfin, les deux paires de pieds se sont éloignées sur le parquet, et la porte d'entrée s'est ouverte, puis refermée. De soulagement, tous mes muscles se sont détendus. Les bras de Bill se sont resserrés et il a roulé pour se retrouver allongé sur moi.

— C'est Noël bientôt ? a-t-il demandé tout en se pressant contre moi. Mon cadeau est arrivé en avance ?

J'ai ri tout doucement – je n'étais pas encore pleinement rassurée.

— Je suis désolée de te déranger chez toi, Bill, ai-je murmuré, mais ils en avaient après moi.

Je lui ai tout expliqué rapidement, prenant soin de lui indiquer où se trouvaient mes vêtements et pourquoi. Je sentais son torse se soulever à petits coups, et j'ai compris qu'il riait silencieusement.

— Je suis vraiment inquiète pour Dermot, ai-je repris en chuchotant.

Mes murmures rendaient l'obscurité étrangement intime – sans parler de la zone de peau nue très étendue que nous partagions.

— Tu dois être ici depuis longtemps, a-t-il estimé, d'une voix maintenant normale.

— Effectivement.

— Puisque tu ne me permets pas d'« ouvrir » mon cadeau en avance, je vais sortir m'assurer qu'ils sont partis.

J'ai mis un petit instant à comprendre, puis je me suis laissée aller à sourire. Bill s'est détaché de moi avec douceur et j'ai perçu sa luminescence se déplacer sans un bruit dans l'ombre. Après avoir écouté une seconde, il a ouvert la trappe. L'espace a soudain été inondé de lumière crue. C'était un tel contraste que j'ai dû fermer les yeux pour m'y adapter. Quand je les ai rouverts, Bill s'était glissé dans la maison, tel un reptile.

J'avais beau tendre l'oreille, je n'entendais pas un bruit. J'ai fini pas me lasser d'attendre – j'étais tapie sur la terre battue depuis si longtemps ! Je me suis donc hissée à l'extérieur, bien moins gracieuse et silencieuse que Bill, il faut l'admettre. J'ai éteint les lampes que Hod et Kelvin avaient laissées allumées – en l'absence de mes vêtements, la lumière me gênait particulièrement. J'ai risqué un regard par une fenêtre de la salle à manger. Il faisait nuit noire. J'avais néanmoins l'impression que le vent ne secouait plus aussi violemment les arbres. En revanche, il pleuvait toujours autant. J'ai aperçu un éclair, plus loin vers le nord. Je n'ai vu ni ravisseurs, ni cadavres, ni rien qui ne soit à sa place dans ce paysage détrempé.

Bill ne semblait pas pressé de revenir pour me rendre compte de la situation. La vieille table était recouverte d'une espèce de vieux plaid à franges. Je l'ai retiré pour m'en draper, tout en espérant qu'il ne s'agissait pas d'un souvenir de famille. Mais le tissu parsemé de gros motifs à fleurs était troué et je ne me sentais pas morte d'inquiétude.

— Sookie, a dit Bill dans mon dos.

J'ai sursauté en hurlant.

— Ne fais plus ça, d'accord ? J'ai eu assez de mauvaises surprises pour la journée.

— Désolé. Je suis passé par la porte de derrière, s'est-il expliqué.

Il se séchait les cheveux avec un torchon de cuisine. Il était toujours nu, mais je me serais sentie ridicule d'en faire toute une histoire – je l'avais tout de même vu un certain nombre de fois... De son côté, il me regardait de haut en bas, une expression déconcertée peinte sur son visage.

— Sookie ? C'est bien le châle espagnol de ma Tante Edwina, que tu portes là ?

— Oh, je suis désolée, Bill, vraiment. Mais il était à portée de main, et j'avais froid, j'étais toute mouillée, et j'avais envie de me couvrir. Je te demande pardon.

J'ai pensé à le dérouler pour le lui tendre, puis j'ai changé d'avis aussi vite.

— Il est plus joli sur toi que sur la table. En plus, il est troué. Tu te sens d'attaque pour aller chez toi et découvrir ce qui est arrivé à ton grand-oncle ? Et où sont tes vêtements ? Ces hommes, ce sont eux qui les ont enlevés ? Est-ce qu'ils t'ont... Ils t'ont fait du mal ?

— Non, non ! Je t'ai déjà expliqué – j'ai dû abandonner mes habits pour ne pas goutter partout chez toi et révéler ma présence. Je les ai laissés devant, derrière les buissons. Je ne pouvais pas les laisser en vue, tu comprends.

— Très bien.

Bill a pris un air pensif avant de reprendre.

— Si je ne te connaissais pas mieux que cela – pardon si je te vexe – je penserais presque que tu as concocté toute cette histoire pour trouver une excuse et revenir dans mon lit...

— Ah. Tu veux dire que tu pourrais presque t'imaginer que j'ai tout inventé pour pouvoir apparaître nue et sans défense, la véritable demoiselle en détresse, pour que le Grand Bill le Vampire, très fort et tout aussi nu, puisse me sauver des griffes des méchants kidnappeurs ?

Il a acquiescé, un peu gêné.

— J'aimerais bien avoir le temps de me prélasser pour fabuler de la sorte, ai-je repris.

J'aurais même presque éprouvé de l'admiration pour un esprit capable de concevoir ce type de méandres afin d'obtenir ce qu'il désire.

— Mais je pense qu'il me suffirait probablement de frapper à ta porte en prenant l'air esseulé pour avoir ce que je

254

veux – si c'était mon but, bien sûr. Ou alors, je pourrais simplement te dire « Alors mon grand, ça te tente ? ». Je crois que je n'ai pas besoin d'être nue et en danger pour t'exciter, si ?

— Tu as tout à fait raison, a-t-il conclu avec un léger sourire. S'il te prend jamais l'idée d'improviser ce genre d'histoire, je jouerai mon rôle avec plaisir. Dois-je te présenter de nouvelles excuses ?

Je lui ai rendu son sourire.

— Pas la peine. J'imagine que tu n'as pas un ciré, quelque part ?

Naturellement non, mais il possédait néanmoins un parapluie. En un rien de temps, il avait récupéré mes vêtements dans les buissons. Pendant que je les essorais avant de les mettre au sèche-linge, il a bondi dans les escaliers pour se précipiter dans sa chambre – dans laquelle il ne dormait jamais – et enfiler un jean et un débardeur. Pour Bill, c'était une tenue très… canaille.

Mes habits allaient mettre trop longtemps à sécher. C'est donc vêtue du seul châle espagnol de Tante Edwina et abritée sous le parapluie bleu de Bill que j'ai grimpé dans sa voiture. Il a pris Hummingbird Road pour me ramener chez moi. En remontant mon allée, il s'est arrêté pour déplacer le tronc d'arbre – pour lui, ce n'était qu'un vulgaire fétu de paille. Puis nous avons continué, marquant un temps d'arrêt à côté de ma pauvre voiture, la portière du conducteur toujours ouverte à tous vents. L'intérieur était trempé, mais mes agresseurs ne lui avaient rien fait. La clé était toujours dans le contact et mon sac à main sur le siège passager avant, avec mes achats.

Bill a considéré un instant les restes du flacon de lait, et je me suis demandé lequel j'avais touché, de Hod ou de Kelvin.

Je l'ai suivi ensuite et nous nous sommes rangés tous deux à l'arrière de la maison. Tandis que je rassemblais mes affaires, Bill est entré directement. Pendant un bref instant, je me suis demandé avec inquiétude comment j'allais faire sécher ma voiture, puis je me suis forcée à me concentrer sur l'essentiel. J'ai pensé soudain à ce qui était arrivé à Cait, la faé, et tous mes soucis d'aménagement automobile intérieur se sont évanouis en un clin d'œil.

J'ai passé le seuil de ma maison d'un pas malhabile. J'éprouvais quelques difficultés à gérer mon emballage personnel, le parapluie, mon sac à main, le sac à provisions et mes pieds nus. J'entendais Bill se mouvoir à travers la maison et j'ai immédiatement compris qu'il avait trouvé quelque chose quand il m'a appelée. Il y avait dans sa voix quelque chose d'urgent.

Dermot gisait inconscient sur les planches du grenier, à côté de la ponceuse qu'il avait louée – éteinte et posée sur son côté. Il était tombé en avant. J'en ai déduit qu'il avait dû se tenir dos à la porte, la ponceuse en marche, alors que les bandits entraient chez moi. Quand il avait compris qu'il n'était pas seul et qu'il avait éteint la ponceuse, il était déjà trop tard. Ses cheveux étaient poisseux de sang coagulé, autour d'une horrible blessure. Ils devaient donc disposer d'une arme au moins.

Bill se tenait, raide et courbé, au-dessus de la silhouette immobile. Sans se retourner, il m'a indiqué qu'il ne pouvait pas lui donner son sang, ce qui m'a surprise.

— Mais je sais bien ! Il est faé.

Puis j'ai fait le tour de Dermot pour m'agenouiller de l'autre côté. Et j'ai vu le visage de Bill.

— Recule. Recule ! Va en bas. Maintenant !

La senteur du sang de faé, si enivrante pour un vampire, emplissait le grenier à lui faire perdre la tête.

— Je peux lécher la blessure pour la nettoyer, a suggéré Bill, ses yeux sombres et pleins de désir fixés sur la plaie.

— Non, tu ne pourrais pas t'arrêter. Recule, je te dis ! Bill ! Va-t'en !

Mais sa tête se penchait toujours plus bas, plus près du visage de Dermot. Je me suis levée d'un bond et j'ai giflé Bill de toutes mes forces.

— Tu dois t'en aller, Bill.

J'aurais plutôt voulu le supplier de me pardonner et j'en tremblais. L'expression peinte sur son visage était horrifiante : fureur, convoitise insatiable, conflit intérieur...

— J'ai si faim, a-t-il chuchoté, me dévorant des yeux. Nourris-moi, Sookie.

Pendant un instant, j'ai cru que l'heure des choix impossibles était arrivée : la solution la pire aurait été de laisser Bill mordre Dermot. La suivante sur la liste aurait été de le laisser me mordre, moi : avec le parfum de faé qui flottait dans l'air, je crois qu'il n'aurait jamais pu s'arrêter.

Tandis que ces images passaient comme des éclairs dans mon esprit, Bill luttait de toutes ses forces pour se contrôler. Il a réussi. Mais tout juste.

— Je vais m'assurer qu'ils sont partis, a-t-il soufflé en titubant vers l'escalier.

Même son corps était entré en guerre contre lui-même. Tout son instinct lui dictait clairement de boire du sang, d'une façon ou d'une autre, celui des deux fournisseurs si tentants qui se tenaient à sa portée, alors que son esprit lui ordonnait de décamper avant que quelque chose de terrible ne survienne. Je souffrais tellement pour lui que si j'avais disposé d'une personne supplémentaire, je ne suis pas certaine que je ne la lui aurais pas jetée dans les bras.

Mais il a réussi à descendre, et j'ai entendu la porte claquer derrière lui. Craignant qu'il ne perde tout contrôle malgré tout, je me suis ruée en bas pour verrouiller les deux portes de derrière. Ainsi, je l'entendrais s'il revenait. Puis j'ai vérifié que la porte d'entrée était toujours fermée à clé, comme je l'avais laissée plus tôt. Avant de retourner à l'étage auprès de Dermot, je suis allée prendre mon fusil dans le placard. Il y était toujours et j'ai savouré un moment d'intense soulagement. J'avais de la chance que les hommes ne l'aient pas volé. Ils n'avaient manifestement pas fouillé la maison à fond, sinon ils l'auraient trouvé à coup sûr. Ils étaient simplement à la recherche d'un objet beaucoup plus gros, à savoir ma petite personne.

Je me sentais beaucoup mieux, avec mon Benelli à la main. J'ai attrapé ensuite ma trousse de secours et je suis remontée m'agenouiller de nouveau auprès de mon grand-oncle. Le châle immense tombait aux moments les plus inattendus et commençait à me porter sérieusement sur les nerfs. Je me demandais bien comment se débrouillaient les femmes indiennes – mais je ne prendrais pas le temps de m'habiller avant d'avoir soigné Dermot.

J'ai nettoyé le sang de son crâne au moyen de compresses stériles, afin de pouvoir inspecter les dégâts de plus près. Ce n'était pas beau. Mais je m'y attendais, c'est toujours le cas pour les plaies à la tête. Au moins, celle-ci ne saignait presque plus. Tandis que je travaillais, je me suis demandé si je devais appeler une ambulance. Les urgentistes pourraient-ils arriver jusqu'à nous sans que Hod et Kelvin interviennent ? Certainement, car Bill et moi n'avions pas été inquiétés. Question plus importante : je n'étais pas certaine que la physiologie faé soit entièrement compatible avec les techniques médicales humaines. Je savais qu'humains et faé pouvaient avoir des enfants ensemble et j'en déduisais donc que les premiers soins pour humains ne feraient sûrement pas de mal. Mais tout de même... Dermot a gémi avant de se retourner sur le dos. J'ai pu glisser une serviette sous sa tête juste à temps. Il a fait la grimace.

— Sookie, a-t-il dit. Tu portes une nappe ?

12

— Tu as toujours tes deux oreilles ! me suis-je exclamée, submergée par une vague de soulagement si intense que j'ai failli m'effondrer.

J'ai effleuré les deux pointes pour qu'il les sente, lui aussi.

— Et pourquoi ne les aurais-je pas ? a demandé Dermot, très confus – ce qui, étant donné la quantité de sang qu'il avait perdu, n'avait rien de surprenant. Qui m'a attaqué ?

J'ai baissé les yeux vers lui. Je ne parvenais pas à décider de la marche à suivre. J'ai mis ma fierté dans ma poche et j'ai appelé Claude.

— Poste de Claude, a répondu une voix de basse.

C'était l'elfe, Bellenos.

— Bellenos, c'est Sookie. Je ne sais pas si vous vous souvenez de moi. Je suis venue l'autre jour avec mon ami Sam...

— Oui.

— Alors voilà. Dermot s'est fait attaquer, et il est blessé. Je voudrais savoir s'il y a quelque chose que je dois faire ou ne pas faire, pour m'occuper d'un faé dans cet état. Quelles différences il peut y avoir par rapport au traitement d'un humain.

— Qui lui a fait du mal ? a demandé Bellenos d'une voix soudain plus tranchante.

— Deux mecs humains qui sont entrés en force dans la maison pour me prendre. Je n'y étais pas, mais Dermot, si. Il utilisait un outil électrique et il n'a pas dû les entendre. Apparemment, ils lui ont donné un coup sur la tête. Je ne sais pas avec quoi.

— Il saigne encore ?

J'entendais la voix de Claude, dans le fond.

— Non, ça s'est arrêté.

Puis j'ai perçu le bourdonnement d'une conversation entre Bellenos et plusieurs autres personnes.

— J'arrive, a enfin dit Bellenos. Claude m'explique qu'il n'est pas le bienvenu chez vous en ce moment, alors je viens à sa place. Ce sera agréable de sortir de ce bâtiment. Il n'y a pas d'autres humains avec vous ? Je ne peux pas me faire passer pour l'un d'entre eux.

— Personne à part moi, du moins pour l'instant.

— Je serai chez vous très rapidement.

J'ai transmis l'information à Dermot, qui paraissait simplement déconcerté. Il m'a expliqué plusieurs fois qu'il ne savait pas pourquoi il était étendu par terre et j'ai commencé à m'inquiéter plus sérieusement. Du moins semblait-il satisfait de rester allongé.

— Sookie !

Dermot avait ouvert la fenêtre avant de commencer à poncer, et la voix de Bill me parvenait distinctement.

Je me suis levée pour faire quelques pas dans sa direction, mes franges balayant le plancher.

— Comment va-t-il ? a demandé Bill, prenant soin de rester bien à l'écart. Comment puis-je t'aider ?

— Tu as été formidable, lui ai-je assuré sincèrement. L'un des faé de Monroe est en chemin, Bill, alors tu ferais mieux de rentrer chez toi. Quand mes vêtements seront secs, tu pourrais les laisser ici, derrière, un de ces jours ? Quand il ne pleut pas ? Ou alors tu les laisses sur ta véranda et je les prendrai.

— J'ai l'impression d'avoir failli à mon devoir envers toi.

— Comment ça ? Tu m'as cachée, tu as débarrassé mon allée, tu as vérifié toute la maison pour que personne ne puisse plus m'attacher…

— Je ne les ai pas tués. J'aimerais le faire.

Son aveu n'a déclenché en moi qu'un infime petit frisson d'horreur. Je commençais à m'habituer aux déclarations extrêmes. Je l'ai donc rassuré.

260

— Mais ne t'inquiète pas. Quelqu'un finira bien par le faire, s'ils continuent comme ça.

— As-tu une idée de qui a pu les envoyer ?

— Eh non.

J'en étais très sincèrement désolée d'ailleurs.

— Mais je sais qu'ils allaient m'attacher sur un véhicule ou quelque chose dans ce genre, et me conduire quelque part, ai-je poursuivi.

Je n'avais pas pu distinguer le véhicule dans leurs pensées. C'était trop flou.

— Où ont-ils garé leur voiture ?

— Je ne sais pas, je n'en ai pas vu.

Et j'avais eu d'autres choses en tête.

Posté en bas, Bill me couvait des yeux.

— Je me sens tellement inutile, Sookie. Je sais que tu as besoin d'aide pour le redescendre. Mais je n'ose pas l'approcher de nouveau, c'est trop risqué.

Il a détourné la tête si brusquement que j'en ai cligné des yeux. L'instant d'après, il avait disparu.

Puis j'ai entendu un appel à la porte de derrière.

— Je suis là. Vampire, je suis l'elfe Bellenos. Dis à Sookie que je suis venu voir mon ami Dermot.

— Un elfe. Je n'en ai pas vu depuis plus de cent ans, a fait la voix plus lointaine de Bill.

— Et tu n'en verras pas d'autre avant cent ans, a répondu la voix grave de Bellenos. Nous ne sommes plus nombreux.

Je me suis ruée en bas, aussi vite que je le pouvais sans me rompre le cou. J'ai déverrouillé la porte de derrière puis celle de la véranda. Je distinguais l'elfe et le vampire dans la pénombre.

— Puisque vous êtes arrivé, je vais m'en retourner. Je ne puis vous être d'aucune utilité, a dit Bill.

La lumière crue du projecteur monté sur le poteau tombait sur sa silhouette, qui semblait plus blanche encore. Il semblait venir d'un autre monde.

La pluie ne tombait plus qu'à petites gouttes, mais l'air était saturé d'humidité, et je savais qu'elle allait reprendre de plus belle.

— Ivresse du faé ? a demandé Bellenos.

Lui aussi était pâle, mais personne ne peut être aussi blafard qu'un vampire. Ses taches de rousseur claires ressortaient sur sa peau comme de petites ombres, et ses cheveux auburn avaient pris une teinte encore plus foncée.

— Les elfes n'ont pas la même odeur que les faé, a-t-il ajouté.

— En effet, a répondu Bill, une note de dégoût dans la voix.

L'odeur de Bellenos semblait agir comme un répulsif. Pour au moins un vampire, en tout cas. Et si je grattais quelques cellules sur sa peau ? Je pourrais en parsemer mon grand-oncle, ce qui me permettrait d'inviter des vampires chez moi… Oh ! mon Dieu. La réunion au sommet avec Eric et Pam !

— Si vous en avez terminé avec les galanteries… Dermot a besoin d'un léger coup de main…

Bill s'est évanoui dans les bois et j'ai ouvert la porte en grand pour l'elfe. Il m'a souri, découvrant ses longues dents pointues. J'ai réprimé un frisson.

Je savais qu'il n'avait pas besoin d'invitation, contrairement à un vampire, mais je l'ai néanmoins invité à entrer.

Tandis que je le menais à travers la cuisine, il regardait tout autour de lui avec curiosité. J'ai soulevé ma toge encombrante pour grimper l'escalier devant lui, tout en espérant que je ne lui offrais pas une vue trop dégagée, puis nous sommes parvenus au grenier. En moins de temps qu'il n'en faut pour le dire, il était agenouillé près de Dermot. Après l'avoir ausculté rapidement, il a déplacé le faé légèrement pour examiner la plaie plus en profondeur. Ses yeux bruns étranges et bridés observaient son ami blessé avec la plus grande attention.

Même s'il a jeté un œil à mes épaules nues.

Et pas qu'un peu.

— Couvrez-vous, a-t-il recommandé brutalement. Ça fait trop de peau humaine pour moi.

Ah. Très embarrassée, je me suis aperçue que je n'avais rien compris : tout comme Bill trouvait repoussante l'odeur qu'il dégageait, Bellenos était écœuré de voir mon corps.

— Maintenant qu'il y a quelqu'un pour rester avec Dermot, je serai très contente d'aller m'habiller pour de vrai.

— Tant mieux, m'a-t-il répondu.

Si Claude manquait de subtilité, Bellenos le battait à plates coutures. C'en était presque amusant. J'ai demandé à Bellenos de porter Dermot dans la chambre d'amis au rez-de-chaussée, et je l'ai précédé pour m'assurer qu'elle était en état et le couvre-lit remonté sur les draps. Puis je me suis écartée pour laisser passer l'elfe. Celui-ci portait le faé sans le moindre effort, même si la cage d'escalier, très étroite, l'avait obligé à quelques manœuvres.

Il l'a posé sur le lit et je me suis éclipsée dans ma chambre. Quel soulagement de pouvoir dérouler le châle, ses franges et ses fleurs, et d'enfiler un jean – par respect pour l'aversion que ressentait Bellenos pour la peau humaine, j'ai évité le short. Il faisait bien trop chaud pour envisager des manches longues, mais j'ai du moins dissimulé mes immondes épaules sous un tee-shirt rayé.

Quand je suis revenue, Dermot avait repris conscience. Bellenos était à genoux et lui caressait ses cheveux dorés tout en lui parlant dans une langue inconnue. Mon grand-oncle était alerte et lucide. Il m'a adressé un sourire, et même s'il n'était encore que l'ombre de lui-même, mon cœur apaisé s'est remis à battre normalement.

— Ils ne t'ont fait aucun mal, a-t-il fait remarquer, manifestement réconforté. Ma nièce, s'installer avec toi s'avère jusqu'à présent plus dangereux que de vivre avec les miens.

— Je suis tellement désolée, lui ai-je répondu en m'asseyant sur le bord du lit pour lui prendre la main. Je ne comprends absolument pas comment ils ont pu entrer ici, avec les sorts de protection. Les gens qui me veulent du mal ne sont pas censés pouvoir le faire, que je sois ici ou ailleurs.

En dépit de sa perte de sang, Dermot a rougi.

— C'est ma faute.

Je l'ai fixé, stupéfaite.

— Comment ça ? Pourquoi ?

Il évitait mon regard.

— C'était de la magie humaine. Ton amie la petite sorcière est très douée, pour une humaine. Mais la magie faé est
bien plus puissante. Alors j'ai déconstruit ses sorts et j'avais
l'intention de poser les miens autour de la maison dès que
j'aurais fini de poncer le parquet.

Je n'ai rien trouvé à répondre.

Un petit silence poisseux s'est abattu sur notre assemblée.

Puis j'ai pris un ton énergique.

— Allez ! Il faut qu'on s'occupe de ton crâne.

J'ai nettoyé la plaie de nouveau, puis je l'ai désinfectée. Je
n'allais certainement pas tenter de recoudre le tout, mais je
me demandais si ce n'était pas nécessaire. Lorsque j'ai parlé
points de suture, les deux créatures faériques ont pris l'air
écœuré. Alors j'ai posé des strips moi-même pour maintenir
les bords de la plaie soudés ensemble. J'avais fait du mieux
que je pouvais, avec mes moyens.

— Maintenant, je vais le soigner, a annoncé Bellenos.

J'étais contente d'apprendre qu'il allait en faire un peu plus
que de le transporter de l'étage à la chambre. Bien sûr, ça
m'avait aidée, mais quelque part je m'étais attendue à plus.

— Naturellement, a-t-il continué, le sang de celui qui l'a
blessé serait le meilleur moyen, et peut-être pourrons-nous
d'ailleurs nous y attacher plus tard. Mais pour l'heure…

— Qu'allez-vous faire ?

J'espérais que je pourrais regarder pour apprendre.

— Je vais lui donner mon souffle, a précisé Bellenos,
comme si je n'étais qu'une simple d'esprit.

Ma stupéfaction l'a déconcerté. Il a haussé les épaules.
J'étais visiblement d'une ignorance crasse.

— Vous pouvez regarder si vous le souhaitez.

Et il a baissé les yeux vers Dermot, qui a hoché la tête,
avant de faire la grimace.

Bellenos s'est allongé de tout son long sur le lit à côté de
Dermot et l'a embrassé.

Je n'avais certainement jamais pensé à soigner une blessure à la tête de cette façon. Si mon manque de connaissance

de la culture faé l'avait surpris, cette méthode m'avait abasourdie.

Après un moment, j'ai compris que leurs bouches étaient en contact, mais que l'elfe exhalait l'air de ses poumons dans ceux de Dermot. Après s'être détaché pour prendre une inspiration, Bellenos recommençait le processus.

J'ai tenté d'imaginer un médecin humain prodiguant ce traitement à l'un de ses patients. Procès ! Je voyais bien qu'il ne s'agissait de rien de sexuel – du moins pas ouvertement – mais la méthode était un peu trop intime à mon goût. J'ai décidé qu'il était temps de faire un brin de ménage. J'ai récupéré les compresses usagées et tous les emballages et me suis rendue dans la cuisine pour les jeter.

Et tant que j'étais toute seule, j'en ai profité pour vider mon sac, silencieusement.

Mais bien sûr ! La magie faé, c'était sûrement génial. Quand on s'en sert ! Les sortilèges d'Amelia n'étaient peut-être que des sorts humains, de qualité inférieure, mais au moins, ils avaient été mis en place, pour me protéger. Jusqu'à ce que Dermot les retire et me laisse sans aucune protection.

— Quel abruti ! ai-je grommelé, tout en récurant le plan de travail si fort que je devais trucider même les bactéries.

Ma colère s'en est arrêtée là, car le complexe de supériorité de Dermot s'était éteint dès qu'on lui avait infligé sa blessure.

— Il se repose. Il guérit. Dans très peu de temps, lui et moi devons nous acquitter d'une tâche.

Bellenos était entré dans la cuisine derrière moi, et je n'avais rien perçu, pas même un déplacement d'air. Me voir sursauter l'a enchanté. Il a éclaté d'un rire très étrange, qui n'avait rien d'humain : sa bouche était largement ouverte, comme s'il haletait, produisant des saccades voilées.

— Il peut bouger ? me suis-je enquise, ravie mais surprise.

— Absolument. Par ailleurs, il m'informe que des vampires vont venir vous rendre visite plus tard, et qu'il doit s'éloigner de toute façon.

Au moins, Bellenos ne me reprochait pas d'attendre des invités vampires, et ne m'a pas demandé d'annuler ma soirée pour prendre soin de Dermot.

J'ai envisagé d'appeler Eric sur son portable et de décommander notre *pow-wow*. Ensuite, je me suis dit que Hod et Kelvin faisaient certainement partie de l'histoire, même s'ils ne jouaient qu'un rôle pour le moins maladroit.

— Attendez ici un instant, je vous prie, ai-je demandé poliment.

Puis je suis allée parler avec Dermot. Il était assis contre les oreillers, et j'ai remercié intérieurement Amelia d'avoir refait le lit avant de partir. J'allais devoir changer les draps, mais je pourrais le faire plus tard quand... stop ! Les listes de tâches domestiques pouvaient largement attendre. Dermot semblait déterminé mais très pâle. Quand je me suis assise auprès de lui, il m'a prise dans ses bras et m'a serrée très fort. Surprise, je lui ai rendu la pareille.

— Je suis désolée de tout ce qui t'est arrivé, lui ai-je dit, évitant délibérément l'affaire des sorts de protection. Es-tu certain de vouloir aller à Monroe ? Ils vont vraiment s'occuper de toi ? Je peux tout annuler, ce soir. Je serais contente de jouer les infirmières pour toi.

Dermot a gardé le silence un moment. Je le sentais respirer dans mes bras, et le parfum de sa peau m'a enveloppée. Bien entendu, ce n'était pas le même que Jason, même s'ils se ressemblaient comme deux gouttes d'eau.

— C'est gentil à toi de ne pas me passer un savon – tu vois, je maîtrise les expressions humaines modernes !

Il a eu un sourire franc avant de poursuivre.

— Je te verrai plus tard. Bellenos et moi-même devons accomplir une besogne.

— Il faut que tu te ménages. Tu as pris un sale coup. Comment te sens-tu ?

— De mieux en mieux à chaque seconde qui passe. Bellenos a partagé son souffle avec moi. Et la perspective de la chasse m'exalte.

Là, je ne comprenais pas tout à fait, mais s'il était content, alors moi aussi. Avant que je puisse lui poser la moindre question, il a poursuivi.

266

— Je t'ai causé du tort, avec les sorts de protection, et je n'ai pas arrêté les intrus. Pendant que j'étais par terre, là-haut, je craignais qu'ils n'aient mis la main sur toi.

— Tu n'aurais pas dû t'inquiéter pour moi, lui ai-je dit sincèrement, touchée cependant par ses craintes. Je me suis cachée chez Bill et ils ne m'ont pas trouvée.

Alors que nous nous serrions encore l'un contre l'autre – ce qui commençait à durer un peu trop longtemps à mon goût –, j'entendais Bellenos dehors. Il faisait le tour de la maison dans la nuit, sous la pluie qui avait repris, et sa voix psalmodiait, montant et descendant. Je ne percevais que quelques bribes de ses paroles, mais il s'agissait d'une langue que je ne connaissais pas et leur signification m'échappait. Dermot semblait satisfait, ce que j'ai trouvé rassurant.

— Je vais me rattraper, m'a assuré Dermot en me relâchant avec douceur.

— Pas besoin. Je vais bien, et puisque tu n'as subi aucun dommage permanent, disons simplement qu'il s'agit d'une expérience, d'un apprentissage.

Du style, ne retire pas de sorts de protection sans en implanter d'autres…

Dermot s'est levé d'un mouvement sûr. Ses yeux brillaient. Il paraissait… animé. Comme s'il se rendait à un anniversaire ou à une fête quelconque.

— Tu ne veux pas un imperméable ? ai-je suggéré.

Il a éclaté de rire, a posé les mains sur mes épaules, et m'a embrassée. Sous le choc, mon cœur a bondi, mais j'ai immédiatement reconnu sa posture. Il m'envoyait son souffle.

Pendant quelques secondes, j'ai cru que j'allais m'étrangler, ou suffoquer, mais finalement non. Et ça n'a duré qu'un instant.

Puis il m'a souri, avant de disparaître, claquant les portes de derrière. En regardant par la fenêtre, je n'ai distingué qu'une ombre estompée tandis que Bellenos et lui se volatilisaient dans les ténèbres.

Crise terminée.

Du coup, je ne savais plus vraiment quoi faire. J'ai nettoyé le sang sur le parquet du grenier, j'ai mis le châle à tremper avec du Woolite dans l'évier de la cuisine, et j'ai changé les draps dans la chambre d'amis.

Puis je me suis douchée, pour effacer le parfum des créatures faé avant l'arrivée d'Eric et de Pam. En outre, mes cheveux en avaient bien besoin. Je me suis rhabillée, pour la énième fois, et me suis assise un peu dans la salle de séjour, pour regarder la chaîne météo, sur laquelle on se réjouissait de l'orage monstrueux.

Il m'a semblé qu'une seconde plus tard je me réveillais, du sable plein la bouche. Eric et Pam frappaient à la porte d'entrée.

J'ai titubé pour aller l'ouvrir, aussi endolorie que si quelqu'un m'avait rouée de coups pendant mon sommeil. Le résultat de ma course effrénée sous l'orage.

— Que s'est-il passé ? s'est exclamé Eric en saisissant mes épaules pour m'examiner de plus près, les yeux plissés.

Pam humait l'atmosphère d'un air théâtral, sa tête blonde rejetée en arrière, avec un sourire en coin à mon intention.

— Ouh la laaaaa ! On a reçu des invités… Attends un peu, un elfe, un faé, et puis Bill, c'est bien ça ?

— C'est Heidi qui t'a donné des leçons de pistage ? ai-je demandé d'une voix blanche.

— Il se trouve que oui. Pour nous, c'est tout un art, que d'inspirer de l'air pour le goûter, puisque nous n'avons plus besoin de respirer.

Eric attendait toujours. Impatient.

Je me suis souvenue que je leur avais acheté des bouteilles de sang et je me suis rendue dans la cuisine pour en réchauffer, les deux vampires à la traîne derrière moi. Tandis que je gérais la minute hospitalité, je leur ai donné un condensé de mes aventures.

Puis on a frappé à la porte de derrière.

L'ambiance s'est soudain chargée en électricité. Pam s'est coulée sans un bruit vers la porte donnant sur la véranda et l'a déverrouillée avant de sortir.

— Oui ?

J'ai entendu une voix de basse donner une réponse étouffée. Bellenos.

— Sookie, c'est pour toi !

Pam semblait follement amusée.

Curieuse, je suis sortie sur la véranda, Eric sur mes talons.

— Oh, elle sera tellement contente, disait Pam, c'est si gentil à vous d'y avoir pensé !

Elle avait pris le ton que j'employais lorsqu'on m'apportait des produits frais du jardin.

Puis elle s'est écartée afin de me laisser apprécier mes cadeaux.

Nom de Dieu.

Mon grand-oncle Dermot et Bellenos se tenaient tous deux sous la pluie, tenant chacun une tête coupée.

J'aimerais dire ici qu'en temps normal, je ne suis pas une petite nature. Mais il n'y avait pas que la pluie qui gouttait partout, et les têtes m'étaient présentées de face. Je distinguais les visages très distinctement. Le spectacle m'a affectée d'une façon, disons, brutale. Je me suis retournée d'un coup et me suis ruée dans ma salle de bains, claquant la porte à toute volée derrière moi. Submergée de haut-le-cœur, j'ai été prise de violents vomissements. Pantelante, j'ai peu à peu recouvré mon équilibre. Naturellement, j'ai dû ensuite me brosser les dents, me laver le visage et me brosser les cheveux, après avoir perdu ainsi tout le contenu de mon estomac. Et pourtant, il n'avait pas renfermé grand-chose. Curieux. Depuis combien de temps n'avais-je pas mangé ? J'avais pris un petit pain ce matin… Ah ! Rien de surprenant. Je n'avais rien ingurgité depuis. Il se trouve que j'aime bien manger ; ce n'était donc pas une stratégie pour perdre du poids. Démarrez le célèbre Régime de l'Échappée Belle, élaboré par Sookie Stackhouse ! Prenez vos jambes à votre cou et, en plus, sautez vos repas ! De l'exercice, en toute inanition !

Pam et Eric m'attendaient dans la cuisine.

— Ils sont partis, a annoncé Pam en levant sa bouteille comme pour porter un toast. Ils sont désolés que ta sensibilité humaine n'ait pas supporté cette fantaisie. J'ai supposé que tu ne voulais pas conserver les trophées. J'ai eu raison ?

J'ai eu envie de me justifier, puis j'ai ravalé ma fierté. Il n'était pas question que je me sente coupable d'être malade alors que ce que j'avais vu était si horrifiant. J'avais déjà vu une tête de vampire détachée de son propriétaire, mais l'effet produit n'était pas si abominable. J'ai pris une profonde inspiration.

— Non, je ne voulais pas garder les têtes. Kelvin et Hod, reposez en paix.

— Ah, c'était ça, leurs noms ? Cela va grandement nous aider à trouver qui a retenu leurs services, a fait remarquer Pam, manifestement satisfaite.

— Euh, où sont-ils ? ai-je demandé tout en m'efforçant de ne rien laisser voir de mon anxiété.

— Tu veux dire ton grand-oncle et son copain l'elfe, ou les têtes, ou les corps ? s'est enquis Eric.

— Les deux – les trois.

Je me suis rempli un verre de glace et j'ai versé du Coca Light dessus. Depuis des années, on me disait que les boissons gazeuses soignaient les nausées. J'espérais que c'était vrai.

— Dermot et Bellenos sont partis pour Monroe. Dermot a pu couvrir ses blessures du sang de ses ennemis, selon la coutume chez les faé. Naturellement, Bellenos, lui, a eu le droit de trancher les têtes, selon la coutume chez les elfes. Par conséquent, tous deux sont fort heureux.

— Je suis contente pour eux, ai-je conclu par réflexe, avant de me dire *Mais qu'est-ce que je dis là ?*. Je devrais informer Bill. Je me demande s'ils ont trouvé leur voiture ?

— Ils ont trouvé des 4 × 4, m'a indiqué Pam, avant de poursuivre d'un ton envieux : je crois qu'ils se sont bien amusés à les conduire.

En imaginant le tableau, j'ai pratiquement réussi à sourire.

— Et les corps ?

— On s'en est occupé, a dit Eric. Nos deux compères vont rapporter les têtes à Monroe pour les exhiber, mais ils les détruiront là-bas par la suite.

— Ah ! s'est exclamée Pam en se levant d'un bond. Dermot a laissé leurs papiers.

Elle est revenue avec deux portefeuilles mouillés et d'autres bricoles, entassés au creux de ses mains. J'ai étalé un torchon sur la table, et elle a déposé le tout dessus. J'essayais de ne pas remarquer les taches de sang sur les morceaux de papier. J'ai ouvert le portefeuille en cuir en premier pour en extraire un permis de conduire.

— Hod Mayfield, de Clarice. Il avait vingt-quatre ans.

Ensuite, j'ai sorti la photo d'une femme, probablement celle dont ils avaient parlé, Marge.

Elle était plus que plantureuse, avec des cheveux crêpés en un chignon passé de mode. Elle montrait un sourire franc et adorable.

Dieu merci, il n'y avait aucune photo d'enfant.

Un permis de chasse, quelques reçus, et une carte d'assuré social.

— Ce qui veut dire qu'il était salarié, ai-je expliqué aux vampires, qui ne connaissaient ni l'hospitalisation, ni l'assurance-vie, forcément.

En outre, Hod avait trois cents dollars.

— Waouh ! me suis-je exclamée. Ça fait beaucoup.

Des billets de vingt dollars, tout neufs.

— Certains de nos employés n'ont pas de compte courant, a précisé Pam. On leur verse leur salaire en liquide et c'est comme cela qu'ils vivent.

— Oui, je connais des gens qui font pareil.

Comme Terry Bellefleur, convaincu que les banques étaient tenues par un cartel communiste.

— Mais cet argent est en billets de vingt et sort tout juste du distributeur, ai-je ajouté. Une récompense pour leurs services ?

Kelvin était également un membre de la famille Mayfield. Un cousin ? Un frère ? Il vivait à Clarice, lui aussi. À vingt-sept ans, c'était le plus âgé. Son portefeuille contenait des photos d'enfants. Trois. Et merde. Sans émettre un seul commentaire, j'ai étalé les photos scolaires à côté des autres articles : un préservatif, un bon pour une boisson gratuite, du *Vic's Redneck*, et une carte de crédit de chez un carrossier. Quelques billets usés et, tout comme Hod, trois cents dollars tout pimpants.

Ces gars-là, je les avais peut-être croisés des douzaines de fois quand je faisais les boutiques de Clarice. J'avais peut-être joué au softball contre leurs sœurs ou leurs épouses. Je leur avais peut-être servi quelques verres au *Merlotte*. Pour quelle raison avaient-ils tenté de m'enlever ?

J'ai réfléchi à voix haute.

— J'imagine qu'ils allaient m'emmener à Clarice à travers bois, avec les 4 × 4. Mais qu'est-ce qu'ils allaient faire de moi ensuite ? J'ai cru que l'un d'eux… Dans ces pensées, j'ai vu l'ébauche d'une idée qui concernait un coffre.

Ça n'avait été qu'une brève impression, mais j'en ai frissonné d'horreur. Il m'était déjà arrivé de me retrouver enfermée dans un coffre de voiture, et ça ne s'était pas bien passé pour moi. J'étais fermement décidée à repousser ce souvenir.

Eric pensait sans doute à la même chose, car il a tourné son regard vers la fenêtre, en direction de la demeure de Bill.

— À ton avis, Sookie, qui les a envoyés ?

J'entendais à sa voix qu'il faisait un effort démesuré pour demeurer calme et patient.

— Eh bien, je ne peux pas les interroger pour le savoir, ai-je marmonné.

Pam a pouffé de rire.

J'ai rassemblé mes esprits. Le restant de brume due à ma sieste de deux heures s'était finalement dissipé, et je me suis concentrée pour tenter de trouver un sens aux incidents étranges de cette soirée.

— Si Kelvin et Hod avaient habité à Shreveport, j'aurais pensé que c'était Sandra Pelt qui les avait recrutés, après s'être échappée de l'hôpital. Perdre la vie des autres, ça ne lui cause aucun problème. Je suis certaine que c'est elle qui a enrôlé les mecs qui sont venus au bar, samedi dernier. Et c'est elle à coup sûr qui a lancé le cocktail Molotov au *Merlotte*.

— Nous avons posté des yeux partout à Shreveport pour la repérer, mais personne ne l'a vue pour l'instant, a dit Eric.

272

Pam s'est adressée à moi, lissant sa chevelure raide et pâle tout en la tressant.

— Alors, le but de cette Sandra, c'est de te détruire, toi, ton lieu de travail, et tout ce qui pourrait se mettre sur son chemin ?

— C'est à peu près ça. Mais ce soir, ce n'était pas elle. Décidément, j'ai trop d'ennemis.

— C'est charmant, a fait remarquer Pam.

— Comment va ton amie ? ai-je demandé. Je suis désolée, je ne m'en suis pas souciée plus tôt.

Pam m'a regardée droit dans les yeux.

— Elle va bientôt quitter ce monde. Je suis à court d'options, et je perds espoir de pouvoir rester dans la légalité si je veux faire quelque chose.

La sonnerie du portable d'Eric a retenti, et il s'est levé pour aller dans l'entrée pour répondre.

— Oui ? a-t-il fait d'un ton abrupt.

Puis sa voix a changé brusquement.

— Votre Majesté.

Il s'est dirigé rapidement dans la salle de séjour et je ne pouvais plus l'entendre.

Je n'y aurais pas accordé d'attention si je n'avais aperçu le regard de Pam. Elle me considérait avec une expression empreinte de... pitié. Clairement.

J'ai senti mes cheveux se hérisser sur ma nuque.

— Quoi ? Qu'est-ce qu'il y a ? S'il a dit « Votre Majesté », c'est que c'est Felipe, non ? Et ça c'est bien. Non ?

— Je ne peux pas te le dire. Il me tuerait. Il ne veut même pas que tu sois consciente qu'il se passe quelque chose, si tu comprends ce que je veux dire.

— Mais Pam ! Dis-le-moi !

— Je ne peux pas, a-t-elle répété. Sookie, il faut que tu fasses attention.

Je l'ai fixée intensément. Je ne pouvais pas user de magie pour lui faire ouvrir la bouche. Et je n'avais pas la force nécessaire pour la plaquer sur la table de la cuisine et la forcer à m'avouer les faits.

J'ai tenté de raisonner toute seule. Bon, Pam m'appréciait. Les seules personnes qu'elle aimait plus que moi étaient Eric et sa Miriam. S'il y avait quelque chose qu'elle ne pouvait pas me dire, c'était forcément lié à Eric. Si Eric avait été humain, j'aurais pensé qu'il avait une maladie terrible. Pam savait que l'argent n'était pas ma priorité première. Il ne s'agissait donc pas d'une quelconque calamité financière pour Eric, telle que la perte de ses actifs à la Bourse. Quelle était la seule chose qui ait de la valeur à mes yeux ?

Son amour.

Eric avait quelqu'un d'autre.

Je me suis levée sans m'en rendre compte et ma chaise s'est renversée derrière moi avec fracas. J'avais une envie irrépressible d'aller fouiller dans l'esprit de Pam et d'en arracher les détails. Je comprenais fort bien, maintenant, pourquoi Eric l'avait attaquée l'autre soir, dans cette même pièce, quand il m'avait amené Immanuel. Elle avait voulu m'en parler et il le lui avait interdit.

Alarmé par le tapage produit par la chaise rebondissant sur le sol, Eric est arrivé en courant, son téléphone toujours greffé sur l'oreille. Je me tenais debout, les poings serrés à mes côtés, et je le fixais avec fureur. Mon cœur battait à tout rompre dans ma poitrine, comme une grenouille affolée.

— Je vous prie de m'excuser, a-t-il dit dans son portable. Il y a une situation de crise ici. Je vous rappelle plus tard.

Et il a fermé l'appareil d'un claquement sec.

— Pam. Je suis très en colère contre toi. Très sérieusement en colère. Quitte cet endroit sur-le-champ. Et garde le silence.

Ramassée dans une posture que je ne lui avais jamais vue, les épaules tombant dans une attitude de soumission, Pam a décampé de sa chaise et s'est précipitée à l'extérieur. Je me suis demandé si elle verrait Bubba dans les bois. Ou Bill. Ou alors des petites fées. Ou d'autres kidnappeurs. Ah ! Et pourquoi pas un tueur en série ? On ne sait jamais ce qu'on peut rencontrer dans mes bois.

Je n'ai pas dit un mot. J'attendais. J'avais l'impression d'avoir des lance-flammes à la place des yeux.

— Je t'aime, a-t-il dit.

J'attendais.

— Mon créateur, Appius Livius Ocella…

Feu Appius Livius Ocella.

— … était en train d'arranger une union pour moi avant sa mort. Il l'a évoquée pendant son séjour, mais je n'avais pas compris que le processus s'était engagé aussi loin au moment de son trépas. J'avais pensé pouvoir l'ignorer. Que sa disparition l'annulerait.

J'attendais toujours. Je ne pouvais pas déchiffrer son visage. Privée de notre lien, je constatais simplement qu'il dissimulait ses émotions sous une expression de dureté.

— De nos jours, ça ne se fait plus vraiment, mais autrefois, c'était d'usage. Les créateurs organisaient les mariages des membres de leur lignée. Ils recevaient une commission s'il s'agissait d'un accord avantageux, quand chaque partie pouvait fournir quelque chose d'intéressant à l'autre. C'était un partenariat avant tout.

J'ai levé les sourcils. Je n'avais assisté qu'à un seul mariage vampire et, à l'évidence, la passion physique y était clairement manifeste, même si on m'avait expliqué que les époux ne passeraient pas toute leur vie ensemble.

Eric a soudain perdu contenance, une expression que je n'aurais jamais pu imaginer chez lui avant cet instant.

— Naturellement, l'union doit être consommée.

J'attendais le coup de grâce. Peut-être le sol allait-il avant cela s'ouvrir sous ses pieds pour l'avaler tout entier. Mais le sol n'a rien fait.

— Je serais obligé de te renvoyer, a-t-il admis. Ça ne se fait pas, d'avoir une épouse humaine en même temps qu'une vampire. Surtout s'il s'agit de la Reine de l'Oklahoma. L'épouse vampire doit être la seule.

Il a détourné le regard, le visage plein d'une rancœur qu'il n'avait jamais exprimée jusque-là.

— Je sais que tu as toujours insisté sur le fait que tu n'étais pas véritablement mon épouse. Ce qui laisse supposer que ce ne serait pas si difficile que cela, pour toi.

Ben tiens !

Il a examiné mon visage, comme s'il déchiffrait une carte.

— Mais je crois que si, a-t-il murmuré. Sookie, je te jure que depuis que j'ai reçu la lettre, je fais tout ce qui est en mon pouvoir pour mettre un terme à ce processus. J'ai défendu le fait que la mort d'Ocella devait annuler l'accord, j'ai dit que j'étais heureux là où je suis, et j'ai même mis notre mariage en avant comme obstacle. Victor est mon régent. En tant que tel, il pourrait plaider pour établir que ses vœux prévalent sur ceux d'Ocella, et que je lui suis trop utile pour qu'il me permette de quitter l'État.

— Oh non.

J'avais finalement recouvré la parole, mais seul un faible chuchotement sortait d'entre mes lèvres.

— Oh si, a répondu Eric avec amertume. J'ai fait appel auprès de Felipe, mais il ne m'a pas encore répondu. L'Oklahoma fait partie des régnants qui lorgnent sur son trône. Il est possible qu'il souhaite lui faire plaisir. Entre-temps, elle m'appelle toutes les semaines, pour m'offrir une part de son royaume si je viens à elle.

— Elle t'a donc rencontré face à face.

Ma voix avait repris un peu de couleur.

— Effectivement. Elle était présente au sommet de Rhodes pour organiser un échange de prisonniers avec le Roi du Tennessee.

Est-ce que je me souvenais d'elle ? Lorsque je serais plus calme, ce serait peut-être le cas. J'avais vu une poignée de reines, là-bas, et pas un seul laideron. Une foule de questions se pressaient dans mon esprit pour sortir de ma bouche, mais j'ai serré les dents. Ce n'était pas le moment de parler mais d'écouter.

J'étais bien certaine que l'idée de cette union n'était pas venue de lui. Et je comprenais désormais ce qu'Appius m'avait dit alors qu'il était sur le point de mourir. Il m'avait avertie que je ne garderais jamais Eric. Il était mort heureux, satisfait d'avoir organisé un partenariat si avantageux pour son protégé bien-aimé, un accord qui éloignerait Eric de cette misérable humaine qu'il aimait. S'il s'était trouvé

276

devant moi, j'aurais tué Appius de nouveau, et j'en aurais tiré un plaisir intense.

Au beau milieu de toutes ces pensées noires, alors qu'Eric répétait de nouveau toute l'histoire, un visage blafard a fait son apparition pour nous regarder par la fenêtre. Eric a vu à mes yeux qu'il y avait quelque chose derrière lui et s'est retourné si prestement que je ne l'ai même pas vu bouger. À mon grand soulagement, les traits du personnage m'étaient familiers.

— Laisse-le entrer, ai-je dit à Eric, qui s'est dirigé vers la porte de derrière.

La seconde suivante, Bubba était dans la cuisine, penché sur ma main pour y déposer un baiser.

— Salut, jolie demoiselle.

Il m'a fait un grand sourire. Son visage était reconnaissable entre mille, dans le monde entier – même si son âge d'or avait eu lieu une cinquantaine d'années plus tôt.

— C'est bon de te revoir !

J'étais sincère. Bubba avait de mauvaises habitudes, car il faisait un bien mauvais vampire. Lorsqu'on l'avait fait passer de l'autre côté, il était bourré de drogue et il ne lui restait plus qu'une infime étincelle de vie. Deux secondes de plus et ça n'aurait pas été possible. Mais l'un des assistants de la morgue, à Memphis, était un vampire. Il avait été si bouleversé de le voir, qu'il avait fait passer le King. À cette époque-là, les vampires étaient encore de légendaires créatures des ténèbres et ne figuraient pas sur toutes les couvertures des magazines comme maintenant. On lui avait donné ce nom de Bubba et, depuis, on se transmettait le personnage, de royaume en royaume. On lui avait assigné des tâches simples pour qu'il puisse participer aux frais, et de temps à autre, lors de soirées mémorables, il lui prenait l'envie de chanter de nouveau. Il ressentait beaucoup d'affection pour Bill et moins pour Eric, mais il comprenait suffisamment le protocole pour se montrer poli avec lui.

— Miss Pam est dehors, a-t-il annoncé en regardant Eric de côté. Ça va, vous et M'sieu Eric ?

Quel amour. Il soupçonnait Eric de me faire du mal, et il était entré s'assurer que tout allait bien. Bubba avait raison. Eric me faisait du mal. Mais pas physiquement. J'avais l'impression de me tenir au bord d'une falaise, sur le point de plonger. Je me sentais comme engourdie. Mais ça n'allait pas durer.

C'est à ce moment particulièrement intéressant qu'un coup à la porte a annoncé l'arrivée – enfin, je l'espérais – de nos deux co-conspirateurs, Audrina et Colton. Je me suis avancée vers la porte. Les deux vampires derrière moi, je ne craignais absolument rien et j'ai ouvert. Effectivement, le couple humain attendait sur la véranda. Trempée et sinistre, Pam les tenait fermement l'un et l'autre. Ses cheveux blonds et raides étaient assombris par la pluie et pendaient lamentablement. Ses yeux lançaient des éclairs.

— Entrez, je vous prie, ai-je dit poliment. Et toi aussi, Pam.

Après tout, j'étais chez moi, et c'était mon amie.

— Allez, on... se met au boulot.

J'avais pensé dire « on attaque », mais Audrina et Colton étaient déjà muets de peur et ce n'était pas la peine d'en rajouter. Fanfaronner quand on se trouve tranquillement dans son mobile home, c'est une chose. Rencontrer des êtres terrifiants et prêts à tout, dans une bâtisse isolée au fond des bois, c'en est une autre. Je me suis détournée pour les mener dans la cuisine et j'ai décidé que j'allais sortir des verres, un seau de glace, et peut-être un bol de chips avec des sauces.

Il était temps de commencer cette petite réunion Assassinat.

Je réfléchirais à d'autres décès plus tard.

13

Manifestement, Audrina et Colton ne pouvaient se décider sur ce qui était le plus extraordinaire : la menace exercée par une Pam détrempée mais redoutable, ou le spectacle de la splendeur décrépite offert par Bubba. Ils connaissaient déjà Eric, qui n'avait rien d'inattendu pour eux, mais Bubba les déroutait au plus haut point.

Ils étaient presque en transe. Pendant que je les menais par la salle de séjour, je leur ai chuchoté de ne pas l'appeler par son vrai nom, mais je n'étais pas certaine qu'ils puissent se contrôler suffisamment. Par chance pour nous tous, ils se sont maîtrisés. Bubba n'appréciait pas qu'on lui rappelle sa vie passée, mais alors pas du tout. Il fallait qu'il soit vraiment d'une humeur exceptionnelle pour vouloir chanter.

Attendez un peu… Ah ! Enfin ! Je venais d'avoir une véritable idée.

Ils se sont tous assis à la table. Absorbée dans mes pensées, j'ai sorti des rafraîchissements et tiré une chaise à côté de Bubba, tout en creusant les détails de mon plan. J'avais une impression de flottement surréaliste. Il ne fallait surtout pas que je pense à l'expérience extrême que je venais de vivre. Je devais à tout prix me concentrer sur l'instant présent et notre objectif.

Pam se tenait en retrait par rapport à Eric, afin que leurs regards ne puissent se croiser. Ils semblaient horriblement tristes tous les deux. C'était une expression que je ne leur avais pour ainsi dire jamais vue. Et elle ne leur allait pas. Je me sentais un peu responsable du fossé qui s'était creusé entre eux, même si ce n'était certainement pas justi-fié. Ou alors… J'ai passé en revue toute l'histoire dans mon esprit… Non, ce n'était vraiment pas ma faute.

Eric a proposé d'infiltrer ses vampires un soir au *Vampire's Kiss*, déguisés. Ils attendraient que le club soit sur le point de fermer et qu'il n'y ait plus grand monde. C'est alors que notre attaque serait lancée. Et bien sûr, l'objectif était de tuer les autres jusqu'au dernier.

Le plan d'Eric comportait certes quelques faiblesses, mais si Victor n'avait pas été un employé de Felipe, roi de trois États, il aurait été réalisable. Felipe serait agacé tou-tefois, si on lui tuait quelques poignées de vampires. Très en rogne, même, et ce serait normal.

Audrina également avait échafaudé un scénario. On découvrirait le lieu de sommeil de Victor, et on l'aurait pendant qu'il était mort pour la journée. Miam. Original comme tout. Malgré tout, ce classique en était un pour une bonne raison. Victor serait alors bel et bien sans défense.

— Sauf que nous ne savons pas où il dort, ai-je contesté humblement.

— Moi, si ! s'est fièrement exclamée Audrina. Il dort dans un manoir de pierre, un peu à l'écart d'une petite route de comté, entre Musgrave et Toniton. Il n'y a qu'un seul chemin qui y mène, rien d'autre. Pas d'arbres autour de la maison, rien que de l'herbe.

J'étais impressionnée.

— Génial ! Comment tu l'as trouvé ?

— Je connais le type qui tond la pelouse, a-t-elle expli-qué avec un large sourire. Dusty Kolinchek, ça te dit quel-que chose ?

— Tout à fait.

Je sentais mon intérêt s'éveiller. Le père de Dusty était propriétaire d'une flotte – d'accord, une petite flotte – de tondeuses, motoculteurs et débroussailleuses. Tous les étés, des flopées de lycéens de Bon Temps se faisaient de l'argent de poche en travaillant pour M. Kolinchek. Appa-remment, Dusty allait hériter de l'empire…

— Il dit que la maison est pratiquement vide, dans la journée, parce que Victor est parano : il ne veut pas qu'on entre pendant qu'il dort. Il ne garde que deux gardes du corps, Dixie et Dixon Mayhew. Ce sont des animaux-garous d'une sorte ou d'une autre.

— Je les connais, ai-je répondu. Ce sont des panthères-garous. Ils sont vraiment bons.

Les jumeaux Mayhew étaient des professionnels chevronnés.

— Pour accepter de travailler pour un vampire, ils doivent être à court d'argent, ai-je ajouté.

Ma belle-sœur était décédée et Calvin Norris avait épousé Tanya Grissom. Par conséquent, je ne voyais plus très souvent de panthères-garous. En outre, Calvin ne fréquentait pas vraiment le bar, et Jason ne voyait son ex-belle famille que lors des nuits de pleine lune, lorsqu'il redevenait l'un d'entre eux – en partie du moins, puisqu'il n'était pas panthère-garou de naissance. Il l'était devenu à la suite de morsures répétées.

Eric est intervenu.

— Si les temps sont durs pour eux, peut-être pourrais-je acheter les Mayhew. Dans ce cas, vous ne seriez pas forcés de les tuer, ce qui produirait moins de… mélasse. Mais vous seriez obligés de faire le travail, vous les humains, car Pam et moi serions hors du coup pour la journée.

— Il faudrait fouiller la maison, ai-je fait remarquer. Parce que je parie que les Mayhew ne savent pas exactement où il dort. Même s'ils en ont sûrement une bonne idée.

L'odeur même du vampire aiderait les hybrides à préciser la zone en question, mais j'avais peur de manquer de tact en évoquant cette précision.

Pam a fait un vague signe de main, qu'Eric a aperçu du coin de l'œil. Il s'est retourné à moitié.

— Quoi ? Ah. Oui, tu peux parler.

Soulagée, Pam s'est alors exprimée à son tour.

— Je crois que le meilleur moment, ce serait quand il quitte le club au petit matin. Il ne pense alors qu'à la personne dont il va se nourrir. Il serait facile pour nous de l'attaquer.

Toutes ces idées étaient fort simples, ce qui constituait sans doute à la fois leur force et leur faiblesse. Mais de par leur simplicité, elles devenaient prévisibles. Le projet d'Eric était le plus sanglant, naturellement. Il y aurait des pertes à coup sûr. Celui d'Audrina et Colton était le plus humain, puisqu'il se fondait sur une attaque diurne. Celui de Pam était probablement le meilleur. Il s'agissait d'une attaque de nuit, dans une zone peu habitée et avec moins de victimes innocentes potentielles. Mais la sortie du club était si manifestement un point vulnérable que j'étais certaine que les vampires que Victor y postait – peut-être Antonio et Luis, les chérubins aux grandes dents ? – seraient tout particulièrement vigilants.

— Moi, j'ai un plan, ai-je annoncé.

C'était comme si je m'étais levée pour dégrafer mon soutien-gorge. Ils se sont tournés vers moi comme un seul homme, un mélange de surprise et de scepticisme peint sur leurs visages. C'était chez Audrina et Colton que le doute était le plus apparent : ils me connaissaient à peine.

Jusque-là, Bubba était resté assis sur le grand tabouret de bar à siroter un TrueBlood d'un air insatisfait. Quand j'ai pointé le doigt sur lui en disant « C'est lui, le meilleur moyen », il a retrouvé le sourire.

J'ai exposé mon ébauche, en projetant autant d'assurance que possible. Ensuite de quoi ils se sont empressés de tenter de le réduire en miettes. Au départ, même Bubba s'est montré réticent.

Finalement, ce dernier a déclaré qu'il était d'accord, à condition que Monsieur Bill confirme que c'était une bonne idée. J'ai donc appelé Bill, qui est arrivé en un clin d'œil.

Le regard dont il m'a enveloppée lorsque je l'ai laissé entrer m'a indiqué qu'il savourait toujours le souvenir de ma personne drapée dans une nappe. Voire avant que je ne trouve le châle. J'ai contenu mon embarras et lui ai tout expliqué. Après quelques retouches, il a fini par approuver.

Nous avons répété la chronologie des mouvements, encore et encore, pour essayer de parer à toute éventualité. À 3 h 30, nous étions enfin tous en accord. J'étais tellement épuisée que je dormais debout. Quant à Audrina et Colton, ils réprimaient à grand-peine de solides bâillements.

Pam, qui avait quitté la pièce régulièrement tout au long de la nuit pour appeler Immanuel, est partie avant Eric. Elle était impatiente de se rendre à l'hôpital. Bill et Bubba s'en étaient allés chez Bill, où Bubba passerait la journée. Audrina et Colton ayant pris congé, je suis restée seule avec Eric.

Nous nous sommes regardés, un peu perdus tous les deux. J'ai essayé de me mettre à sa place, de ressentir ce qu'il devait ressentir, mais c'était tout simplement impossible. J'étais purement incapable de m'imaginer que ma grand-mère, mettons, aurait pu m'imposer un mari, et serait morte ensuite en attendant de moi que je respecte ses volontés à la lettre. Il était inconcevable que je puisse obéir à des directives d'outre-tombe, quitter mon foyer et partir pour un lieu inconnu, peuplé de gens que je n'avais jamais rencontrés, et coucher avec un étranger, tout simplement parce que quelqu'un d'autre le souhaitait.

Et même si, a fait une petite voix dans ma tête, *l'étranger est beau comme un dieu, puissant et riche à souhait ?*

Non, me suis-je dit résolument. *Dans ce cas-là non plus.*

Eric devait être branché sur mes pensées, car il m'a demandé alors :

— Peux-tu te mettre à ma place ?

Même sans le lien, nous nous connaissions plutôt bien. Il a pris ma main pour la tenir dans les siennes, froides et glacées.

J'ai lutté pour lui répondre d'une voix égale.

— Non, en fait, je ne peux pas. J'ai essayé. Mais ce genre de manipulation longue distance, ce n'est pas dans ma culture. Même après sa mort, Appius te contrôle, et je ne parviens absolument pas à m'imaginer dans la même situation.

— Ces Américains…

Je ne savais pas s'il exprimait de l'admiration ou un léger agacement.

— Il ne s'agit pas que d'Américains, Eric.

— Je me sens si vieux.

— Tu es surtout vieux jeu.

Et même franchement antique.

— Mais je ne peux pas ignorer un document signé, a-t-il réagi, presque en colère. Il a conclu un accord pour moi. Je suis à ses ordres, je lui appartiens. C'est lui qui m'a créé.

Que pouvais-je dire, devant tant de conviction ?

— Heureusement qu'il est mort ! me suis-je exclamée.

Et tant pis si Eric pouvait détecter mon amertume. Il semblait empli de tristesse, ou tout du moins de regrets. Mais il ne restait plus rien à dire. Il n'a pas parlé de passer ce qui restait de la nuit avec moi.

Ce qui démontrait de sa part une certaine finesse.

Après son départ, j'ai commencé à vérifier toutes les fenêtres et les portes de la maison – sage précaution, avec la foule de personnes qui étaient passées ici ces dernières vingt-quatre heures. Alors que je verrouillais la fenêtre au-dessus de l'évier, j'ai aperçu Bill dans le jardin. Ce qui ne m'a pas surprise.

Il ne m'a pas fait signe, mais je me suis traînée dehors avec lassitude.

— Que t'a fait Eric ?

J'ai résumé la situation en quelques phrases, sans donner de nom ni de détails.

— Quel dilemme, a réagi Bill, avec un certain manque de sincérité.

— Et toi, tu réagirais comme Eric ?

Comme un étrange écho de la scène précédente, Bill a pris ma main, exactement comme Eric l'avait fait plus tôt.

— Appius a mené des négociations, probablement avec des documents officiels à la clé. En outre, je dois dire que moi aussi je tiendrais compte des volontés de mon créateur, même s'il m'en coûte affreusement de l'avouer. Tu n'as aucune idée de la puissance de cet attachement. Les années passées avec son créateur sont les plus importantes de toute l'existence d'un vampire. Si répugnante que j'aie pu trouver Lorena, j'admets qu'elle a fait de son mieux pour m'apprendre à devenir un véritable vampire. Si je regarde en arrière et que je considère ce qu'a été sa vie – Judith et moi en avons parlé, bien sûr –, je me rends compte que Lorena a eu des années et des années pour regretté d'avoir trahi son propre créateur. Nous pensons que c'est la culpabilité qui l'a rendue folle.

Oh ! formidable, Bill et Judith avaient pu refaire le monde et se remémorer tous ces merveilleux moments passés avec la Mama Lorena, meurtrière, putain et tortionnaire... Je ne pouvais pas vraiment lui en vouloir de sa période prostituée. À cette époque-là, il n'y avait pas beaucoup de moyens pour une femme, même vampire, de gagner sa vie. Mais pour le reste... Malgré toute l'horreur de sa situation et de sa vie, avant et après sa première mort, Lorena n'était rien d'autre qu'une saloperie malfaisante.

J'ai récupéré ma main.

— Bonne nuit. Il est tard, je vais me coucher.

— Es-tu en colère contre moi ?

— Pas vraiment. Je suis triste, et fatiguée.

— Je t'aime, s'est exclamé Bill, éperdu, comme s'il voulait me guérir avec ses mots magiques.

Mais il savait pertinemment que ce n'était pas le cas.

— C'est ce que vous dites tous les deux. Mais apparemment, ça ne m'apporte pas le bonheur.

Cette constatation était-elle bien pertinente ? Étais-je simplement en train de m'apitoyer sur mon sort ? Il était trop tard – ou plutôt non, trop tôt – pour en décider. Quelques minutes plus tard, j'ai rampé dans mon lit, dans ma maison vide. Dieu qu'il était bon de me retrouver seule !

Je me suis réveillée à midi vendredi, avec deux pensées pressantes en tête. La première était : *Dermot a-t-il renouvelé mes sorts de protection ?* Et la seconde : *Oh ! Mon Dieu ! La Baby Shower est pour demain !*

Après avoir avalé un café et enfilé mes vêtements, j'ai appelé le *Hooligans*. C'est Bellenos qui a répondu.

— Bonjour, l'ai-je salué. Pourrais-je parler à Dermot ? Il va mieux ?

— Il va bien. Mais il est en route pour chez vous.

— Ah ! Impeccable. Bon, vous êtes peut-être au courant... A-t-il posé de nouvelles barrières chez moi ? Je suis protégée ?

— Non protégée, avec un faé ? Dieu vous en préserve ! s'est exclamé Bellenos, essayant de garder son sérieux.

— Pas de sous-entendus !

— Bon, bon, d'accord !

J'étais certaine qu'il affichait ce sourire aux dents aiguisées.

— J'ai moi-même placé des sorts tout autour de votre maison et je peux vous assurer qu'ils tiendront, a-t-il conclu.

— Merci, Bellenos.

Je me sentais cependant quelque peu soucieuse : Bellenos s'était chargé de ma protection alors que je ne lui faisais pas entièrement confiance.

— Je vous en prie. En dépit de tous vos doutes, je ne voudrais pas qu'il vous arrive quoi que ce soit.

— C'est bon à savoir, ai-je répondu prudemment d'une voix neutre.

Il a éclaté de rire.

— Si vous venez à vous sentir un peu seule, là-bas dans les bois, vous pouvez toujours m'appeler.

— Mmm. C'est gentil, merci.

J'avais la nette impression qu'il me draguait. Ou alors, il avait envie de me dévorer. Et pas au sens figuré.

Il était sans doute mieux de ne pas savoir. Je me suis demandé par quel moyen Dermot allait venir, mais je n'avais aucune envie de rappeler Bellenos pour le découvrir.

Rassurée par la nouvelle du retour de Dermot, j'ai repris ma liste de préparatifs pour la réception du lendemain. J'avais demandé à Maxine Fortenberry de préparer le punch, car le sien était célèbre. J'irais chercher le gâteau chez le pâtissier. Je ne travaillais ni aujourd'hui ni demain – ce qui me coûterait cher en pourboires non versés, mais qui s'avérait plutôt positif. Ma liste de choses à faire ressemblait donc à ceci : Aujourd'hui, terminer tous les préparatifs pour la Baby Shower. Ce soir, tuer Victor. Demain, arrivée des invités.

Entre-temps, comme n'importe quelle hôtesse qui se prépare à recevoir, j'allais me concentrer sur le ménage. Après le passage du chantier grenier, mon séjour était dans un état lamentable et j'ai commencé par là. Du haut jusqu'en bas : épousseter les tableaux, puis les meubles, puis le plancher. Puis j'ai aspiré, passant ensuite dans l'entrée, puis ma chambre, la chambre d'amis et enfin la salle d'eau. Ensuite, armée d'un pistolet de nettoyant ménager, je me suis attaquée aux surfaces de la cuisine. J'allais laver les sols lorsque j'ai aperçu Dermot derrière la maison. Il était revenu au volant d'une petite Chevrolet cabossée. Je l'ai salué, du haut de la véranda.

— Et la voiture, tu l'as trouvée où ?

— Je l'ai achetée, m'a-t-il fièrement répondu.

Pourvu qu'il n'ait pas usé d'un sort ou d'un charme faé… Mais j'avais peur de le lui demander. Je l'ai fait entrer, puis je lui ai ordonné :

— Laisse-moi regarder ta tête.

J'ai ausculté l'arrière de son crâne, là où se trouvait la plaie. On ne voyait plus qu'une fine ligne blanche.

— Incroyable ! Tu te sens comment ?

— Mieux qu'hier en tout cas. Je suis prêt à me remettre au travail, a-t-il déclaré en se dirigeant vers le living. Tu es en plein ménage. Il y a une raison particulière ?

— Oui ! me suis-je exclamée en me frappant le front du plat de la main. Je suis absolument désolée, j'ai oublié de te prévenir. J'organise la Baby Shower de Tara Thornton – Tara du Rone. C'est demain. Claude pense qu'elle attend des jumeaux. Et au fait, c'est confirmé.

— Je peux venir ?

— Eh bien oui, pas de problème pour moi.

Je me sentais pourtant déconcertée. La plupart des mâles se feraient plutôt vernir les orteils que d'assister à pareil événement…

— Tu seras le seul homme, mais j'imagine que ça ne te dérange pas ?

— Ce sera parfait, m'a-t-il répondu avec son merveilleux sourire.

— Tu seras obligé de te couvrir les oreilles, et d'écouter des millions de remarques sur ta ressemblance avec Jason. Il va falloir qu'on trouve une histoire pour expliquer ton existence.

— Mais dis-leur simplement que je suis ton grand-oncle.

Pendant un instant distrayant, j'ai envisagé la chose... et j'ai renoncé, à regret.

— D'une part, tu sembles bien trop jeune pour être mon grand-oncle. Et d'autre part, tout le monde ici connaît mon arbre généalogique – en tout cas les branches humaines, ai-je ajouté à la hâte. Mais je trouverai.

Tandis que je passais l'aspirateur, Dermot a fouillé dans la grande boîte de photos et la plus petite, pleine de pages imprimées, que je n'avais pas encore eu le temps de trier. Il semblait fasciné par les photos.

— Nous n'utilisons pas cette technologie.

Après avoir rangé mon matériel, je suis venue m'asseoir à son côté. J'avais déjà essayé de ranger les clichés par ordre chronologique mais je n'avais pas pu fignoler, et j'étais certaine d'avoir à recommencer.

Ceux de devant étaient très anciens. Il s'agissait de petits groupes de personnes assises, figées, le visage impassible. Certaines photographies portaient des annotations au dos, griffonnées d'une écriture en pattes de mouche. Les messieurs arboraient souvent barbe et moustache, assorties de chapeaux et cravates. Les dames étaient confinées dans de longues manches et des jupes interminables, et elles se tenaient droites comme des i.

Petit à petit, au fur et à mesure que la famille Stackhouse remontait dans le temps, les attitudes sont devenues moins posées, plus spontanées. Quelques touches de couleur sont venues animer visages et décors. Dermot faisait preuve d'un intérêt sincère et je lui ai expliqué le contexte de certains

288

clichés plus récents. L'un d'entre eux figurait un très vieil homme portant un bébé emmailloté de rose.

— Ça, c'est l'un de mes arrière-grands-pères. Il est mort quand j'étais toute petite. Et ça, c'est lui et sa femme. Ils devaient avoir la cinquantaine. Et voici ma grand-mère Adele, avec son mari.

— Non. C'est mon frère, Fintan.

— Mais non, c'est mon grand-père Mitchell. Regarde.

— Oui, c'est ton grand-père. Ton vrai grand-père. Fintan.

— Comment tu le sais ?

— Il a fait en sorte de ressembler au mari d'Adele, mais je vois bien qu'il s'agit de mon frère. C'était mon jumeau après tout, même si nous n'étions pas des vrais jumeaux. Regarde ses pieds, là. Ses pieds sont plus petits que ceux de l'homme qui a épousé Adele. Fintan était toujours négligent pour ce genre de détail.

Alors j'ai étalé toutes les photos de Grand-mère et Grand-père Stackhouse. Fintan était présent sur environ un tiers d'entre elles. À la lecture de sa lettre, j'avais bien soupçonné qu'il s'était montré plus souvent qu'elle ne le pensait, mais là, j'en avais la chair de poule. Dans chaque photo de Fintan-déguisé-en-Mitchell, il souriait largement.

— Elle ne savait pas. C'est certain.

Dermot a pris un air dubitatif. Après avoir réfléchi, j'ai dû m'avouer qu'elle avait dû entretenir quelques doutes. Tout était là dans sa lettre.

— C'était une de ses farces, a dit Dermot, attendri. Fintan adorait faire des farces.

— Mais… ai-je commencé en hésitant.

Je ne savais pas comment formuler ce que je voulais exprimer.

— Tu comprends que c'était vraiment mal ? ai-je repris. Tu comprends qu'il la trompait, à plusieurs niveaux ?

— Mais elle a accepté d'être son amante. Il avait beaucoup d'affection pour elle. Quelle différence cela fait-il ?

— Ça fait une différence énorme. Si elle pensait se trouver avec un homme, alors qu'elle était avec un autre, c'est un mensonge terrible.

— Un mensonge innocent, tu ne crois pas ? Après tout, même toi tu admets qu'elle aimait les deux hommes, et qu'elle faisait l'amour avec les deux, volontairement. Alors, a-t-il répété, quelle différence cela fait-il ?

Je l'ai dévisagé, pleine de doutes. Quels que soient les sentiments de Gran à l'égard de son époux ou de son amant, il me semblait qu'il y avait là un problème d'ordre moral. Et en fait, j'en étais certaine. Dermot ne pouvait visiblement pas l'apprécier. Je me suis demandé si mon arrière-grand-père serait d'accord avec moi, ou avec Dermot. Malheureusement, je pensais connaître la réponse.

— Allez, il faut que je m'y remette, lui ai-je dit avec un sourire forcé. Serpillière, cuisine ! Tu remontes travailler au grenier ?

Il a hoché la tête avec enthousiasme.

— J'adore ces outils.

— Alors ferme bien la porte, s'il te plaît, parce que j'ai fait la poussière en bas, et je n'ai pas envie d'avoir à recommencer avant la fête demain.

— Pas de problème, Sookie.

Et Dermot a monté les escaliers en sifflotant un air que je n'avais jamais entendu – ce qui n'était guère surprenant.

J'ai rassemblé tous les clichés, en mettant de côté ceux sur lesquels Dermot avait identifié son frère. J'ai envisagé un instant d'en faire un joli petit feu. Là-haut dans le grenier, la ponceuse a démarré. J'ai levé les yeux au plafond, comme si j'avais pu voir Dermot à travers les planches. Puis je me suis secouée et me suis remise au travail. Je me sentais toutefois d'humeur distraite et anxieuse.

J'étais en haut de l'escabeau, en train d'accrocher aux lustres une bannière de bienvenue pour les bébés, quand je me suis souvenue que je devais repasser la nappe de mon arrière-grand-mère. Je déteste repasser, mais je ne pouvais y échapper. Autant le faire aujourd'hui pour en être débarrassée. La nappe n'était plus véritablement blanche. Les années lui avaient conféré une teinte ivoire. En un rien de temps, je lui ai redonné son bel aspect lisse. Son contact me rappelait les grandes occasions du passé. On voyait même cette pièce de tissu sur certaines des photos, dressée sur la table ou le vieux buffet pour les grandes fêtes – Thanksgiving, Noël, mariages et anniversaires... J'avais tant d'amour pour ma famille. Et j'aimais tous ces souvenirs. Mon seul regret, c'était que nous ne soyons plus que deux pour nous les remémorer.

Et j'ai pris conscience d'une autre vérité. Je me suis rendu compte que je n'appréciais vraiment pas du tout le sens de l'humour faé qui avait introduit le mensonge dans ces souvenirs.

À 15 heures, la maison était aussi prête que possible. J'avais drapé la nappe sur le buffet et sorti assiettes en carton, serviettes en papier et couverts en plastique. J'avais briqué le bol en argent ainsi que le petit plateau sur lequel je disposerais les allumettes au fromage que j'avais préparées et congelées quelques semaines auparavant.

J'ai vérifié ma liste... c'était bon. Je ne pouvais pas en faire plus pour l'instant.

J'étais angoissée à l'idée que si je ne survivais pas à la nuit, la fête tomberait à l'eau. Mes amis seraient trop choqués si je me faisais tuer. Juste au cas où, j'ai malgré tout laissé des instructions concernant tout ce qui n'était pas déjà prêt. J'ai même sorti mes cadeaux pour les bébés, deux berceaux assortis en osier, qu'on pouvait également utiliser pour voyager. Ils étaient décorés de deux gros rubans en vichy, et bourrés de matériel utile. J'avais accumulé les articles en les achetant en solde, petit à petit. Des biberons, un thermomètre à bébé, quelques jouets, de petites couvertures, des livres d'images, des bavoirs, un paquet de couches en tissu, toujours utiles pour les régurgitations... Il me semblait bizarre de penser que je ne serais peut-être pas là pour voir ces nouveau-nés grandir.

Il était également étonnant de constater qu'il ne m'avait pas été très difficile de financer l'événement, grâce à l'argent qui se trouvait sur mon compte épargne.

Et soudain, une idée extraordinaire m'a frappée. Deux en deux jours ! Après avoir réfléchi aux détails, j'ai sauté dans ma voiture. C'était déroutant, de me rendre au *Merlotte* un jour de congé. Sam a paru surpris, mais content de me voir. Il était dans son bureau, avec une pile de factures devant lui. J'ai posé un autre morceau de papier sur sa table de travail. Il l'a regardé.

— Qu'est-ce que c'est que ça ? a-t-il demandé dans un souffle.

— Tu sais très bien ce que c'est, Sam Merlotte, ne fais pas l'abruti. Tu as besoin d'argent. Moi, j'en ai. Alors tu vas mettre ça sur ton compte aujourd'hui. Tu vas l'utiliser pour faire survivre le bar, jusqu'à ce que tout s'arrange.

— Sookie, je ne peux pas.

Il évitait mon regard.

— N'importe quoi ! Sam, regarde-moi.

Il a fini par m'obéir.

— Je ne plaisante pas. Va à la banque aujourd'hui. Et si jamais quelque chose m'arrive, tu peux rembourser ma succession, disons, dans les cinq ans.

Son visage s'est assombri.

— Et pourquoi t'arriverait-il quelque chose ?

— Rien ne m'arrivera. Je le dis, c'est tout. C'est irresponsable, de faire un prêt sans déterminer les conditions. Je vais appeler mon avocat et lui expliquer, et il va faire un papier en règle. Mais là, maintenant, tout de suite, tu vas à la banque.

Il a détourné le regard. Je percevais toutes les émotions qui le traversaient de part en part. Pour moi, c'était merveilleux de faire quelque chose de bien pour lui. Il en avait tant fait pour moi.

— D'accord.

Je voyais à quel point c'était dur, pour lui, comme pour n'importe quel homme ou presque, mais il savait que c'était la chose logique à faire, et il était conscient que je ne lui faisais pas la charité.

— C'est un « geste d'amour », lui ai-je suggéré avec un grand sourire, comme celui qu'on a fait à l'église dimanche dernier.

292

Le « geste d'amour » au moment de la quête avait été dédié aux missionnaires en Ouganda. Celui-ci serait consacré au *Merlotte*.

— Je veux bien le croire, m'a-t-il dit en me regardant droit dans les yeux.

J'ai maintenu mon sourire en place, mais j'ai commencé à me sentir un peu gênée.

— Bon. Eh bien, il faut que j'aille me préparer.

Il a froncé ses sourcils cuivrés.

— Te préparer pour quoi ?

— Pour la Baby Shower de Tara. C'est une fête à l'ancienne, entre filles, alors tu n'as pas été invité.

— Je vais tenter de contenir mon désespoir.

Il ne bougeait pas.

— Tu vas te lever pour aller à la banque, maintenant ? lui ai-je demandé, très, très gentiment.

— Ah, euh, oui, tout de suite.

Et il est sorti de son fauteuil pour lancer un appel dans le couloir et prévenir ses employés qu'il avait une petite course à faire. J'ai grimpé dans ma voiture en même temps que lui dans son pick-up.

J'étais toute contente.

Je me suis arrêtée chez mon avocat comme prévu, pour l'informer. Mon avocat local, humain, pas Maître Cataliades – dont, d'ailleurs, je n'avais reçu aucune nouvelle.

Je suis passée chez Maxine pour prendre le punch. Je l'ai couverte de remerciements, lui ai laissé une liste des préparatifs terminés ou en cours – ce qui l'a un tantinet déconcertée – et j'ai emporté les glacières. Arrivée chez moi, j'en ai fourré le contenu dans mon petit congélateur sur la véranda de derrière, et j'ai disposé les bouteilles de ginger ale qu'on mélangerait aux jus de fruits une fois décongelés.

Voilà. Dispositif Baby Shower en place.

Passons maintenant à l'assassinat de Victor.

14

Sam m'a appelée alors que je me maquillais.

— Salut, toi, ai-je répondu. Tu as bien mis le chèque à la banque ?

— Tu me l'as ordonné à peu près un million de fois, alors oui, je l'ai fait, pas de souci là-dessus. Je voulais te dire que j'ai eu un coup de fil complètement loufoque de ta copine Amelia. Elle a dit qu'elle m'appelait, moi, parce que toi, tu refuserais de lui parler. Elle a dit que c'était au sujet de ce truc, que tu as trouvé. Elle a fait des recherches. Le… cluviel dor ? a-t-il ajouté d'un ton très hésitant.

— Oui ?

— Elle ne voulait pas en parler au téléphone, mais elle m'a dit de te demander de vérifier tes mails de toute urgence. D'après elle, tu ne le fais jamais. Apparemment, elle est convaincue que tu ne répondrais pas si tu voyais son numéro s'afficher sur ton téléphone.

— Je vais regarder ma messagerie tout de suite.

— Sookie ?

— Oui ?

— Tout va bien ?

Absolument pas.

— Mais oui, Sam. Merci d'avoir fait office de répondeur.

— *No problem*.

Amelia avait assurément trouvé le moyen d'attirer mon attention. J'ai sorti le cluviel dor de son tiroir pour l'emporter avec moi vers le petit bureau du séjour, là où j'avais installé l'ordinateur. Ah oui, j'avais pas mal d'e-mails.

La plupart n'étaient bons qu'à supprimer, mais il y en avait effectivement un d'Amelia, et un autre de Maître Cataliades, arrivé deux jours plus tôt. Là, je ne m'y attendais pas.

J'étais si curieuse que je l'ai ouvert en premier. Le message était assez long. Il allait cependant droit au but.

Mademoiselle Stackhouse,

J'ai bien reçu votre message sur mon répondeur. Je suis en voyage, afin d'éviter que certains individus ne me retrouvent. J'ai de nombreux amis, mais également des ennemis en grand nombre. Je vous surveille de près, tout en évitant, je l'espère, d'être intrusif. Vous êtes la seule personne que je connaisse à avoir autant d'ennemis que moi. J'ai fait du mieux que je le pouvais pour vous maintenir hors de portée de cette engeance du diable, Sandra Pelt. Malgré tout, elle n'est pas encore morte. Prenez garde.

Je pense que vous ne saviez pas que j'étais un grand ami de votre grand-père Fintan. J'ai connu votre grand-mère également, même si je n'étais pas aussi proche d'elle. En fait, j'ai rencontré votre père, sa sœur et votre frère Jason. Il était trop jeune pour s'en souvenir. Vous également, la première fois que j'ai posé les yeux sur vous. Tous m'ont déçu. Sauf vous.

J'imagine que vous avez trouvé le cluviel dor, car j'ai entendu ce terme dans l'esprit d'Amelia quand je l'ai rencontrée à la boutique. Je ne sais pas où votre grand-mère l'avait caché. Je sais simplement qu'elle en a reçu un, car c'est moi qui le lui ai transmis. Si vous l'avez découvert, je me permets de vous conseiller d'être prudente à l'extrême quant à son utilisation. Réfléchissez une fois, puis deux fois, puis une troisième fois avant de relâcher son énergie. Vous pourriez changer le monde, vous savez. Toute altération magique d'une série d'événements peut avoir des répercussions inattendues sur l'Histoire. Je vous contacterai de nouveau dès que ce sera en mon pouvoir, et je passerai peut-être vous expliquer tout cela plus en détail. Tous mes vœux de survie vous accompagnent.

Desmond Cataliades, avocat, votre sponsor

Ah. Comme dirait Pam, Zob de Zombie ! Maître Cataliades était donc mon sponsor, l'étranger ténébreux qui était venu rendre visite à Gran. Mais que signifiait tout ceci ? Il disait avoir lu dans l'esprit d'Amelia. Était-il télépathe, lui aussi ? J'avais la nette impression que j'étais loin de tout savoir. Il ne m'avait mise en garde qu'au sujet de Sandra Pelt et du cluviel dor, mais il préparait certainement le terrain pour une Grande Conversation Funeste, c'était gros comme une maison. J'ai relu le message par deux fois, espérant en extraire une information concrète concernant le cluviel dor, mais c'était peine perdue, il fallait bien l'avouer.

Puis j'ai ouvert le mail d'Amelia avec une profonde appréhension mâtinée des restes de mon indignation. Son esprit était manifestement grand ouvert aux intrusions, et elle y conservait beaucoup d'informations à mon sujet. Ce n'était pas sa faute. J'ai résolu cependant de ne plus partager de secret avec elle.

Sookie,

Je suis désolée pour tout. Tu sais bien comme j'ai tendance à ne pas réfléchir avant d'agir. Et c'est ce qui s'est passé de nouveau. Je voulais simplement que tu sois aussi heureuse que je le suis avec Bob, et je ne me suis même pas préoccupée de ce que tu pourrais en penser. J'ai tenté de gérer ta vie à ta place. Encore une fois, je suis désolée.

Quand nous sommes rentrés, j'ai fait d'autres recherches, et j'ai trouvé des informations sur le cluviel dor. J'imagine que c'est quelqu'un de ta famille faé qui t'en a parlé. Cela fait des centaines d'années qu'il ne s'en est pas trouvé un sur terre. Ce sont des gages d'amour faé, et il faut au moins un an pour en fabriquer un. Le cluviel dor accorde un souhait à l'être aimé. Je trouve que c'est incroyablement romantique. Le vœu doit se faire en faveur de quelqu'un que l'on aime. Ça ne peut pas concerner la paix dans le monde, ou la fin de la famine, ou quelque chose d'universel. Mais apparemment, sur un plan individuel, sa magie est tellement puissante qu'elle peut vraiment changer une vie du tout au tout. Si on offre un cluviel dor à quelqu'un, c'est vraiment du sérieux. Pas comme des fleurs ou des chocolats. C'est plus du niveau d'un collier de diamants, ou d'un yacht, s'ils avaient des pouvoirs magiques. Je ne sais pas pourquoi tu as besoin de renseignements sur les gages d'amour faé, mais si tu en as vu un, tu as vu quelque chose de fabuleux. Je crois même que les faé ne savent plus comment les faire.

J'espère qu'un jour tu pourras me pardonner et qu'alors, tu me raconteras toute l'histoire.

Amelia

J'ai passé un doigt sur la surface lisse de ce talisman dangereux qui était entré en ma possession. J'ai frissonné.

Attention danger, danger, danger.

Perdue dans mes pensées, je suis restée assise à mon bureau quelques instants de plus. Plus j'en apprenais sur la nature des faé, moins je leur faisais confiance. Point barre. Y compris Claude et Dermot. Et surtout Niall, mon arrière-grand-père. J'avais justement l'impression d'être sur le point de me remémorer quelque chose à son sujet, quelque chose de vraiment embêtant… J'ai secoué la tête avec impatience. Ce n'était pas le moment de m'en inquiéter.

J'avais repoussé l'instant autant que je le pouvais, mais je devais maintenant regarder certaines choses déplaisantes bien en face. Au travers de son amitié avec mon grand-père biologique, Maître Cataliades s'était impliqué dans ma vie, bien plus que je ne l'avais jamais imaginé. Il ne me le révélait maintenant que pour des raisons dont j'ignorais tout. Lorsque j'avais rencontré le démon, il n'avait pas montré le moindre signe de reconnaissance.

Tout était mystérieusement lié. Je commençais à nourrir de sérieux doutes vis-à-vis de mes parents faé. J'étais bien convaincue que Claude, Dermot, Fintan et Niall m'aimaient autant qu'ils en étaient capables – pour Claude, évidemment, ce n'était probablement qu'un peu, puisqu'il s'aimait, lui, par-dessus tout. Malgré tout, cet amour n'était pas ce que j'aurais appelé « sain et équilibré ». Le terme évoque plutôt un menu, mais c'était à mon avis le seul qui convienne.

Ma compréhension de la nature faé s'améliorait de jour en jour, et d'ailleurs, je ne doutais plus des paroles de Gran. De plus, j'étais persuadée que Fintan avait aimé ma grand-mère Adele plus qu'elle ne l'avait jamais compris. Il l'avait adorée au-delà de ce qu'un humain peut imaginer. Il avait passé plus de temps avec elle qu'elle ne l'avait su, prenant l'apparence de son époux afin de profiter plus encore de sa présence. Il avait posé dans des photos de famille avec elle, il l'avait regardée mener sa vie quotidienne, il avait même probablement (aïe !) fait l'amour avec elle sous les traits de Mitchell. Et où se trouvait donc mon grand-père dans de pareils instants ? Était-il toujours présent de corps, mais pas d'esprit, gisant inconscient quelque part ? J'espérais que non, mais je ne le saurais jamais. C'était sans doute préférable.

Fintan avait offert un cluviel dor à ma grand-mère, comme gage de sa dévotion. Le talisman aurait certainement pu lui sauver la vie, mais elle n'avait probablement jamais pensé à l'utiliser. Sa foi chrétienne avait peut-être fait obstacle à sa croyance dans les pouvoirs magiques d'un objet.

Gran avait caché sa confession et le cluviel dor au creux du tiroir secret des années plus tôt, afin de les protéger des yeux inquisiteurs des deux petits-enfants qu'elle élevait. J'étais certaine qu'après avoir caché les choses qui lui rappelaient tant sa culpabilité, elle les avait pratiquement oubliées. Que le soulagement qu'elle avait ressenti à tout avouer dans sa lettre avait été tel qu'elle s'était complètement arrêtée de s'en inquiéter. Toute l'histoire avait dû lui sembler loufoque à l'extrême, comparée aux difficultés quotidiennes qu'avait dû rencontrer une veuve chargée de l'éducation de deux petits.

Je m'imaginais que de temps à autre elle s'était dit : *Il faudrait vraiment que je révèle ma cachette à Sookie.* Mais naturellement, elle avait toujours supposé qu'elle avait tout son temps. C'est ce que nous pensons tous.

J'ai baissé les yeux sur l'objet si lisse que je tenais toujours. Je pensais à tout ce que je pourrais en faire. Il devait accorder un vœu, en faveur d'une personne que l'on aime. Puisque j'aimais Eric, il m'était sans doute possible de souhaiter la mort de Victor, ce qui bénéficierait sans aucun doute à mon bien-aimé. Mais je trouvais horrifiant d'employer un gage d'amour pour tuer quelqu'un, que ce soit ou non bénéfique pour Eric. Puis une idée m'a soudain frappée. Je pouvais éliminer la télépathie de Hunter ! Il grandirait ainsi normalement ! Je pouvais contrer l'héritage involontaire que Hadley avait laissé au fils qu'elle avait abandonné.

Quelle idée fabuleuse ! Pendant trente secondes au moins, je me suis sentie enchantée. Ensuite, bien sûr, le doute s'est installé. Était-il bon de changer la vie de quelqu'un à ce point, simplement parce que j'en avais le pouvoir ? D'un autre côté, était-il bon de laisser Hunter souffrir de la sorte et vivre une enfance aussi difficile ?

Ou alors, je pouvais me changer moi-même.

Le concept m'a choquée au point que j'ai failli m'évanouir.

Je ne devais plus y penser. Je devais me préparer pour l'Opération Victor.

Trente minutes plus tard, j'étais prête à partir.

J'ai pris la route pour le *Fangtasia*, consacrant tous mes efforts à maintenir à la fois le vide dans mon cerveau et la férocité dans mon esprit. Vider mon cerveau s'est avéré un peu trop aisé : j'avais appris tellement de choses ces derniers jours que je ne savais plus véritablement qui j'étais. Ce qui me mettait en colère. Par conséquent, la férocité m'est venue très facilement. J'ai chanté à tue-tête, accompagnant chaque chanson diffusée à la radio. Heureusement, j'étais seule – je chante affreusement faux. Pam aussi. Tout en conduisant, je pensais beaucoup à elle. Je me demandais si Miriam était toujours en vie. J'avais énormément de chagrin pour mon amie vampire. Pam était si forte, si dure, si impitoyable qu'avant ces derniers temps la possibilité qu'elle puisse ressentir des sentiments plus délicats ne m'avait jamais traversé l'esprit. C'était peut-être là la raison pour laquelle Eric avait choisi Pam, quand il avait voulu commencer une lignée. Il avait perçu la similitude de leurs êtres.

Quant à Eric, je n'avais aucun doute sur son amour pour moi. Tout comme j'étais persuadée que Pam aimait sa

Miriam si malade. Mais je ne savais pas si Eric m'aimait suffisamment fort pour défier les plans de son créateur et renoncer au pouvoir, au statut et aux gains financiers accrus que lui procurerait une union avec la Reine de l'Oklahoma. Apprécierait-il de jouer les Sooners[1] ? Tandis que je naviguais dans les rues de Shreveport, je me demandais si les vampires de l'Oklahoma portaient des bottes de cow-boys et connaissaient toutes les chansons de la comédie musicale[2]. Mais pourquoi réfléchir à de telles futilités alors que je devrais plutôt me concentrer sur ce qui m'attendait : une soirée sinistre, à laquelle je ne survivrais peut-être pas.

À voir le parking, le *Fangtasia* devait être bondé. Je me suis dirigée vers l'entrée de service et j'ai frappé une série de coups préétablie. Maxwell m'a ouvert. Il portait un magnifique costume d'été couleur fauve, particulièrement élégant. Les vampires de couleur subissent une transformation très intéressante, quelques dizaines d'années après leur passage. Si, dans leur première vie, leur peau était très sombre, elle prend une teinte brun clair, un peu chocolat au lait. Quant aux peaux plus claires, elles sont alors d'un écru crémeux. Cependant, Maxwell Lee n'était pas mort depuis assez longtemps. C'était encore l'un des hommes les plus noirs que j'aie jamais vus, couleur d'ébène, avec une moustache comme taillée à la règle. Nous ne nous étions jamais véritablement appréciés, mais il arborait ce soir un sourire dont la gaieté forcée confinait presque à la démence.

Il m'a accueillie d'une voix forte.

— Mademoiselle Stackhouse ! Nous sommes ravis que vous passiez ce soir ! Eric sera si content de vous voir, vous êtes tellement… appétissante !

En matière de compliments, je ne fais pas la difficile. Et « appétissante » me convenait fort bien. Je portais une robe bustier bleu ciel, assortie d'une large ceinture et de sandales

---

1. Surnom donné à certains colons de l'Oklahoma au XIXᵉ siècle, puis à l'État lui-même ainsi qu'à ses équipes sportives. *(N.d.T.)*
2. Comédie musicale *Oklahoma !*, créée à Broadway en 1943 et adaptée au cinéma en 1955 par Fred Zinnemann. *(N.d.T.)*

blanches. Je sais qu'avec du blanc, les pieds paraissent plus grands, mais les miens ne le sont pas, alors je m'en moquais. J'avais laissé mes cheveux libres. Canon ! J'ai tendu le pied pour que Maxwell puisse admirer la mise en beauté que je m'étais administrée – Pétale de rose épicée.

— Fraîche comme une rose, a-t-il conclu.

Il a écarté un pan de sa veste pour me montrer son arme et j'ai écarquillé les yeux en signe d'admiration : il n'était pas habituel pour un vampire d'être armé. Colton et Audrina sont arrivés derrière moi. Audrina avait relevé ses cheveux, maintenus en place par ce qui ressemblait à des baguettes chinoises, et elle portait un sac à main énorme, presque aussi grand que le mien. Colton devait être armé, lui aussi, car il portait une veste – par une soirée aussi lourde et chaude, aucun humain n'en aurait fait autant s'il n'y était pas forcé. Je les ai présentés à Maxwell et, après quelques échanges de politesse, ils ont pris le couloir d'un pas nonchalant pour pénétrer dans le club.

J'ai trouvé Eric assis à son bureau. Pam s'était installée dessus, et Thalia sur le canapé. Fabuleux ! Je me suis sentie brusquement rassurée en apercevant la vampire grecque millénaire et minuscule. Thalia était passée de l'autre côté dans des temps immémoriaux, et il ne lui restait plus une seule trace d'humanité. Elle n'était plus qu'une glaciale machine à tuer. Lorsque les vampires s'étaient révélés au grand jour, elle les avait rejoints, avec réticence, mais son mépris total pour les humains atteignait des sommets de sauvagerie qui lui avaient valu de devenir une sorte de figure culte. Il existait même un site Web sur lequel on offrait cinq mille dollars en récompense à qui fournirait une photo de Thalia en train de sourire. Personne ne les avait jamais réclamés, mais ce soir, ils auraient pu. Elle souriait.

Tout simplement terrifiant.

Eric a pris la parole, sans préambule.

— Il a accepté l'invitation. Il était méfiant, mais il n'a pas pu résister. Je lui ai dit qu'il pouvait amener autant de membres de sa suite qu'il le souhaitait, pour qu'ils puissent partager l'expérience.

— C'était la meilleure façon de procéder, ai-je dit.

— Je crois que tu as raison, est intervenue Pam. Je pense qu'il n'en prendra que quelques-uns, pour nous montrer qu'il est sûr de lui.

Mustapha Khan a toqué sur l'encadrement de la porte et Eric lui a fait signe d'entrer.

— Bill et Bubba font une petite pause dans la ruelle à deux pâtés d'ici, a-t-il annoncé en évitant notre regard.

— Mais pourquoi faire ? a demandé Eric, interloqué.

— Euh, c'est une affaire de… de chats.

Nous nous sommes tous détournés, gênés. Aucun vampire n'aimait évoquer les habitudes perverses de Bubba.

— Mais il est de bonne humeur ? Il est en forme ?

— Oui, Eric. Il est aussi heureux qu'un pasteur un dimanche de Pâques. Bill l'a emmené faire un tour dans une voiture ancienne, puis à cheval, puis dans la ruelle. Ils devraient arriver pile à l'heure. J'ai dit à Bill que je l'appellerais dès l'arrivée de Victor.

D'ici là, le *Fangtasia* aurait fermé ses portes au public. La foule heureuse et dispendieuse qui s'agitait sur la piste n'en était pas consciente, mais ce soir le King du rock'n'roll chanterait de nouveau, pour le Régent de la Louisiane. Qui aurait pu résister ?

Certainement pas Victor, un fan éperdu. La figurine de carton grandeur nature que nous avions vue au *Vampire's Kiss* était l'indice le plus important, toute la base de notre plan. Victor avait naturellement tenté de faire venir Bubba à son propre club, mais j'avais su que Bubba refuserait. Il voudrait rester avec Bill. Si Bill lui disait qu'il devait aller au *Fangtasia*, c'était là qu'il voudrait aller.

Nous sommes restés assis en silence – quoique le *Fangtasia* ne soit jamais véritablement silencieux : nous entendions la musique et le brouhaha des voix. C'était presque comme si les clients sentaient que ce soir était une occasion particulière, qu'ils avaient une raison de faire la fête. Ou de pousser un dernier hourra avant de périr.

J'avais apporté le cluviel dor, tout en ayant l'impression qu'il me poussait au bord du précipice. Je l'avais glissé derrière la boucle énorme de ma ceinture et il me rentrait dans la chair de manière insistante.

Mustapha Khan avait pris position contre le mur. En plein dans son fantasme Blade, il portait lunettes noires, veste en cuir et coupe de cheveux à la Wesley Snipes. Je me demandais où se trouvait son copain Warren. Finalement, cherchant désespérément à alléger l'atmosphère, je le lui ai demandé. Il m'a répondu sans même tourner la tête.

— Warren ? Il est dehors, sur le toit du motel en face.

— Ah bon ? Pourquoi ?

— C'est un excellent tireur.

— Nous avons peaufiné ton idée, a expliqué Eric, affalé dans son fauteuil, ses pieds sur le bureau. Tout ce qui passe la porte, Warren s'en occupe.

Soudain, je me suis rendu compte que Pam ne m'avait pas adressé un seul regard. Que se passait-il ? Je me suis levée et j'ai fait un pas vers elle.

— Pam ?

Elle a secoué la tête en détournant le visage.

Je ne peux pas lire dans les esprits vampires. Mais je n'en avais aucun besoin. Miriam était morte aujourd'hui. En voyant la ligne douloureuse de ses épaules, j'ai compris que je ne devais rien dire. C'était contre ma nature de retourner m'asseoir sans lui offrir de réconfort, ne serait-ce qu'un mouchoir ou quelques mots de soutien. Mais il était dans la nature de Pam de m'attaquer si jamais je le faisais.

J'ai posé la main sur ma ceinture, à l'endroit où le cluviel dor s'imprimait si durement dans ma peau. Pourrais-je faire un vœu et ressusciter Miriam ? J'avais beaucoup d'affection pour Pam. Je me demandais toutefois si elle satisfaisait aux conditions et pouvait être considérée directement comme un « être aimé ».

C'était comme si on m'avait accroché une bombe.

Soudain, j'ai entendu le vibrato du gong qu'Eric avait fait installer au bar. Le barman le faisait retentir un quart d'heure avant la fermeture. Tiens, je ne savais même pas qui avait repris ce poste, depuis qu'Alexei avait tué Felicia. M'étais-je intéressée d'assez près aux affaires d'Eric, ces temps-ci ? D'un autre côté, il s'était montré lui aussi plus que distrait. Les déprédations de Victor l'avaient même détourné de l'attention qu'il portait généralement à son petit royaume. Manifestement, Eric et moi manquions de communication sur les petites choses de tous les jours. J'espérais que nous aurions l'occasion de rectifier la situation...

Je me suis levée et me suis rendue dans le bar. La souffrance de Pam me faisait trop mal, il fallait que je sorte de ce bureau.

J'ai aperçu Colton et Audrina qui dansaient enlacés sur la piste minimaliste. Immanuel était assis au bar et je me suis perchée à côté de lui sur un tabouret. Le barman est venu vers moi. C'était un mâle musclé avec une cascade de boucles dans le dos. À croquer. Un vampire, bien entendu.

— Que puis-je vous servir, ô épouse de mon shérif ? m'a-t-il demandé d'un ton cérémonieux.

— Un tonic, avec une rondelle de citron vert, s'il vous plaît. Pardon, mais je n'ai pas eu le plaisir de vous rencontrer. Quel est votre nom ?

— Jock.

— Et quand avez-vous commencé ici, Jock ?

— Je suis arrivé de Reno quand le dernier barman est mort. Je travaillais là-bas pour Victor.

Je me demandais bien de quel côté il sauterait, ce soir. Ce serait intéressant, de le découvrir.

Je n'étais pas intime avec Immanuel – en fait, je le connaissais à peine. J'ai cependant tapoté son épaule en lui demandant si je pouvais me permettre de lui offrir un verre.

Il s'est tourné vers moi avant de considérer mes cheveux avec attention. Pour finir, il a hoché la tête en signe d'approbation.

— Bien sûr. J'aimerais bien une autre bière.

— Je suis désolée, lui ai-je murmuré après avoir passé commande auprès de Jock.

Je me demandais où se trouvait le corps de Miriam. Sans doute aux pompes funèbres.

— Merci, c'est gentil.

Après une pause, il a repris :

— Pam allait le faire ce soir, sans permission. Faire passer Miriam de l'autre côté, je veux dire. Mais Mir a simplement... lâché un dernier souffle. Elle était déjà partie.

— Et vos parents ?

Il a secoué la tête.

— Il n'y avait plus que nous deux.

Après cela, il ne restait plus grand-chose à dire.

— Et si vous rentriez chez vous ? ai-je suggéré.

Je ne pensais pas qu'il serait à l'aise en plein combat.

— Certainement pas.

Je ne pouvais pas l'obliger à partir et j'ai donc siroté mon verre pendant que les clients humains s'en allaient. Le bar, presque vide, est devenu silencieux. Indira, l'une des vampires d'Eric, a fait son entrée, drapée dans un sari de cérémonie. Je ne l'avais jamais vue en costume traditionnel, et les teintes rose et vert des motifs étaient de toute beauté. Jock lui coulait des regards admiratifs. Puis Thalia et Maxwell sont entrés par l'arrière. Ils se sont mêlés aux employés humains, affairés à faire place nette avant la seconde partie de la soirée. J'ai aidé aussi, j'en avais l'habitude. On a écarté les tables bordant la petite piste de danse et disposé à leur place deux rangées de fauteuils. Maxwell a apporté une sorte de boombox sophistiquée. La musique pour Bubba.

Après avoir balayé la piste et la scène, je me suis mise à l'écart et suis remontée sur mon tabouret.

Ensuite, c'est Heidi, la pisteuse, qui est apparue, ses cheveux tressés en fines nattes. Mince à l'extrême, pas très jolie, Heidi semblait toujours auréolée de douleur. Je n'avais aucune idée de ce qu'elle ferait ce soir quand le feu d'artifice nous péterait à la figure.

Tandis que Jock mettait de l'ordre derrière son comptoir, Colton et Audrina se sont avancés vers moi. Jock a paru surpris de voir des humains qu'il ne connaissait pas. Il fallait absolument trouver une explication à leur présence. Je ne voulais pas qu'il commence à avoir des soupçons.

— Colton, Audrina, je vous présente Jock. Jock, ces deux adorables personnes se sont proposées comme donateurs, au cas où Victor souhaiterait bénéficier de l'hospitalité locale.

Bien entendu, nous espérons que cela n'aura pas lieu, pas en nos locaux, mais Eric ne veut pas décevoir.

— Bonne idée, a répondu Jock, toisant Audrina d'un regard gourmand. Il nous faut présenter au régent tout ce qu'il désire.

— Mais tout à fait.

Ou plutôt tout ce qu'il mérite.

Après trois quarts d'heure de travail, l'endroit était de nouveau présentable, et les derniers employés humains sont sortis par la porte de service. Colton, Audrina, Immanuel, Mustapha Khan et moi-même étions désormais les seuls êtres présents à respirer. Je me sentais extrêmement mal à l'aise. Les vamp's de Shreveport que j'avais rencontrés depuis que j'avais commencé à sortir avec Bill se sont rassemblés : Pam, Maxwell Lee, Thalia, Indira. Je les connaissais tous plus ou moins. Victor serait immédiatement alerté si tous les vampires d'Eric étaient présents, ou s'ils étaient tous ses meilleurs guerriers. Eric avait donc appelé la petite équipe du nid de Minden : Palomino, Rubio Hermosa et Parker Coburn, les exilés de Katrina. Ils sont arrivés en traînant les pieds, l'air malheureux mais résigné. Ils se sont appuyés contre un mur. Ils se tenaient la main. C'était attendrissant, mais triste en même temps.

Le juke-box s'est interrompu. Brusquement, le silence quasi total s'est fait oppressant.

Le *Fangtasia* se trouve dans une zone animée de Shreveport, pleine de boutiques et de restaurants. À cette heure, cependant, même en week-end, il n'y avait plus un bruit aux alentours. Aucun d'entre nous n'avait envie d'entamer la conversation. Je ne savais pas à quoi pensaient les autres mais, pour ma part, je réfléchissais au fait que j'allais peut-être mourir ce soir. J'étais désolée au sujet de la fête de la Baby Shower. J'avais néanmoins fait tout ce que je pouvais pour qu'elle soit un succès. Je regrettais de ne pas avoir pu rencontrer Maître Cataliades pour qu'il m'explique toute l'histoire et que je comprenne mieux toutes ces nouvelles informations, que je n'avais pas eu le temps d'assimiler pleinement. J'étais contente d'avoir donné l'argent à Sam. J'aurais voulu pouvoir lui expliquer honnêtement pourquoi j'avais dû le faire si rapidement. J'espérais que si je mourais, Jason viendrait s'installer dans ma vieille maison familiale, qu'il épouserait Michele et qu'ils élèveraient leurs enfants là-bas. D'après les souvenirs d'enfance que j'en avais, ma mère (Michelle avec deux « l ») était complètement différente de la Michele de Jason. Mais toutes deux avaient un point en commun : leur amour pour Jason. Si seulement j'avais dit à mon frère à quel point je l'aimais, la dernière fois que je l'avais vu.

J'avais tant de regrets. Mes erreurs et le mal que j'avais fait menaçaient de m'étouffer.

Eric s'est rapproché de moi et m'a tournée sur mon tabouret, pour mettre ses bras autour de moi.

— J'aurais tellement préféré que tu ne sois pas ici, a-t-il chuchoté à mon oreille.

Jock aurait pu nous entendre et nous ne pouvions pas discuter. Je me suis appuyée contre la fraîcheur du corps d'Eric, la tête posée sur son torse silencieux. Je ne pourrais peut-être plus jamais le faire.

Pam est venue s'asseoir près d'Immanuel. Thalia a froncé les sourcils – son expression favorite – avant de nous tourner le dos. Indira était assise, les yeux fermés, les plis gracieux de son sari lui donnant l'air d'une statue de chez Pier 1. Heidi nous a considérés tous deux d'un air grave. Puis elle a pincé les lèvres. Inquiète pour son avenir, allait-elle se ranger à côté de Jock ? Mais je ne l'ai pas vue lui adresser un seul mot.

Soudain, Maxwell a manifestement entendu frapper à la porte de service, un son inaudible pour mes oreilles humaines. Il a disparu pour revenir ensuite annoncer à Eric que Bill et Bubba étaient arrivés. Ils allaient demeurer dans le bureau jusqu'au moment opportun.

Très peu de temps après, j'ai entendu des voitures se ranger devant le club.

— Que le spectacle commence, a dit Pam.

Et pour la première fois de la soirée, elle a souri.

15

Luis et Antonio sont entrés les premiers, très clairement en état d'alerte. J'avais l'impression de regarder une série policière à la télévision : ils se sont rués à l'intérieur, se séparant instantanément pour encadrer la porte. J'ai failli sourire, et Immanuel l'a fait, largement, ce qui n'était pas une bonne idée. Fort heureusement, un vampire qui prévoit des problèmes ne se préoccupe absolument pas de simples humains. Les deux vampires avaient abandonné pour l'occasion leur petit pagne de cuir. Somptueux en jean et tee-shirt, ils ont rapidement fouillé le club, explorant les cachettes potentielles pour d'autres vampires. Le protocole leur interdisait d'effectuer des fouilles physiques. De toute évidence malgré tout, ils examinaient plus qu'attentivement chacun des vampires locaux afin de déterminer s'ils portaient armes ou pieux. Maxwell a dû renoncer à son arme et s'est plié sans protester. Il s'y était attendu.

Après un balayage complet des locaux, ils se sont rapidement inclinés devant Eric. Puis Luis a passé la tête par la porte pour donner le feu vert.

La suite de Victor a fait son entrée, les membres les plus aisément sacrifiables en premier : Mark et Mindy, le couple marié qui se trouvait en sa compagnie l'autre soir au *Vampire's Kiss*, deux jeunes vampires dont je n'avais jamais su les noms, Ana Lyudmila, très en beauté (elle avait renoncé également à son attirail bondage), et enfin un vampire que je ne connaissais pas. C'était un Asiatique à la peau couleur ivoire, avec des cheveux noirs de jais, relevés haut sur la tête en un chignon compliqué. Je l'imaginais parfaitement en costume traditionnel, mais il portait un jean et un gilet sans manches noir. Ni chemise, ni chaussures.

— Akiro, a chuchoté Heidi, manifestement impressionnée.

Sans se faire remarquer, elle s'était glissée près de moi. Elle semblait aussi nerveuse que moi.

— Tu le connaissais, au Nevada ?

— Oh oui alors. Je ne savais pas que Victor l'avait appelé. Apparemment, c'est lui qui a fini par remplacer Bruno – et Corinna aussi. Ce qui en dit long sur sa réputation.

Puisqu'il était maintenant officiellement le second de Victor, Akiro avait le droit d'être armé ouvertement. Il portait un sabre semblable à celui que portait une autre vampire asiatique de ma connaissance. Et d'ailleurs, elle avait été garde du corps, elle aussi. Akiro se tenait au beau milieu de la pièce, pleinement conscient de tous les regards, son visage dur et froid, ses yeux impitoyables.

Puis ce fut le tour de Victor, resplendissant dans un costume trois pièces d'une blancheur immaculée.

— Nom de Dieu ! me suis-je exclamée d'une voix blanche, en me gardant de croiser le regard de quiconque.

Les boucles blondes de Victor étaient savamment coiffées, et son oreille percée arborait une énorme créole en or. Ses chaussures noires étaient impeccablement cirées… En bref, Victor était à tomber. Quel dommage, qu'il soit si déterminé à nous anéantir : c'était presque un crime, de détruire autant de beauté. J'ai posé mon sac sur le comptoir, défaisant la fermeture pour faciliter un accès rapide à son contenu. Immanuel s'est laissé glisser de son tabouret pour aller se poster contre le mur, ses yeux fixés sur les nouveaux venus. Heidi a pris sa place, tandis que Victor et sa suite s'enfonçaient plus profondément dans le club.

Je me suis sentie obligée de parler avec Heidi – elle était certainement venue vers moi avec une raison précise en tête. Sans quitter Victor du regard, je lui ai demandé des nouvelles de son fils, ce qui me semblait tout naturel.

— Eric a proposé de me laisser l'amener ici, a répondu Heidi, gardant elle aussi les yeux sur les visiteurs.

— C'est une excellente nouvelle, ai-je dit.

J'étais sincère : nous en avions une de plus de notre côté.

Entre-temps, la réception commençait avec lenteur.

— Victor, a énoncé Eric.

Il s'est avancé vers le régent, maintenant néanmoins une distance respectueuse. Il prenait soin de ne pas réserver un accueil trop chaleureux à Victor, qui s'en serait immédiatement alarmé.

— Bienvenue au *Fangtasia*. Nous sommes heureux d'avoir l'occasion de te distraire ici.

Eric s'est courbé dans un salut. Le visage d'Akiro demeurait impassible, comme si Eric n'était pas présent.

Victor, encore debout et flanqué de Luis et d'Antonio, a incliné sa tête bouclée en retour.

— Shérif, je te présente Akiro, mon nouveau bras droit, a-t-il annoncé avec un sourire resplendissant. Akiro a récemment accepté de quitter le Nevada pour venir se baser en Louisiane.

— Un vampire aussi illustre qu'Akiro est le bienvenu en Louisiane. Vous couronnez le personnel du régent à la perfection.

Akiro ne pouvait ignorer le salut d'un shérif, qui se trouvait plus haut sur la chaîne alimentaire. Il n'en avait toutefois pas la moindre envie – il s'est incliné, mais pas tout à fait assez bas.

Ah, ces vampires.

Pour ma part, j'étais extrêmement contrariée. Victor avait enfin remplacé son lieutenant et son meilleur guerrier, et ça tombait franchement mal.

— J'imagine qu'il est carrément bon, au combat ? ai-je soufflé à Heidi.

— On peut le dire, a-t-elle répondu avec ironie avant de s'avancer elle aussi pour rendre hommage à son régent.

Tous les vampires d'Eric ont dû faire acte d'obéissance, les uns après les autres. Jock, le membre le plus récent des équipes d'Eric, était le dernier en ligne, arborant l'attitude mielleuse du parfait lèche-cul.

Animée par une bouffée de désir inopportun, Mindy a lancé un regard plein d'espoir à Jock. Elle était d'une bêtise insondable. Mais elle ne méritait pas pour autant de mourir. Je me demandais si je pouvais la persuader de se rendre aux toilettes avant l'instant fatidique. Mais non. Si l'idée ne venait pas d'elle, la manœuvre ferait l'effet d'un véritable drapeau rouge. J'ai examiné tous les nouveaux membres de la compagnie, m'efforçant de me préparer pour ce qui allait venir.

Tout dans la scène m'inspirait la plus parfaite horreur : cette attente interminable, la planification délibérée, la conscience du fait que j'allais faire tout mon possible pour tuer ces gens devant moi... Je croisais leurs regards tout en espérant qu'ils mourraient d'ici une heure. Était-ce ainsi que se sentaient les soldats ? Je n'étais pourtant pas aussi nerveuse que je l'avais pensé. J'étais comme suspendue dans une étrange bulle de silence. Maintenant que Victor était là, plus rien ne pourrait empêcher ce qui allait arriver.

Victor a montré qu'il était satisfait de son accueil en prenant le fauteuil central. Cela fait, Eric a ordonné à Jock d'apporter des boissons pour tout le monde. Les vamp's étrangers à la ville ont attendu que Luis prenne une gorgée dans un verre qu'il a choisi au hasard. Ayant constaté après quelques minutes qu'il était toujours vivant, ils ont chacun pris un verre, imitant Luis, les uns après les autres. Après cela, l'atmosphère s'est considérablement détendue. Le sang tiède servi était parfaitement innocent : c'était une grande marque de sang de synthèse.

— Vous respectez la loi à la lettre, ici au *Fangtasia*, a fait remarquer Victor en souriant à Eric.

Mindy se tenait entre eux et s'appuyait contre l'épaule de Victor, avec son rhum-Coca Light à la main. Sur la gauche de Victor, Mark semblait pâle et apathique. J'ai aperçu les marques de crocs dans son cou et me suis demandé si Victor ne s'était pas un peu emporté. Mindy, elle, ne manifestait aucune inquiétude...

— En effet, mon Régent, a acquiescé Eric avec le même sourire sincère, mais sans développer.

— Et ta ravissante épouse ?

— Elle est présente, naturellement. Que serait cette soirée sans elle ?

Eric m'a fait signe d'avancer et Victor a levé son verre d'un air admiratif. Je suis parvenue à montrer que j'étais flattée.

— Victor, nous sommes heureux que vous ayez pu vous libérer ce soir.

Je n'ai pas tenté d'en faire plus. Victor savait que je n'étais pas aussi douée qu'Eric pour cacher mes sentiments. Je ne voulais pas donner l'alerte.

Eric avait renâclé à me laisser rester ici. Il estimait clairement qu'un être humain était trop fragile pour demeurer en présence d'une horde de vampires en train de se battre. Théoriquement, du moins, j'étais d'accord avec lui. J'aurais nettement préféré me trouver chez moi. Mais je me serais rongé les sangs à chaque seconde qui passait. L'argument décisif, qu'Eric n'a pas su contrer lors de notre réunion, c'était que Victor aurait immédiatement eu des soupçons si je n'étais pas venue. Il aurait perçu mon absence comme une preuve évidente qu'Eric allait passer à l'action.

Akiro s'est posté derrière le fauteuil de Victor. Ah. Problème. Je me demandais comment je pouvais arranger cela. Quant à Pam, elle se tenait derrière Eric. J'ai redressé la tête et suis allée rejoindre Eric avec le sourire, mon sac à main sur l'épaule.

Colton et Audrina servaient des boissons à tout le monde et se fondaient naturellement dans le décor.

À ma grande surprise, Heidi est venue mettre un genou à terre à côté de moi, toute sa posture indiquant un état d'alerte accru. Eric lui a lancé un regard, sans faire de commentaire. Elle avait pris position comme si Eric lui avait ordonné de me protéger pendant une rencontre délicate. J'ai baissé les yeux, mais elle a évité mon regard. Je ne m'étais pas trompée. Ce n'était pas incongru de sa part, tout du moins, et ne devrait pas inquiéter les visiteurs.

— Bill ! a appelé Eric. Nous sommes prêts !

Bill a émergé du couloir donnant sur l'arrière du club, souriant de toutes ses dents – ce qui ne lui ressemblait pas d'ailleurs – pour se poster sur le côté, son bras tendu pour annoncer (sous vos applaudissements !) l'entrée de Bubba.

Et quelle entrée ! Celle de Victor pâlissait à côté.

— Oh la vache, ai-je murmuré.

Coiffé d'une banane invraisemblable, Bubba portait une combinaison rouge scintillant de mille feux, entièrement recouverte de strass et de paillettes, des bottes noires et de grosses bagues. Il souriait, de ce sourire incroyable, un peu de travers, devant lequel les femmes du monde entier s'étaient pâmées. Et il agitait la main en salut, comme si nous étions des milliers, alors que nous n'étions qu'une poignée. Bill s'est installé à côté de la boom-box, et, lorsque Bubba a bondi sur la scène pour nous remercier avec effusion, les lumières se sont éteintes et Bill a lancé la musique – « Kentucky Rain ».

Ce fut inouï. Inexprimable.

Victor était sous le charme, du moins autant qu'une personne en perpétuel état d'alerte peut l'être. Il s'est penché en avant pour mieux savourer l'expérience, oubliant totalement Mindy, Mark et les autres vampires. Après tout, il se trouvait sous la protection d'Akiro. Lequel se concentrait avec vigilance, pas de doute : ses yeux balayaient constamment la pièce sans jamais se poser sur Bubba. Luis et Antonio se tenaient à la porte de devant, protégeant les arrières d'Akiro. Les pupilles du garde du corps parcouraient tout le reste de la salle sans discontinuer.

Tandis que Bubba s'inclinait sous les applaudissements aussi tonitruants qu'une assemblée si réduite pouvait lui adresser, Bill a lancé un autre morceau, « In the Ghetto ».

Des larmes de sang coulaient sur les joues de Victor. J'ai regardé par-dessus mon épaule, pour constater que Luis et Antonio étaient maintenant eux aussi complètement absorbés. Les deux vampires inconnus se tenaient debout près de Bill, les mains jointes devant eux, profitant du spectacle.

Ana Lyudmila, que j'apercevais derrière Mark, n'était apparemment pas une inconditionnelle de musique. Assise sur le bout d'un banc dans l'une des alcôves proches de la porte d'entrée, elle paraissait s'ennuyer profondément. Thalia, qui devait faire la moitié de sa taille, s'est faufilée jusqu'à elle pour lui présenter silencieusement un plateau chargé de verres. Ana Lyudmila a incliné la tête gracieusement avant d'en choisir un et d'avaler une grande lampée. Une seconde plus tard, son visage a affiché une expression d'horreur pure, et elle s'est effondrée. Thalia a attrapé le verre alors qu'il lui échappait des doigts. Sans un mot, la vampire antique et létale a repoussé le corps sans vie plus loin dans l'alcôve avant de se retourner pour contempler la scène, dissimulant ainsi les jambes étendues d'Ana Lyudmila. Le tout n'avait pris qu'une trentaine de secondes. Je n'avais aucune idée de ce qui s'était trouvé dans la boisson – de l'argent sous forme liquide peut-être ? Était-ce seulement possible ? En tout cas, ce petit plan-là dépendait du fait que l'un des vampires ennemis soit hors de vue des autres, et heureusement pour nous, il avait fonctionné.

Une de moins. Nous avions l'intention d'en éliminer autant que possible avant même que le combat ne commence.

Palomino, superbe comme d'habitude avec sa chevelure pâle et sa magnifique peau dorée, se rapprochait graduellement d'Antonio. Il l'a soudain aperçue et elle lui a souri, détendue, prenant soin de ne pas trop en faire.

Mon sac était par terre, coincé entre mon fauteuil et celui d'Eric. J'ai tendu la main vers le bas pour en extirper un pieu très aiguisé et le glisser dans la main d'Eric. Pour cacher la manœuvre, je me suis appuyée un instant contre son épaule, avant de me redresser pour lui laisser de l'espace.

Maxwell Lee, debout à la porte menant vers les bureaux, a retiré sa veste pour la plier soigneusement. J'étais impressionnée par le soin qu'il accordait à sa garde-robe, mais c'était à mon avis un signe trop manifeste d'action à venir. Il a semblé s'en rendre compte également et s'est installé tranquillement au bord d'une alcôve.

Tant que Bubba restait dans le registre de ses ballades si connues, il était magique. Mais pour la prochaine chanson, il a choisi « Jailhouse Rock ». Une légère tristesse a semblé envahir le public. La transition vers l'état de vampire avait allégé ses faiblesses, mais il était malgré tout décédé en mauvaise condition physique, et portait les marques de son âge. Il chantait maintenant tout en dansant, ce qui apportait une nuance presque pathétique à l'effet produit.

Nous ne pouvions pas le prévoir, mais ce changement d'atmosphère était une erreur.

J'ai senti le bras d'Eric se raidir, puis avec la rapidité d'un cobra il s'est penché en avant pour éviter l'obstacle de Mindy Simpson à sa gauche, levant le bras et le projetant pour frapper Victor en plein cœur. L'attaque était parfaitement orchestrée et Eric aurait atteint son but si Akiro, faisant preuve d'une vivacité terrifiante, n'avait pas sorti son sabre pile en même temps pour l'abattre.

Mindy Simpson se trouvait au mauvais endroit, au mauvais moment, entre le sabre d'Akiro et le bras d'Eric. La lame l'a tout simplement traversée comme du beurre, sa chair et ses os la ralentissant juste assez pour qu'Eric en réchappe.

Instantanément, tout a explosé.

Avec un hurlement, Mindy est morte en quelques secondes, dans un flot de sang effroyable. Et pendant ce temps-là, tout un tas de choses ont eu lieu, en simultané. Complètement hébété, Mark avait encore la bouche ouverte que Victor tentait déjà de repousser le corps affaissé et ensanglanté de Mindy, Akiro de dégager sa lame et Eric de s'écarter pour éviter le prochain coup. Le bras d'Eric saignait, mais grâce à Mindy, qui avait fait office de bouclier involontaire, il était encore opérationnel. Me levant d'un bond, je me suis ruée en arrière pour lui laisser le champ libre, renversant mon siège au passage et butant violemment contre Luis, qui s'élançait pour protéger son maître. J'avais gâché sa trajectoire et nous avons

315

atterri tous deux au sol. Heureusement pour moi, son attention était tout entière portée sur l'aspect vampire du combat. Je ne représentais rien pour lui et il s'est simplement servi de moi comme tremplin pour sauter.

Désagréable, certes, mais pas fatal.

Ramassée sur moi-même, je me suis précipitée à l'écart pour tenter de définir ma stratégie. Sous l'éclairage tamisé, le déroulement de l'action n'avait rien de distinct. J'ai identifié les deux combattants près de l'entrée comme étant Palomino et Antonio, et la petite silhouette qui volait dans les airs devait être Thalia. Elle avait eu l'intention d'atterrir sur le dos d'Akiro mais il s'est retourné au dernier instant, rapide comme l'éclair et elle a frappé son torse, le faisant trébucher. Son sabre n'était pas approprié pour le corps-à-corps et encore moins avec Thalia agrippée à lui, animée par l'intention irrévocable de l'égorger de ses propres dents.

Mark Simpson s'éloignait en titubant du corps sans vie de son épouse et des vampires en plein combat et s'exclamait en boucle « Oh ! mon Dieu, oh ! mon Dieu ». Il a fini par se mettre à couvert derrière le bar, où il a trouvé une bouteille avec laquelle il s'est mis en tête de frapper quelqu'un, n'importe qui. J'ai décidé de gérer Mark Simpson et me suis relevée.

Colton s'en est occupé avant moi. Il a attrapé sa propre bouteille et la lui a assénée derrière la tête. Mark Simpson s'est affalé au sol.

Tandis que Thalia occupait Akiro, Eric et Pam ont attaqué Victor. Dans un bar, une bagarre honorable et dans les règles, ça n'existe pas. Ils étaient à deux contre un.

Très précis dans son geste, Maxwell Lee a poignardé Antonio dans le dos avec un pieu pendant qu'il luttait avec Palomino.

Soudain je me suis rendu compte que Bubba s'égosillait, pris de panique. Je me suis élancée vers la scène et l'ai pris par le bras.

— Hé ! C'est bon, tout va bien, lui ai-je dit.

Il y avait tellement de cris et de grondements autour de nous que j'avais peur qu'il ne m'entende pas. Je me suis

316

répétée une bonne vingtaine de fois et, finalement, il s'est arrêté – quel soulagement.

— Mademoiselle Sookie, je voudrais partir d'ici, m'a-t-il annoncé.

— Mais oui, pas de problème.

Alors que j'aurais voulu hurler moi aussi, je m'efforçais de lui parler calmement.

— Tu vois cette porte, là-bas ? lui ai-je demandé en indiquant celle qui menait vers l'arrière du club et les bureaux. Vas là-bas, et attends. Tu t'en es super bien sorti ! Vraiment super ! Bill va arriver très bientôt, ne t'inquiète pas.

— Bon, d'accord, a-t-il accepté, d'une petite voix.

Je distinguais sa silhouette qui se déplaçait dans la faible lumière provenant de la porte ouverte. J'ai fini par localiser Bill qui se frayait un chemin parmi les combattants, les yeux fixés sur son objectif. Il a pris Bubba par le bras pour le mettre en sûreté, ce qui était le rôle qu'on lui avait attribué. J'étais fière de constater que Bill avait laissé l'un des deux vampires inconnus mort sur le sol. Il s'effritait déjà.

Je m'étais tellement concentrée sur Bubba que je n'ai pas vu Audrina qui s'avançait vers moi en vacillant, les deux mains sur la gorge et le sang giclant d'une plaie. Elle est entrée en collision avec moi et, sous le choc, je suis tombée à genoux. Je ne sais pas ce qu'elle avait voulu faire – peut-être passer derrière moi pour aller au bar prendre un torchon, pour étancher le flot carmin, ou simplement échapper à son assaillant, mais elle n'a pas réussi. Elle m'avait à peine dépassée qu'elle s'est affalée de tout son long. Je n'ai rien pu faire pour elle. Tandis que je tâtais son pouls à son poignet, j'ai perçu un mouvement et j'ai eu tout juste le temps de me jeter de côté pour éviter le coup que me destinait Jock, le barman. À se précipiter sur des femmes humaines, il manifestait décidément un excellent instinct de survie… Indira, son sari tourbillonnant autour d'elle, a attrapé le bras musclé de Jock et l'a projeté avec tellement de violence qu'il s'est fracassé contre le mur. Il s'est redressé avec peine, laissant apparaître un trou dans la paroi. Indira s'est lancée à terre, les mains tendues vers son entrejambe. Ses poings se sont fermés. Hurlant à pleine voix, Jock a tapé des pieds pour tenter de se dégager. Mais Indira l'a émasculé.

Une nouvelle vision à classer parmi les plus horribles que j'avais jamais vues, en haut de la liste.

Le sang s'est déversé à gros bouillons sombres et épais du corps de Jock, qui regardait, abasourdi, vers le bas, tandis qu'Indira rugissait sa victoire. Avec une soudaine détermination, il l'a frappée de ses poings serrés sur le côté de la tête pour l'envoyer à son tour voler dans le mur. Pendant une seconde, elle est restée au sol, secouant la tête comme pour chasser des mouches bourdonnant autour d'elle. Jock s'est précipité à l'attaque mais j'ai pu attraper son épaule et le ralentir très légèrement. Au moment même où il atteignait Indira, elle avait suffisamment repris ses sens pour bondir vers le haut, jetant un pli de son sari sur le visage de Jock pour l'aveugler. Au même instant, je lui lançais un pieu, qu'elle lui a enfoncé en plein cœur.

Paix à ton âme, Jock.

J'ai fait les comptes rapidement.

Jock, terminé, Mark et Mindy Simpson, terminé, Ana Lyudmila, terminé, Antonio, terminé, Vamp' Ennemi Numéro 1, terminé. Luis... Mais où était-il donc passé ? J'ai entendu un coup de feu au-dehors – réponse à ma question ? Effectivement, Luis est rentré en courant dans le club, avec une plaie à l'épaule. Mustapha Khan l'attendait, armé d'un très long couteau. Malgré sa blessure par balle, Luis a combattu avec fureur. Il avait dissimulé une arme de secours, une lame qu'il a sortie pour atteindre Mustapha en le coupant. Mais Immanuel a donné un coup de pied à l'arrière du genou de Luis, qui s'est écroulé. Rubio a tiré profit de ce moment de faiblesse pour lui plonger un pieu dans la poitrine. Déçu, Mustapha a lâché un grand « Merde » dégoûté, avant de s'incliner cependant devant Rubio. Surpris, ce dernier lui a rendu la pareille.

Pendant ce temps-là, Palomino rencontrait des difficultés face au Vamp' Ennemi Numéro 2, qui luttait comme un véritable démon. Sans doute plus jeune, Palomino

318

n'avait pas autant d'expérience. De plus, elle commençait à fléchir, affaiblie par tout le sang qu'elle perdait. De toute évidence, Parker n'était pas un habitué de la bagarre. Il est resté néanmoins dans le dos de Numéro 2 pour le larder de coups de pic à glace. Ce n'était pas particulièrement efficace, mais manifestement agaçant à l'extrême. Les trous percés dans la peau de Numéro 2, un vamp' costaud qui devait avoir la trentaine lorsqu'il avait été vampirisé, se refermaient pour être rouverts aussitôt. Très certainement douloureux… Apparemment, Parker avait trop peur pour s'approcher suffisamment de Numéro 2 et lui transpercer le cœur. Quant à Palomino, ses nombreuses blessures la ralentissaient de trop. C'est alors que Mustapha, privé du plaisir de trucider Luis et bien décidé à se rattraper, a poussé Parker de côté pour décapiter Numéro 2 d'un large geste.

Il ne restait plus qu'Akiro et Victor.

Ils savaient tous deux qu'ils luttaient pour leur survie. La bouche de Pam dégoulinait de sang – je ne savais pas si c'était le sien ou celui de Victor. Je sentais le cluviel dor imprimé dans ma taille et j'ai pensé à le sortir, mais au même instant Akiro a réussi à trancher le bras de Thalia. Thalia s'est saisie de son membre tandis qu'il tombait pour en donner un coup à Akiro. Heidi a bondi derrière lui pour le poignarder dans le cou. Akiro a aussitôt lâché son sabre pour porter la main à son cou, et je me suis ruée pour m'emparer de son arme. Elle était de bonne longueur et moins lourde que je ne le pensais. J'ai fait un pas en arrière pour éloigner la garde des mains avides d'Akiro.

À cet instant précis, Victor a envoyé Eric rebondir contre le mur tout en repoussant Pam dans le dos, vers le sol, et se jetant sur elle devant moi. Bloquant ses épaules comme dans un étau, il a mordu dans son cou.

Elle a levé le visage vers moi, terriblement calme.

— Fais-le, m'a-t-elle ordonné.

— Non.

Je risquais de la couper.

— Fais-le.

Elle me terrassait de sa volonté implacable. Elle a attrapé les bras de Victor de ses propres mains pour le maintenir en place.

Eric se relevait en titubant, le sang coulant de son crâne, de son bras et de son flanc. D'après sa bouche écarlate, il avait mordu Victor, au moins une fois. J'ai baissé mes yeux sur Pam, qui concentrait toutes ses forces sur l'immobilisation de notre ennemi. Elle a hoché la tête une fois avant de la tourner sur le côté. Puis elle a fermé les yeux. J'aurais souhaité en faire autant. J'ai pris une inspiration, et j'ai abattu l'épée.

16

Pam a rejeté violemment le poids de Victor pour se lever d'un seul bond. J'avais eu si peur de tuer Pam que je n'avais pas employé assez de force. Je ne l'avais pas coupé en deux, même si j'avais tranché sa moelle épinière. L'épée s'était coincée dans l'os et je ne parvenais pas à la retirer. Épouvantée par ce que j'avais fait, par l'horreur de ce que j'avais ressenti en tranchant dans le corps de Victor, j'ai fait quelques pas précipités en arrière et porté mes mains à ma bouche.

Pam a arraché la lame d'un coup sec et décapité Victor.

— Rends-toi, disait Eric à Akiro, sérieusement blessé.

Akiro secouait la tête, la plaie béante à sa gorge l'empêchant de parler.

— Oh, bon, d'accord, a fait Eric d'un ton las.

Empoignant la tête d'Akiro, il lui a brisé les vertèbres avec un craquement sec qui m'a donné la nausée. Je me suis détournée, mon estomac menaçant de se soulever alors que je lui ordonnais sévèrement de se rasseoir et de se taire. Alors qu'Akiro gisait sans défense, Eric lui a fiché un pieu dans le cœur.

Et c'était terminé.

Victor et toute sa suite, vampires comme humains, étaient morts. L'air était saturé de cendres de vampires.

Je me suis laissée tomber dans une chaise. En fait, non. J'ai perdu le contrôle de mes jambes et un siège se trouvait là par hasard.

Thalia, son bras amputé, versait des larmes de douleur mais luttait de toutes ses forces contre cet aveu de faiblesse. Indira, prostrée sur le sol, épuisée, jubilait d'une joie féroce. Maxwell Lee, Parker et Rubio étaient atteints de blessures plus légères. Pam et Eric étaient couverts de sang, le leur et celui de Victor. Palomino a marché lentement vers Rubio pour le prendre dans ses bras, attirant aussi Parker à elle. Colton était à genoux à côté du corps sans vie d'Audrina et sanglotait.

Je ne veux plus jamais assister à une bataille, petite ou grande, plus jamais de toute ma vie. J'ai levé les yeux vers l'amour de ma vie, mon époux. Il me semblait un étranger. Lui et Pam se faisaient face, se tenant les mains et souriant à travers tout le sang. Puis ils se sont simplement jetés dans les bras l'un de l'autre, et Pam, pantelante, s'est mise à rire aux éclats.

— Ça y est ! C'est fait ! Nous sommes libres !

Ouais. Jusqu'à ce que Felipe nous tombe dessus et exige d'apprendre ce qui est arrivé à son régent, me suis-je dit. Mais j'ai tenu ma langue. D'une part, je n'étais même pas certaine de parvenir à parler. Et d'autre part, nous nous étions déjà demandé ce qui se passerait. Eric estimait qu'il valait mieux demander pardon que demander la permission.

Mustapha parlait dans son portable microscopique.

— Warren, pas la peine de venir à l'intérieur, mec. C'est terminé. Bravo pour ton tir. Oui, on l'a eu.

Parker a pris la parole à son tour.

— Shérif, nous, on va rentrer, sauf si vous avez encore besoin de nous.

Le jeune homme maigrichon soutenait Palomino, qui s'appuyait également sur Rubio. Exténués, ils portaient tous les marques du combat.

— Vous avez ma permission, a approuvé Eric, barbouillé de sang mais toujours aussi impérial. Vous avez répondu à mon appel et rempli votre mission. Vous serez récompensés.

Tous trois se sont prêté mutuelle assistance pour sortir par la porte de service. Leurs expressions montraient clairement qu'ils espéraient qu'Eric ne les appellerait pas avant très, très longtemps, quel que soit le montant de la récompense.

322

Indira s'est traînée jusqu'à Thalia pour plaquer avec force le bras coupé à son emplacement sur l'épaule. Elle le tenait là, souriant toujours béatement. De tous les occupants du bar, Indira devait être la personne la plus heureuse.

— Ça va marcher, tu crois ? ai-je demandé à Pam en indiquant du menton l'assemblage bras-épaule.

Pam essuyait la lame sanglante sur les vêtements d'Akiro. Sa gorge avait pratiquement disparu : les sections blessées se désagrègent plus vite que les autres.

— Parfois ça marche, a-t-elle répondu d'un air indifférent. Puisque Thalia est très vieille, il y a une bonne chance. C'est moins douloureux et moins long qu'une régénération.

— Thalia, je peux vous apporter du sang ?

Je n'avais jamais eu l'audace de lui parler directement. Mais j'étais tout à fait d'accord pour lui trouver une bouteille de sang et la lui servir. Elle m'a regardée, les yeux remplis de larmes incontrôlables. Elle se forçait à ne pas bouger.

— Non, merci, sauf si vous vous portez personnellement volontaire, m'a-t-elle répondu avec son accent si fort. Mais Eric ne serait pas content si je me nourrissais de vous. Immanuel, tu me donnes une gorgée ?

— D'accord...

Le coiffeur fluet semblait plus qu'étourdi et je l'ai questionné.

— Vous êtes certain ? Vous n'avez pas l'air d'aller très bien...

— Mais bien sûr que si. Le mec qui a tué ma sœur est mort. Je vais super bien.

Son ton n'était pas très convaincant. Son apparence non plus. Mais je ne valais guère mieux. Je ne pouvais pas en faire plus et je me suis rassise pendant qu'Immanuel se penchait maladroitement sur Thalia dans son fauteuil. Leur différence de taille ne jouait pas en leur faveur. Thalia a accroché son bras intact autour du cou d'Immanuel, plongeant ses crocs dans sa gorge sans plus attendre. L'expression sur le visage d'Immanuel est passée de la tristesse au bonheur intense.

Thalia se nourrissait bruyamment.

Enveloppée dans son sari plein de sang, Indira se tenait toujours accroupie auprès d'elle, maintenant patiemment le membre coupé à sa source. Tandis que Thalia buvait, le bras a commencé à reprendre une apparence de plus en plus naturelle. Les doigts se sont crispés soudainement. J'étais stupéfaite. Ce n'était cependant qu'un événement extrême de plus dans cette soirée.

Maintenant qu'elle avait fini de célébrer la victoire avec Eric, Pam a aperçu Immanuel qui offrait son sang à quelqu'un d'autre, et elle a semblé un peu vexée. Puis elle a demandé à Mustapha s'il acceptait d'étancher sa soif et il a haussé les épaules.

— Ça fait partie du boulot, a-t-il répondu en tirant sur le col de son tee-shirt noir.

La blancheur de la peau de Pam ressortait violemment sur celle de Mustapha. Il a grimacé de douleur lorsqu'elle a planté ses crocs. Puis, lui aussi, il a pris un air de plus en plus béat.

Eric s'est dirigé vers moi, souriant largement. Jamais encore je ne m'étais sentie si incroyablement soulagée de la destruction de notre lien. Je ne voulais pas ressentir ce qu'il ressentait à ce moment précis. Mais alors, vraiment pas. Il a passé les bras autour de moi et m'a embrassée avec enthousiasme. Les relents de sang m'ont submergée. Il en était trempé, et transférait progressivement la substance poisseuse sur ma robe, mes bras, ma poitrine…

Après une minute, il s'est écarté de moi en fronçant les sourcils.

— Sookie ? Tu ne te réjouis pas ?

Je ne savais pas quoi lui dire. Je me faisais l'impression d'une grosse hypocrite.

— Eric. Nous n'avons plus à nous soucier de Victor et j'en suis contente. Et je sais, c'était ce que nous voulions. Mais pour moi, être entourée de gens morts et de morceaux de cadavres, ce n'est pas réjouissant. Je ne peux pas faire la fête. Et je ne me suis jamais sentie moins sexy.

Il a plissé les yeux. Je lui gâchais son petit effet, et ça l'agaçait. Normal. Je pouvais le comprendre.

324

Et c'était bien ça, le problème. Tout ce qui s'était passé, je pouvais le comprendre. Mais pour moi c'était ignoble. Je me trouvais ignoble. Nous l'étions tous.

— Il te faut du sang, lui ai-je dit. Je suis vraiment désolée que tu aies été blessé. Alors vas-y, prends mon sang.

— Tu es une véritable hypocrite. Et je vais prendre ton sang.

Et il a frappé.

Et ça m'a fait mal.

Il avait le pouvoir de rendre la chose agréable, comme tout vampire le fait presque automatiquement, et il ne l'a pas utilisé. Les larmes coulaient sur mon visage contre ma volonté. D'une certaine façon étrange, je trouvais que je méritais cette douleur, qu'elle était justifiée. Mais j'ai compris également qu'il s'agissait là d'un tournant radical dans notre relation.

Notre relation était décidément parsemée de tournants…

Puis Bill est apparu à mes côtés, les yeux rivés sur la bouche d'Eric, fixée sur mon cou. Une série complexe d'émotions se lisait dans son regard : rage, rancœur et désir.

J'ai eu soudain soif de simplicité. Et j'ai voulu que la douleur s'arrête. Mon regard a croisé celui de Bill.

— Shérif, a dit Bill.

Jamais sa voix n'avait été aussi égale. Eric s'est crispé. Il avait entendu Bill. Il savait pertinemment qu'il devrait s'interrompre. Il n'en a rien fait.

Je me suis libérée d'un coup de ma torpeur et de mon dégoût pour moi-même, saisissant le lobe de l'oreille d'Eric pour le pincer de toutes mes forces.

Il s'est détaché de moi avec un grognement. Sa bouche dégoulinait de rougeur.

— Bill va m'accompagner chez moi, ai-je annoncé. On parlera demain soir. Peut-être.

Eric s'est penché pour m'embrasser mais j'ai tressailli. Pas avec cette bouche sanglante.

— Demain, a répété Eric, examinant attentivement mon visage.

Il s'est détourné pour lancer un appel à l'assemblée.

— Écoutez-moi tous ! Il nous faut faire place nette maintenant.

Ils ont tous poussé des gémissements de protestation, comme des gosses à qui l'on demande de ranger leurs jouets. Immanuel est allé vers Colton pour l'aider à se relever.

— Vous pouvez venir chez moi, a-t-il proposé, ce n'est pas loin.

— Je ne dormirai pas, a répondu Colton. Audrina est morte.

— On va la traverser ensemble, cette nuit, a dit Immanuel.

Les deux humains ont quitté le *Fangtasia* ensemble, courbés sous le poids de l'épuisement et de la douleur. Que ressentaient-ils maintenant que leur vengeance avait été accomplie ? Jamais je ne le leur demanderais. Peut-être ne les reverrais-je jamais plus.

Bill a posé son bras autour de mes épaules alors que je trébuchais légèrement. J'étais contente qu'il soit là pour me soutenir. J'aurais été incapable de conduire moi-même. J'ai fouillé dans mon sac, qui contenait encore quelques pieux, pour en extirper mes clés.

— Où est passé Bubba ? ai-je demandé.

— Il aime bien traîner à côté du vieux Civic Auditorium. Il y chantait autrefois. Il va creuser un trou et dormir dans la terre.

J'ai hoché la tête, trop épuisée pour réagir.

Bill n'a pas dit une seule parole, tout le long du chemin. J'en ai éprouvé un soulagement intense. Je fixais la nuit noire derrière le pare-brise, me demandant ce que je ressentirais le lendemain matin.

J'avais vécu une soirée de tuerie violente, sauvage, à l'image du cinéma gore. Je n'avais vu que quelques secondes de l'un des films de la série Saw, chez Jason, et c'était plus qu'assez.

J'étais intimement convaincue que c'était la propre intransigeance de Victor qui avait déclenché ce fatal enchaînement. En outre, si Felipe avait nommé quelqu'un

326

d'autre à la tête de la Louisiane, cette série de catastrophes n'aurait pas eu lieu. Pouvais-je attribuer une part de responsabilité à Felipe ? Non, elle revenait, pleine et entière, à Victor.

— À quoi penses-tu ? m'a demandé Bill tandis que nous remontions mon allée.

— Je pense responsabilité, culpabilité, assassinat.

Il a simplement acquiescé.

— Moi aussi. Sookie, tu sais que Victor a tout fait pour provoquer Eric ?

Nous nous étions rangés derrière ma maison et je me suis tournée vers lui d'un air interrogatif, la main sur la poignée de la portière.

— Oui, a insisté Bill. Il faisait de son mieux pour le pousser à agir. Il aurait ainsi pu tuer Eric sans avoir à s'en justifier. C'est grâce à ses capacités d'anticipation et d'organisation qu'Eric a survécu, au contraire de Victor. Je sais que tu aimes Eric.

Sa voix demeurait calme et fraîche. Seul le pli de ses yeux trahissait la douleur que lui coûtait cet aveu.

— Il faut que tu sois contente, et peut-être que tu le seras, demain, que cette situation se soit résolue de cette façon.

J'ai serré les lèvres tout en formulant intérieurement ma réponse.

— Je préfère qu'Eric soit en vie plutôt que Victor. C'est vrai.

— Tu es consciente que la violence était la seule façon d'arriver à ce résultat ?

Même cela, je le savais. J'ai acquiescé.

— Alors ?

Bill me demandait de m'expliquer sur ma réaction.

J'ai lâché la poignée pour lui faire face.

— C'était sanglant, et épouvantable, et des gens ont souffert ! me suis-je exclamée, surprise par la colère qui sourdait dans ma voix.

— Pensais-tu que Victor mourrait sans saigner ? Que ses équipes ne feraient pas tout ce qu'elles pouvaient pour prévenir sa mort ? Que personne ne mourrait ?

Sa voix était toujours si calme, si dénuée de jugement, que je ne me suis pas mise en colère.

— Non, Bill, je n'ai jamais cru aucune de ces choses. Je ne suis pas naïve. Mais voir et prévoir, c'est tout à fait différent.

Brusquement, je me suis lassée du sujet. C'était arrivé. C'était fait, et je devais trouver un moyen de m'en remettre.

— As-tu jamais rencontré la Reine de l'Oklahoma ? lui ai-je demandé.

— Oui, a-t-il répondu d'un ton très incertain. Pourquoi ?

— Avant de mourir, c'est à elle qu'Appius a en quelque sorte offert Eric.

Là, il était choqué.

— Tu es certaine ?

— Absolument. Il a fini par me l'avouer. Pam a tout fait pour le forcer à me parler – à part l'attraper par les valseuses pour les mordre !

Bill s'est détourné, réprimant manifestement un sourire.

— Pam est très déterminée, lorsqu'elle décide qu'Eric doit entreprendre quelque chose. Eric t'a-t-il expliqué ce qu'il comptait faire ?

— Il se bat pour en sortir, mais apparemment Appius a signé un document. Juste avant de mourir, il m'avait dit que je ne pourrais jamais garder Eric. Je n'avais pas compris. Je croyais qu'il voulait dire qu'Eric ne s'intéresserait plus à moi, une fois que je serais vieille et ridée, ou qu'on allait se disputer et rompre, ou encore... Oh, je ne sais pas. Que quelque chose allait nous séparer en tout cas.

— C'est ce qui se produit.

— Eh bien... oui.

— Tu sais que s'il épouse la reine, il devra te répudier ? Il aurait le droit de se nourrir sur des humains s'il le souhaitait, ou d'en avoir un comme animal de compagnie, mais il ne peut pas avoir d'autre épouse.

— C'est ce qu'il m'a fait comprendre.

— Sookie... ne fais rien sur un coup de tête.

— J'ai déjà brisé le lien.

Bill a marqué un long silence. Puis il a repris.

328

— C'est une bonne chose. Le lien était dangereux pour vous deux.

Non ? Incroyable.

— Je dois dire que ça me manque, d'être connectée à lui, ai-je avoué. Mais en même temps, c'est un soulagement.

Bill n'a rien dit. Très avisé de sa part.

— Et toi ? Ça t'est déjà arrivé ? lui ai-je demandé.

— Une fois. Il y a bien longtemps.

Il n'avait pas envie d'en parler.

— Ça s'est bien terminé ?

— Non.

Sa voix sans inflexion ne m'invitait pas à poursuivre le sujet.

— Laisse tomber, Sookie. Je te dis cela non en tant qu'ancien amant, mais en tant qu'ami. Laisse Eric prendre seul sa décision. Ne lui pose aucune question. Lui et moi ne pouvons pas nous supporter. Je sais malgré tout qu'Eric fera tout son possible pour se sortir de là, ne serait-ce que parce qu'il aime sa liberté. Oklahoma est très belle, et Eric adore la beauté. Mais avec toi, il a déjà la beauté.

Le compliment m'a touchée – je devais me sentir mieux.

On appelait souvent les souverains par le nom de leur État. Je me suis demandé quel était le vrai nom de la reine qui gouvernait les créatures des ténèbres en Oklahoma.

Devant mon silence, Bill a repris.

— De plus, elle est extrêmement puissante : territoires, biens immobiliers, pétrole, et toute une population qui la suit.

Nous savions tous les deux qu'Eric était avide de pouvoir. Pas de pouvoir absolu, car il n'avait jamais souhaité devenir roi, mais de celui d'être totalement autonome dans son propre domaine.

— Je comprends ce que c'est, le pouvoir, ai-je commenté. Et moi, je n'en ai pas, je le sais bien. Tu veux prendre ma voiture pour rentrer chez toi ou passer par les bois ?

Il m'a tendu les clés.

— Je vais rentrer par les bois.

Il n'y avait plus rien à ajouter.

Je l'ai remercié avant d'ouvrir la porte de la véranda, d'y pénétrer, et de la verrouiller derrière moi. Puis j'ai ouvert la porte arrière de ma maison et suis enfin entrée chez moi en allumant la lampe dans la cuisine. Le vide et le calme qui régnaient m'ont immédiatement apaisée. Et les climatiseurs avaient travaillé dur pour installer une fraîcheur agréable dans les pièces.

Physiquement, du moins, je m'étais sortie du combat au *Fangtasia* mieux que les autres. Mais tout mon corps était comme meurtri et endolori. Le lendemain, ce serait pire. J'ai défait la boucle de ma large ceinture et replacé le cluviel dor dans mon tiroir à maquillage. J'ai retiré ma robe tachée pour la jeter dans le lave-linge de la véranda, programme trempage à froid. Puis je suis allée sous la douche, en réglant la chaleur au maximum de ce que je pouvais supporter. Je me suis récurée des pieds à la tête. Après quoi j'ai continué un instant sous une eau tiède. Quand je suis sortie pour me sécher, je me sentais délicieusement propre et rafraîchie.

Je ne savais pas si j'allais me mettre à pleurer, à prier, ou si j'allais m'asseoir dans un coin avec les yeux grands ouverts pour le restant de la nuit. Aucune de ces réactions ne s'est manifestée. Je me suis glissée au lit avec un sentiment de délivrance – comme si j'avais survécu à une opération chirurgicale, ou si les résultats d'une biopsie s'étaient avérés favorables.

Je me roulais en boule, me préparant au sommeil, quand quelque chose m'a frappée : le fait même que je sois capable de dormir était presque plus terrifiant que tout.

17

Toutes les femmes dans mon living étaient joyeuses. Certaines plus que d'autres, naturellement, mais aucune n'était triste. Elles étaient présentes pour offrir des présents à quelqu'un qui le méritait, et elles étaient toutes heureuses que Tara attende des jumeaux. Les papiers de soie jaunes, verts, bleus et roses s'amoncelaient de façon presque alarmante, mais Tara recevait vraiment beaucoup de choses, de l'utile comme de l'agréable.

Dermot se rendait discrètement utile à servir les rafraîchissements et ramasser tous les papiers cadeaux pour que le sol reste libre de tout obstacle – certaines de mes invitées âgées avaient tendance à trébucher, et je ne voulais pas d'accident. La mère et la grand-mère de JB étaient présentes, et cette dernière avait bien soixante-quinze ans.

Dermot s'était montré à ma porte de derrière plus tôt dans la matinée et je l'avais laissé entrer en silence, avant de retourner à mon café. Il avait à peine posé le pied chez moi que je me sentais déjà incroyablement mieux. Pourquoi n'avais-je pas remarqué ce phénomène plus tôt ? J'étais sans doute trop profondément affectée par le lien de sang, sous l'influence de trop de choses surnaturelles. Je ne me sentais pas forcément mieux d'être libérée. Néanmoins, j'étais de nouveau connectée à la réalité.

Quand mes invitées ont pu examiner Dermot à loisir, elles se sont rendu compte de sa ressemblance frappante avec Jason, échangeant force regards interrogateurs. Je leur ai dit qu'il s'agissait d'un cousin éloigné, de Floride. J'ai perçu alors sous le crâne de nombreuses dames qu'elles allaient consulter sérieusement leurs arbres généalogiques pour trouver ce mystérieux lien de parenté en Floride.

Aujourd'hui, je me sentais enfin moi-même. Je faisais ce que j'étais censée faire, au sein de ma communauté. Je n'étais plus vraiment la personne qui avait participé au massacre de la veille.

Je sirotais mon verre. Le punch de Maxine était parfait, le gâteau que j'avais pris à la pâtisserie, tout simplement délicieux, mes allumettes au fromage, croustillantes à souhait et légèrement épicées, et les noix de pécan salées, grillées à la perfection. Nous avons joué au traditionnel Baby Bingo tandis que Tara, radieuse, ouvrait ses cadeaux et nous remerciait avec effusion.

Au fur et à mesure que la fête avançait, l'ancienne Sookie Stackhouse revenait progressivement. Je me trouvais entourée de personnes que je comprenais et je faisais quelque chose de bien.

En prime, la grand-mère de JB m'a raconté une merveilleuse histoire au sujet de ma grand-mère.

Tout bien considéré, ce fut un très bel après-midi.

Tout en rapportant un plateau couvert de vaisselle sale dans ma cuisine, je me disais : *C'est ça, le bonheur. Hier soir, ce n'était pas vraiment moi.*

Mais j'avais tort. Et je n'allais pas pouvoir me persuader du contraire. J'avais changé, pour survivre. Et je payais le prix de cette survie. J'allais devoir accepter le fait que j'avais changé pour toujours. Sinon tout ce que je m'étais forcée à faire n'aurait servi à rien.

— Sookie, tout va bien ? m'a demandé Dermot en apportant d'autres verres.

— Oui, merci.

J'ai tenté de lui sourire mais sans grand succès.

Puis j'ai entendu un coup frappé à la porte. Quelqu'un devait sans doute être arrivé en retard et voulait s'intégrer sans se faire remarquer.

Maître Cataliades se tenait sur le seuil. Il portait un costume, comme toujours. Pour une fois, cependant, il paraissait légèrement chiffonné. Légèrement moins replet que d'habitude, il souriait poliment. J'étais stupéfaite. Et pas tout à fait certaine de vouloir lui parler. Mais c'était bien le seul être au monde qui puisse répondre à mes grandes questions personnelles. Je n'avais pas vraiment le choix. Je l'ai donc invité à entrer, m'effaçant pour lui laisser le passage.

— Mademoiselle Stackhouse, m'a-t-il saluée d'un ton très formel. Je vous remercie de votre accueil.

Il a fixé Dermot, qui lavait la vaisselle avec grand soin, très fier de s'être vu confier la responsabilité de la porcelaine de Gran.

— Jeune homme, a-t-il simplement dit en guise de salut.

Dermot s'est retourné et s'est figé sur place.

— Démon, a-t-il répondu en retour.

Il s'est remis à sa besogne, et je voyais que ses pensées se bousculaient au portillon.

— Vous recevez du monde, a fait remarquer Maître Cataliades. J'entends un grand nombre de femmes dans votre demeure.

Je n'avais même pas remarqué la cacophonie des voix féminines qui flottaient jusqu'à nous. On aurait pu croire qu'il y avait là une soixantaine de femmes, plutôt que les vingt-cinq invitées présentes.

— Effectivement, c'est le cas. C'est une fête, une Baby Shower pour une de mes amies.

— Peut-être pourrais-je m'asseoir à votre table de cuisine jusqu'à ce qu'elle soit terminée ? a-t-il suggéré. Un petit morceau à manger, peut-être ?

Je manquais à tous mes devoirs.

— Bien sûr ! me suis-je exclamée précipitamment.

Je lui ai rapidement préparé un sandwich au jambon, accompagné de chips et de pickles, avec une coupelle de friandises festives. Je lui ai même servi une tasse de punch.

Les yeux noirs de Maître Cataliades luisaient devant toute cette bonne chère. Ce n'était peut-être pas aussi raffiné que ce dont il avait l'habitude (pour autant que je le sache toutefois, peut-être se nourrissait-il de souris toutes crues), mais il a attaqué son repas avec ferveur. Sans être tout à fait détendu, Dermot semblait ne pas se soucier outre mesure de la présence de l'avocat. Je les ai donc laissés se débrouiller tous les deux et m'en suis retournée dans la salle de séjour – ça ne se fait pas, pour une hôtesse, de s'absenter trop longtemps.

Tara avait fini d'ouvrir tous ses cadeaux. McKenna, son assistante à la boutique, avait accroché sur chacun d'eux une petite carte indiquant qui avait offert quoi. Tout le monde parlait de son propre accouchement dans les détails – ô joie suprême – et Tara répondait aux questions qui fusaient sur son obstétricien, la maternité qu'elle avait choisie, les noms des bébés, le sexe des bébés, combien de temps il restait avant la date présumée… c'était interminable.

Petit à petit, cependant, les hôtes ont commencé à partir. Dès que la dernière a fermé la porte, j'ai dû repousser les attaques de Tara, sa belle-mère et Michele, la petite amie de Jason, qui voulaient toutes m'aider avec la vaisselle.

— Certainement pas, laissez-moi tout ça ici, c'est mon boulot ! me suis-je exclamée fermement – je croyais entendre ma grand-mère et j'ai failli éclater de rire.

Si je n'avais pas eu un démon et un faé dans ma cuisine, d'ailleurs, c'est ce que j'aurais fait.

Nous avons chargé tous les cadeaux dans les voitures de Tara et de sa belle-mère, puis Michele m'a invitée pour le week-end suivant – elle et Jason voulaient préparer des filets frits de poissons-chats. Je lui ai répondu que je verrais, que ce serait formidable.

Une fois les derniers humains partis, j'ai ressenti un profond soulagement.

Je me serais bien jetée dans un fauteuil pour lire pendant une demi-heure ou regarder un épisode de *Jeopardy !* avant de commencer à ranger. Mais il me restait deux hôtes dans la cuisine. J'y suis donc retournée d'un pas martial, les bras chargés d'assiettes et de tasses.

À ma grande surprise, Dermot avait disparu. Je n'avais pas remarqué sa voiture repartant dans l'allée, mais il avait dû se mêler aux derniers convives. Maître Cataliades était toujours assis sur la même chaise, en train de boire un café. Il avait porté son assiette à l'évier – il ne l'avait certes pas lavée, mais le geste était là.

— Bon. Tout le monde est parti. Vous n'avez pas dévoré Dermot, n'est-ce pas ?

Son visage s'est fendu d'un large sourire.

— Non, ma chère mademoiselle Stackhouse, pas du tout. Il serait pourtant certainement très goûteux. Le sandwich au jambon était délicieux.

— Tant mieux, ai-je répondu automatiquement. Écoutez, monsieur Cataliades, j'ai trouvé une lettre de ma grand-mère. Je ne suis pas certaine de comprendre la nature de notre relation. Ou plutôt, je ne comprends pas ce que vous voulez dire par « sponsor ».

Son sourire s'est encore élargi.

— Bien que je sois légèrement pressé par le temps, je vais tenter de dissiper votre confusion.

Je me demandais pourquoi il était pressé, et s'il était toujours en fuite. Mais je n'allais pas me laisser distraire de mon objectif.

— Bon, ai-je repris. Je vais vous répéter ce que j'ai compris, et vous me direz si tout est bon.

Il a approuvé d'un signe de son crâne sphérique.

— Vous étiez un bon ami de mon grand-père biologique, Fintan. Le frère de Dermot.

— En effet. Le jumeau de Dermot.

— Mais vous semblez ne pas avoir d'affection pour Dermot.

Il a eu un geste d'indifférence.

— Effectivement.

J'ai failli me lancer sur ce sujet-là, mais je suis revenue à mes moutons.

— Bien. Fintan était toujours de ce monde lorsque Jason et moi sommes nés.

Desmond Cataliades a hoché la tête avec enthousiasme.

— C'est tout à fait cela.

— Ma grand-mère a dit dans sa lettre que vous aviez rendu visite à mon père et à sa sœur, les véritables enfants de Fintan.

— Oui, j'y suis allé.

— D'accord. Leur avez-vous donné un cadeau ?

— J'ai essayé. Mais vous ne pouviez pas tous l'accepter. Vous ne disposiez pas tous de l'étincelle essentielle.

Niall avait employé une expression similaire, l'étincelle d'essence faérique.

— Qu'est-ce que c'est, l'étincelle essentielle ?

— Quelle question intelligente ! s'est exclamé Maître Cataliades, comme si j'étais un singe qui venait d'ouvrir une trappe pour attraper une banane. Le don que j'ai offert à mon cher ami Fintan est le suivant : ceux, parmi ses descendants humains, qui posséderaient l'étincelle essentielle seraient à même de lire dans les pensées de leurs congénères humains, tout comme je le fais.

— Or donc, quand vous avez découvert que ni mon père, ni Tante Linda ne l'avaient, vous êtes revenus à la naissance de Jason et à la mienne.

Il a acquiescé.

— Il n'était pas véritablement nécessaire de vous voir : le don avait déjà été transmis. Mais je voulais être certain et je suis venu vous voir tous les deux. J'étais exalté, lorsque je vous ai tenue dans mes bras – mais je pense avoir effrayé un peu votre grand-mère.

— Il n'y a donc que moi et…

Je me suis interrompue juste à temps. C'était lui qui avait rédigé le testament de Hadley, et elle n'avait pas mentionné le nom de Hunter. Il était donc fort possible qu'il ne sache pas que Hadley avait eu un enfant.

— … pour l'instant, je suis la seule à l'avoir. Mais vous ne m'avez toujours pas expliqué ce qu'est l'étincelle.

Il a levé un sourcil, comme pour signifier que j'étais dure en affaires.

— L'étincelle essentielle n'est pas facile à définir en termes d'ADN. Il s'agit d'une faculté d'ouverture à l'autre monde. Pour certains humains, il est littéralement impossible de croire en l'existence de créatures vivant dans un monde autre que le nôtre, de créatures qui ont des sentiments, des droits, des croyances, et qui ont le droit de vivre comme elles l'entendent. Les humains nés avec cette étincelle sont nés pour vivre ou accomplir quelque chose de merveilleux, quelque chose de stupéfiant.

Ouais. J'avais bien vécu quelque chose de complètement stupéfiant la nuit précédente, mais quant à dire merveilleux… Sauf si on détestait les vampires, bien évidemment.

— Gran avait l'étincelle, ai-je conclu soudain. Alors Fintan a pensé qu'il la trouverait chez l'un de nous.

— Naturellement. Mais bien sûr, il n'a jamais souhaité que je lui offre mon cadeau.

Maître Cataliades a couvé le réfrigérateur d'un air mélancolique et je me suis levée pour lui préparer un autre sandwich au jambon. Cette fois-ci, j'ai éminçé de la tomate sur une petite assiette. Il a empilé chaque tranche sur le sandwich avant de dévorer le tout avec son élégance habituelle, sans en faire tomber une miette – ça, c'était du surnaturel !

Il s'est interrompu à mi-chemin pour reprendre :

— Fintan adorait les êtres humains – les femmes en particulier. Et parmi celles-ci, tout spécialement celles qui étaient animées de l'étincelle essentielle. Il est rare d'en trouver une. Il adorait Adele à tel point qu'il a installé le portail dans les bois, afin de pouvoir lui rendre visite plus facilement. Je suis navré de le dire, mais il s'est montré suffisamment espiègle pour…

Et ce fut à son tour de s'arrêter, mal à l'aise, pour chercher ses mots.

— Il lui arrivait d'endosser l'identité de mon grand-père pour vérifier son efficacité, ai-je terminé pour lui. Dermot a reconnu Fintan sur certaines photos de famille.

— C'était très vilain de sa part…

— En effet, c'était vraiment vilain, ai-je répliqué d'un ton lourd de sous-entendus.

— Lorsque votre père est né, il nourrissait de grands espoirs. Je suis arrivé le lendemain pour l'inspecter, mais il était tout à fait normal, même s'il était très séduisant, avec un grand charisme, comme tous les mi-faé. Avec Linda, le second enfant, il en fut de même. Et d'ailleurs, je suis navré, pour le cancer. Ça n'aurait jamais dû lui arriver. Je mets ceci

337

sur le compte de l'environnement. Elle aurait dû bénéficier d'une santé parfaite tout au long de sa vie. Même chose pour votre père, d'ailleurs, si ces conflits terribles n'avaient pas éclaté entre les faé. La santé de Linda n'aurait peut-être pas souffert si Fintan avait survécu. Adele a bien cherché à le joindre, pour lui demander s'il pouvait faire quelque chose pour Linda, mais il avait déjà trépassé entre-temps.

— Je me demande pourquoi elle n'a pas employé le cluviel dor pour guérir le cancer de Tante Linda.

— Je n'en sais rien, a-t-il répondu avec regret. Connaissant Adele, j'imagine qu'elle a estimé que ce ne serait pas chrétien. Il est même possible qu'elle ait oublié son existence, ou qu'elle ait considéré qu'il s'agissait d'un simple gage d'amour et rien d'autre. Quand la maladie de sa fille s'est déclarée, cela faisait déjà bien des années que je lui avais donné ce cadeau de la part de Fintan.

J'ai pris un temps pour réfléchir aux grandes lignes de la conversation et déterminer ce que j'avais réellement appris.

— Mais qu'est-ce qui vous a pris, d'estimer que la télépathie serait un si beau cadeau ? ai-je soudain laissé échapper.

Pour la première fois, il a semblé légèrement vexé.

— J'ai pensé que, par rapport à leurs congénères, ce serait un avantage pour les descendants de Fintan, tout au long de leur vie, que de savoir ce que les autres pensaient et préparaient, a-t-il expliqué. Et puisque je suis presque entièrement un démon, et que j'étais en mesure de le faire, j'ai pensé qu'il s'agissait d'un cadeau formidable. Ce serait merveilleux, même pour un faé ! Si votre arrière-grand-père avait su que les hommes de main de Breandan avaient décidé de le tuer, il aurait étouffé la rébellion dans l'œuf. S'il avait su qu'on lui tendait un piège, votre père aurait pu se sauver, ainsi que votre mère, de la noyade.

— Mais ça n'a pas été le cas.

— Les faé pure souche ne sont pas télépathes. Ils sont parfois en mesure d'émettre un message mais ne peuvent entendre la réponse. Et votre père n'avait pas l'étincelle.

J'avais la nette impression de tourner en rond.

338

— Bien. Revenons à l'essentiel : vous étiez super copains, alors Fintan vous a demandé de donner un cadeau à ses descendants, à lui et à Adele, et de devenir leur… notre sponsor.

Maître Cataliades a souri en retour.

— C'est exact.

— Et vous étiez d'accord, et vous avez pensé que la télépathie serait un cadeau super chouette.

— Exact, encore une fois. Il semble néanmoins que je me sois trompé.

— Effectivement. Et vous avez offert ce don d'une façon mystérieusement démoniaque.

— Ce n'était pas si mystérieux, m'a-t-il interrompue, indigné. Adele et Fintan ont chacun bu un dé à coudre de mon sang.

J'avais franchement du mal à imaginer ma grand-mère se prêter à ce jeu-là ! Mais il fallait bien avouer que je ne l'aurais jamais imaginée en train de fréquenter un faé non plus. Et en fait, il était devenu évident que si j'avais bien connu ma grand-mère à certains égards, d'autres côtés de sa vie m'étaient totalement étrangers.

— Je l'avais versé dans du vin, et je lui ai dit qu'il s'agissait d'un cru exceptionnel, a avoué Maître Cataliades. Dans un certain sens, c'était la vérité.

— Très bien. Vous avez donc menti. Je n'en suis pas surprise.

Gran était pourtant loin d'être idiote. Elle avait dû avoir des soupçons. J'y réfléchirais plus tard. J'ai agité les mains devant moi.

— Bon, d'accord. Alors puisqu'ils avaient tous deux ingéré votre sang, tous leurs descendants auraient été télépathes s'ils avaient eu l'étincelle essentielle.

— Exact ! s'est-il exclamé avec un large sourire, comme si j'avais eu un vingt sur vingt à un contrôle.

— Et ma grand-mère n'a jamais utilisé le cluviel dor.

— Non. On ne peut l'employer qu'une seule fois. C'était un très joli présent de Fintan pour Adele.

— Je peux m'en servir pour éliminer la télépathie ?

— Non, ma chère. Ce serait comme si vous vouliez faire disparaître votre rate ou vos reins. Mais c'est une idée intéressante.

Je ne pouvais donc pas aider Hunter. Ni moi-même. Flûte.

— Je peux tuer quelqu'un ?

— Naturellement, si la personne met en péril quelqu'un que vous aimez. Directement. Vous ne pourriez pas causer la mort de votre inspecteur des impôts... sauf s'il menaçait votre frère avec une hache, par exemple.

— Le fait que Hadley finisse avec Sophie-Anne, reine de Louisiane, c'était une coïncidence ?

— Pas tout à fait, car elle avait du sang faé et, comme vous le savez, les vampires adorent cela. Dans votre cas, ce n'était qu'une question de temps, avant qu'un vampire vienne au bar et vous aperçoive.

— C'est la reine, qui l'avait envoyé.

— Tiens donc.

Il ne montrait pas la moindre surprise.

— La reine ne m'a jamais posé de questions sur le don, a-t-il poursuivi, et je ne lui ai jamais révélé que j'étais votre sponsor. Elle n'a jamais prêté beaucoup d'attention au monde des faé – sauf quand elle souhaitait boire du sang de faé. Elle ne s'est jamais souciée de l'identité de mes amis, ni de la façon dont je vivais ma vie.

— Alors qui est à votre poursuite, en ce moment ?

— Question très pertinente, ma chère, mais je ne puis y répondre. Et d'ailleurs, je perçois leur approche depuis une heure, et je dois prendre congé. J'ai remarqué des boucliers de protection particulièrement efficaces sur votre maison, et je vous en félicite. Qui les a posés ?

— Bellenos. Un elfe. Il travaille au *Hooligans*, un club de Monroe.

— Bellenos, a répété Maître Cataliades, pensif. C'est mon cousin au cinquième degré, du côté de ma mère, il me semble. Au fait, j'y pense : en aucun cas vous ne devez révéler à cette bande de canailles du *Hooligans* que vous détenez le cluviel dor. Ils vous tueraient pour s'en emparer.

340

— Que me conseillez-vous d'en faire ? ai-je demandé, plutôt curieuse.

Il s'était levé et lissait la veste fauve de son costume d'été. Lorsque je l'avais fait entrer, j'avais remarqué qu'il ne transpirait pas, malgré la chaleur et son embonpoint.

— Et où se trouve Diantha ? ai-je ajouté.

Sa nièce et lui étaient des opposés. J'avais beaucoup d'affection pour elle.

— Loin d'ici et en sécurité, m'a-t-il répondu sèchement. Quant au cluviel dor, je ne peux vous conseiller. J'en ai déjà suffisamment fait, apparemment.

Et il s'est évanoui sans un mot de plus par la porte de derrière. J'ai brièvement aperçu son corps lourd se déplaçant à travers le jardin à une vitesse foudroyante et il a disparu.

Eh bien… En plus, je n'avais plus de jambon.

Quelle conversation instructive. Par certains côtés. Maintenant, j'en savais plus sur mes origines. Je savais que ma télépathie était une sorte de cadeau Baby Shower prégrossesse, offert par Desmond Cataliades à son ami Fintan le faé et à ma grand-mère. Une révélation pour le moins étourdissante…

Après avoir fini d'y penser – ou tout du moins d'y réfléchir autant que je pouvais le supporter, je suis passée à la remarque de Cataliades sur les « canailles » du *Hooligans*. Il n'avait que mépris pour ce rassemblement d'exilés. Je me demandais vraiment ce que faisaient les faé à Monroe, ce qu'ils préparaient, ce qu'ils complotaient. Ça ne me disait rien de bon. Et enfin, j'ai repensé à Sandra Pelt, qui courait toujours, déterminée à me voir mourir.

Une fois mes neurones épuisés, j'ai laissé mes mains prendre le contrôle des opérations. J'ai rangé les restes de nourriture, les prélevant dans les jolis plats de service pour les glisser dans des sacs en plastique. Puis j'ai lavé le surtout et les saladiers en verre taillé. J'étais en train de les rincer lorsque j'ai aperçu comme deux traînées grises traversant mon jardin à la vitesse de l'éclair. Je ne reconnaissais pas les créatures et j'ai failli appeler les services de la fourrière. Puis j'ai compris qu'elles étaient à la poursuite du juriste mi-démon.

Elles devaient déjà être loin. En outre, il aurait été très imprudent d'essayer d'approcher des êtres capables de se mouvoir avec une telle rapidité pour les attirer dans une cage à l'arrière d'un pick-up. J'espérais simplement que Maître Cataliades portait de bonnes chaussures de course. Je n'avais pas pensé à vérifier.

Ayant terminé le ménage, je me suis changée pour enfiler un jean coupé et un débardeur couleur chocolat. C'est à ce moment que Sam a appelé. Je n'entendais pas de bruits de fond derrière lui. Pas de glaçons s'entrechoquant dans les verres, pas de juke-box, aucun brouhaha de conversation. Il devait se trouver dans son mobile home. Mais nous étions samedi, tard dans l'après-midi, à une heure où les affaires au *Merlotte* commençaient à battre leur plein. Un rendez-vous avec Jannalynn peut-être ?

— Sookie, m'a-t-il saluée d'un ton étrange.

Mon estomac s'est noué immédiatement.

— Tu peux venir en ville ? Viens chez moi, quelqu'un a déposé un paquet pour toi au bar.

— Qui ça ?

Le miroir du séjour me renvoyait mon reflet et j'avais l'air tendu, effrayé.

— Je ne le connais pas, a répondu Sam. Mais c'est une très belle boîte, avec un gros nœud. Peut-être que tu as un admirateur secret, a-t-il poursuivi en appuyant sur ces derniers mots, lourds de sous-entendus.

— Je crois que je sais qui c'est, l'ai-je assuré en me forçant à parler avec légèreté. D'accord, Sam, j'arrive. Oh, attends ! Tu pourrais l'apporter ici ? Je suis en plein ménage, à cause de la fête.

Ici, ce serait plus calme.

— Attends, je vérifie, a dit Sam.

J'ai entendu qu'il recouvrait son récepteur de sa main et le bruit étouffé d'une conversation m'est parvenu, sans autre détail.

— Impeccable, a-t-il repris, alors que son ton indiquait qu'il n'y avait rien d'impeccable. On part dans quelques minutes.

342

— Super ! me suis-je exclamée, satisfaite – j'aurais ainsi le temps de préparer un certain accueil. À tout à l'heure.

Après avoir raccroché, j'ai pris quelques secondes pour réfléchir, puis je me suis ruée sur le placard de l'entrée pour prendre mon fusil et vérifier qu'il était en état de marche. J'ai décidé ensuite de me dissimuler dans les bois, pour avoir l'avantage de la surprise. Après avoir lacé mes baskets, je suis sortie par l'arrière, contente d'avoir mis un haut de couleur sombre.

Ce n'est pas le pick-up de Sam, qui a remonté l'allée, mais la petite voiture de Jannalynn. Cette dernière était au volant, Sam à son côté, et quelqu'un d'autre à l'arrière.

Jannalynn est sortie la première, examinant les alentours avec attention. Elle pouvait parfaitement me sentir et savait que j'étais là. Elle détectait certainement l'odeur de mon arme également. Elle a souri. C'était un sourire sinistre. Elle espérait que j'allais tirer sur la personne qui les avait forcés à venir et que je la tuerais.

Bien évidemment, la personne qui les menaçait de son fusil, la personne assise sur la banquette arrière, n'était autre que Sandra Pelt. Elle est sortie, une carabine à la main. Après avoir pris ses distances, elle l'a pointée sur la voiture. Puis Sam a émergé à son tour, la ligne tendue dessinée par ses épaules révélant toute la fureur qui l'animait.

Il ne s'était écoulé que quelques jours depuis que je l'avais vue en dernier, mais Sandra semblait déjà plus âgée, plus maigre et plus démente. Elle avait teint ses cheveux en noir, assorti à ses ongles. J'aurais plaint n'importe qui d'autre dans la même situation – ses parents étaient morts, sa sœur aussi, et elle souffrait de troubles mentaux. Mais ma pitié se volatilise, lorsqu'on menace les gens que j'aime avec un fusil.

— Allez, Sookie, sors de là ! a crié Sandra. Viens par ici ! Je te tiens maintenant, espèce de merde !

Sans se faire remarquer, Sam s'est déplacé vers la droite de Sandra, se tournant légèrement pour lui faire face. Jannalynn, elle aussi, a commencé à contourner la voiture. Craignant de perdre le contrôle de la situation, Sandra s'est mise à hurler à leur encontre.

— Stop ! On ne bouge plus ! Sinon je vous tire dessus ! Toi, la pétasse ! Tu veux pas que je lui explose la tête, à ton petit chien-chien chéri, si ?

Jannalynn a secoué la tête. Elle portait un short et un tee-shirt du *Hair of the Dog*. Ses mains étaient pleines de farine. Elle devait être en train de faire la cuisine avec Sam lorsqu'on les avait interrompus.

Je pouvais laisser la situation s'envenimer, ou prendre les choses en main. J'étais trop loin, mais je devais risquer le tout pour le tout. Sans répondre à Sandra, j'ai fait un pas en avant pour sortir du bois et j'ai tiré.

Le rugissement de mon Benelli, provenant d'une direction inattendue, a pris tout le monde par surprise. J'ai vu des taches rouges apparaître sur le bras et la joue gauches de Sandra, et elle a trébuché sous le choc. Mais ce n'était rien pour une Pelt, et rien ne l'arrêterait. Elle a relevé son arme pour me viser. Sam a bondi vers elle mais Jannalynn est arrivée en premier. Saisissant le fusil à pleines mains, elle l'a arraché à Sandra, le projetant au loin du même geste. Le pugilat avait débuté. Je n'avais jamais vu deux personnes se battre avec autant d'intensité. Malgré tout ce que j'avais vécu récemment, ce qui n'était pas peu dire.

À cause du corps-à-corps, je ne pouvais plus risquer de tirer sur Sandra. Petites, minces et musclées, les deux femmes étaient à peu près de la même taille. Mais Jannalynn était une guerrière-née, alors que l'expérience de Sandra se limitait aux simples bagarres. Sam et moi tournions autour d'elles, alors qu'elles échangeaient coups et morsures, s'arrachant des poignées de cheveux, s'administrant tout ce que deux combattants peuvent s'infliger, essuyant chacune des dommages considérables. Après quelques secondes seulement, le flanc de Jannalynn avait rougi, et le flot de sang provenant des blessures par balles de Sandra s'était accéléré. Sam a avancé le bras dans la mêlée – c'était comme s'il avait tenté de se glisser entre les lames d'un ventilateur – pour attraper la chevelure de Sandra et tirer dessus. Avec un cri de démente, elle lui a lancé un coup de poing en pleine figure. Il ne l'a pas lâchée pour autant, alors qu'elle lui avait probablement brisé le nez.

Je me suis sentie obligée de participer – tout était de ma faute, après tout – et j'ai attendu mon tour. Curieusement, j'ai repensé au saut à la corde, en primaire, quand deux d'entre nous faisions tourner la corde et que j'attendais le bon moment pour sauter. À la première occasion, j'ai bondi dans la mêlée, attrapant la première chose passant à ma portée : le bras gauche de Sandra. Bloquée dans sa lancée, elle ne pouvait plus abattre le poing qu'elle destinait au visage de Jannalynn. Cette dernière a fermé ses petits poings durs comme de la pierre, avant d'assommer brutalement Sandra Pelt.

Soudain, je ne tenais plus que l'épaule d'une femme dont le corps avait perdu toute consistance. Je l'ai lâchée, et elle est tombée à terre. Sa tête penchait bizarrement. Jannalynn lui avait rompu le cou. Je ne savais pas si Sandra était toujours en vie.

— Oh, merde, a énoncé Jannalynn plaisamment. Bordel de merde. Mince alors.

— Amen, a répondu Sam.

J'ai éclaté en sanglots, au grand mépris de Jannalynn.

— Je sais, je sais, me suis-je exclamée, éperdue. Mais j'ai vu tellement de personnes se faire tuer hier soir ! Ça fait simplement une personne de trop, c'est tout ! Je suis désolée !

Je crois bien que si Jannalynn n'avait pas été présente, Sam m'aurait serrée contre lui. En tout cas, il y a pensé, et c'était ça l'important.

— Oh, elle n'est pas complètement partie, a fait remarquer Jannalynn après avoir examiné la forme inerte de Sandra un instant.

Puis, avant que Sam ou moi puissions réagir, elle s'est agenouillée auprès de Sandra, fermant ses deux poings pour les abattre sur le crâne de Sandra.

C'était fini.

Au-dessus du cadavre, Sam m'a lancé un regard. Je ne savais ni que dire, ni que faire. Je suis certaine que mon visage reflétait mon désarroi.

— Voilà, voilà, a conclu Jannalynn d'un ton léger, en se frappant les mains de l'air de quelqu'un qui vient d'en finir avec une tâche déplaisante. Qu'est-ce qu'on fait du corps ?

J'allais sans doute envisager de faire construire un crématorium dans mon jardin.

Par acquit de conscience, j'ai cru bon de suggérer une autre solution :

— Et si on appelait le shérif ?

Sam n'y tenait visiblement pas.

— Ce ne serait pas bon pour le bar, vu les circonstances actuelles. Je suis désolé mais je suis obligé d'y penser.

— Elle vous a quand même pris en otage.

— Aucune preuve.

Effectivement.

Puis Jannalynn est intervenue.

— Je crois que personne ne nous a vus quitter le bar avec elle. Elle était sur la banquette arrière et elle s'est baissée.

— Sa voiture est toujours garée chez moi, a fait remarquer Sam.

— Moi, je connais un endroit où personne ne la trouvera jamais, me suis-je entendue dire – à ma grande surprise.

— Ah bon ? Où ça ? a demandé Jannalynn.

Elle a levé le regard vers moi. J'y ai lu que nous ne serions jamais les meilleures amies du monde, et qu'aucune des deux ne ferait de manucure à l'autre. Oh la la, quel dommage.

— On va la jeter par le portail.

— Hein ? s'est exclamé Sam, qui fixait toujours le corps avec une mine de dégoût prononcée.

— Par le portail des faé.

Jannalynn m'a regardée, bouche bée.

— Il y a des faé ici ?

— Pas en ce moment, pas précisément. C'est difficile à expliquer, mais j'ai un portail dans mes bois.

— Alors là, toi, tu es vraiment... a-t-elle commencé, ne sachant comment finir sa phrase. Surprenante, a-t-elle terminé.

— C'est ce qu'on dit.

346

Jannalynn saignait toujours. Je me suis donc baissée pour prendre les pieds de Sandra. Sam s'est chargé de ses épaules. Il semblait maintenant moins bouleversé. Son nez cassé le forçait à respirer par la bouche.

— C'est par où ?

— À peu près cinq cents mètres, par là, lui ai-je répondu en pointant du menton – j'avais les mains occupées.

Nous nous sommes donc mis en chemin, cahin-caha. Le sang ne gouttait plus et elle était plutôt légère. Le trajet s'est passé aussi bien que faire se peut quand on transporte un corps à travers bois.

— Je crois bien qu'au lieu d'appeler mon chez-moi « Le Domaine Stackhouse », je vais l'appeler « La Ferme des Corps », ai-je fait remarquer.

— Comme au Tennessee ? a demandé Jannalynn, à mon grand étonnement.

— C'est ça.

— C'est le titre d'un livre de Patricia Cornwell, non ? a poursuivi Sam.

J'ai bien failli sourire. C'était une conversation étrangement civilisée, dans les circonstances. J'étais peut-être encore un peu engourdie par les événements de la nuit précédente. Ou alors, je commençais à me blinder pour survivre au monde qui m'entourait. Quoi qu'il en soit, le cas Sandra ne me paraissait plus si important. La vendetta personnelle qu'entretenait la famille Pelt contre moi, sans raison véritable et depuis si longtemps, était parvenue à son terme.

Et j'ai soudain compris ce qui m'avait affectée le plus dans le cauchemar de la nuit précédente : ce n'étaient pas tant les morts individuelles que l'horreur absolue d'assister à un tel niveau de violence inouïe. Et dans le cas présent, c'était le principe même de l'exécution perpétrée par Jannalynn qui me dérangeait le plus. J'avais l'impression qu'il en allait de même pour Sam, d'ailleurs...

Nous avons finalement atteint la petite clairière. J'ai aperçu avec soulagement la légère distorsion de l'air indiquant l'emplacement du portail menant vers le monde de Faérie. Je l'ai montrée du doigt en silence – comme si les faé pouvaient m'entendre, ce qui était peut-être le cas. Après un instant, Jannalynn et Sam ont repéré ce que je voulais leur montrer. Ils l'ont considéré avec curiosité, et Jannalynn y a même introduit un doigt, qui a disparu instantanément. Elle a retiré sa main avec un cri, pour s'apercevoir avec un soulagement manifeste que son doigt y était toujours attaché.

— À trois, ai-je annoncé.

Sam a acquiescé. Il a lâché l'extrémité du corps pour venir le saisir par le côté et, comme si nous l'avions fait toute notre vie, nous avons introduit le cadavre dans l'ouverture magique, petit à petit. Si le corps avait été plus grand, nous n'aurions pas réussi.

Puis nous avons attendu.

Le corps n'a pas été recraché de notre côté. Personne n'est sorti en bondissant, l'épée à la main, afin de nous massacrer pour avoir osé profaner le monde des faé. Au lieu de cela, des bruits sauvages et des grognements nous sont parvenus. Nous nous tenions immobiles, les yeux écarquillés et les muscles tendus, certains que quelque chose sortirait et que nous devrions combattre.

Mais rien n'est apparu. Les sons ont continué, très explicites : déchirements, lacérations, feulements… et d'autres, si révoltants que je n'essaierai même pas de les décrire. Puis le silence est tombé. J'en ai déduit qu'il ne restait plus le moindre petit bout de Sandra à croquer.

Épuisés, nous sommes retournés à travers les arbres vers la voiture. Sam s'est empressé de refermer ses portières toujours ouvertes pour interrompre l'alarme. Le sol était couvert de taches de sang. J'ai déroulé le tuyau d'arrosage avant d'ouvrir le robinet. Sam a nettoyé le tout, en profitant pour rincer la voiture de Jannalynn. Dans un geste qui m'a retourné les tripes – encore un – Jannalynn a redressé le nez cassé de Sam. Il a hurlé et ses yeux se sont mis à pleurer, mais je savais que la fracture guérirait correctement.

L'arme de Sandra nous posait plus de problèmes que son corps. Je n'allais pas me servir du portail comme d'un vide-ordures – car c'était bien ainsi que j'avais ressenti le fait d'y introduire le cadavre. Après une discussion houleuse,

Jannalynn et Sam ont décidé de la jeter dans les bois en rentant chez Sam. J'imagine que c'est ce qu'ils ont fait.

Et je suis restée seule chez moi, après deux journées d'horreur incroyable. Incroyablement horrifiantes ? Horriblement incroyables ? Impossible de me décider…

Assise dans la cuisine, un livre ouvert posé sur la table devant moi, j'étais perdue dans mes pensées. Le soleil éclairait encore le jardin, mais les ombres s'allongeaient.

Le cluviel dor m'est revenu à l'esprit. Je n'avais pas pu l'utiliser tout à l'heure dans le jardin. Devais-je le porter sur moi, à chaque heure de la journée ?

Puis je me suis demandé si les choses grises avaient fini par rattraper Maître Cataliades. Serais-je attristée si c'était le cas ?

Les vampires avaient-ils pu éliminer toute trace du massacre au *Fangtasia*, à temps pour l'ouverture ? Peut-être devrais-je appeler le bar pour m'en assurer. À cette heure-ci, ce seraient les humains qui me répondraient : Mustapha Khan, et peut-être son copain, Warren.

Eric avait-il appelé Felipe pour lui parler de la disparition du Régent de la Louisiane ? Avait-il écrit à la Reine de l'Oklahoma ?

Peut-être le téléphone sonnerait-il à la tombée de la nuit. Peut-être pas. Et d'ailleurs, je ne savais pas ce que je préférerais.

J'ai donc fait quelque chose de tout à fait ordinaire.

Je suis allée pieds nus dans mon séjour, un grand verre de thé glacé à la main. J'allais enfin me regarder les épisodes de *Jeopardy !* que j'avais enregistrés.

Pour deux cents points, qui veut tenter la catégorie Créatures de Cauchemar ?